关于女人 Guanyu Nüren

时代出版传媒股份有限公司
安徽文艺出版社

序

贾平凹

安徽文艺出版社编撰了这套散文，我看了一下目录，一半是三十多岁写的，一半是近二十年来写的。我没想到竟还写了这么多。如果说散文最能体现作家自身的真实，那么几十年里，▨▨▨▨▨▨▨▨▨在这样的时代里，在这样的土地上，我经历了什么，思想了什么，悲苦或快乐，放荡或隐忍，是无不显全在里边，足可观而观史。

现在经常有人问道：你认为哪一时期的散文好呢？这我难以回答，说：都好吧。或说：都不好。当年轻的时候，年轻就是资本，一切都饱满，写作的欲望如夏天的云，稍一响动它就滂沱，又讲究着起承转合，名锤句炼字，名优美，名灵动，企望着别人读了说：哇，有才气呀！还可能在笔记本上摘录那么几句。而年令慢之老起来，激情是少了，又多是在写完这一部长篇后和又写另一部长篇前，闲暇里有许多想写成散文的东西了，磁康磁康觉得意思不大又不想了，而真写就写自己在生活中▨▨▨▨▨那点疑惑和体悟，修辞俟考，不苦就短，似乎再没什么风头的尾，

贾平凹
散文典藏大系（文墨本）
关于女人

Jia Pingwa Sanwen Diancang Daxi
(Wenmo Ben)
Guanyu Nüren

贾平凹　著

时代出版传媒股份有限公司
安徽文艺出版社

图书在版编目（CIP）数据

关于女人/贾平凹著. —合肥：安徽文艺出版社，2013.4（2017.3 重印）
（贾平凹散文典藏大系）
ISBN 978-7-5396-4392-2

Ⅰ.①关… Ⅱ.①贾… Ⅲ.①散文集－中国－当代 Ⅳ.①I267

中国版本图书馆 CIP 数据核字（2013）第 047261 号

总 策 划：朱寒冬　刘景琳		出版统筹：韦　亚	
责任编辑：韦　亚		装帧设计：丁　明	

出版发行：时代出版传媒股份有限公司　www.press-mart.com
　　　　　安徽文艺出版社　www.awpub.com
地　　址：合肥市翡翠路 1118 号　邮政编码：230071
营 销 部：(0551) 63533889
印　　制：安徽新华印刷股份有限公司　(0551) 65859128

开本：880×1230　1/32　印张：12.25　字数：260 千字　插页：7
版次：2013 年 4 月第 1 版　2017 年 3 月第 2 次印刷
定价：560.00 元(全七册，精装)

（如发现印装质量问题，影响阅读，请与出版社联系调换）

版权所有，侵权必究

关于女人

独立做女人的人格,热情地对待生活,对待自己,为自己而活着,活得美好,女人越会对男人产生永久的吸引,这就是平等的,与男人平等是真正地活出了女人味。

序

贾平凹

　　安徽文艺出版社编辑了这套散文,我看了一下目录,一半是三十多岁写的,一半是近二十年来写的。我没想到竟还写了这么多。如果说散文最能体现作家本身的真实,那么六十年里,在这样的时代里,在这样的土地上,我经历了什么,思想了什么,悲苦或快乐,放荡或隐忍,足迹和心迹全在里边,是了我的历史。

　　现在经常有人问道:你认为哪一时期的散文好呢?这我难以回答,说:都好吧。或说:都不好。当年轻的时候,年轻就是梦想,一切都敏感,写作的欲望如夏天的云,稍一响动,它就落雨,又讲究要起承转合,要锤句炼字,要优美,要灵动,企望着别人读了说:哇,有才气呀!还可能在笔记本上摘录那么几句。而年龄慢慢老起来,激情是少了,又多是在写完这一部长篇后和又写另一部长篇前的间隙里,有许多想写成散文的东西了,琢磨琢磨觉得意思不大又不想了,而要写就写自己在生活中那点真正的体悟,能长便长,不长就短,似乎再没什么凤头豹尾,囫囵的,一锅煮。写作也真有趣,年轻时是花,年纪大了是果,年轻时是清秀,年纪大了是浑沌,年轻时是有词有韵的朗颂,年纪大了是一满家常着唠叨。我之所以回答都好,因为它们都是我写的,一棵树么,开春枝条嫩而柔软,入冬枝条苍而僵硬,可它却是一棵树。之所以回答都不好,又因为这棵树就是这么个品种,它生长的土瘠水少,又多风多雨,能开了什么艳花能结了什么硕果呢?!

　　我前年回老家为父母修坟的时候,没有让我的孩子们去,我说:一辈人尽一辈人的责任。文学也是这样,我的生命在这块土地上经历着这个时代,既然是写作的,就写好我该写的文章,笔是第三只手,人和文尽力合一,忠诚的,真情的,几十年写过来了,再继续写下去。

2013年3月22日

目录

木耳 / 1

初中毕业后 / 4

风竹 / 17

读书示小妹十八生日书 / 20

三游华山 / 24

桌面 / 27

安西大漠风行 / 30

初人四记 / 32

梦城 / 89

火焰山 / 91

柳园 / 93

柞水丝绸厂 / 95

戈壁滩 / 97

法门寺塔 / 99

黄甫峪 / 101

石砭峪 / 103

高观潭 / 105

关中论 / 107

酒 / 114

河西 / 117

敦煌沙山记 / 121

温泉 / 124

陕西小吃小识录 / 127

语言 / 146

观察 / 151

他回到长九叶树的故乡 / 155

一匹骆驼 / 164

我的台阶和台阶上的我 / 170

我的小传 / 184

仙游寺 / 185

自传 / 189

观菊 / 198

未名湖 / 199

红石峡 / 201

游寺耳记 / 203

干雨松 / 204

柳湖 / 206

求缺亭 / 208

崆峒山笔记 / 212

陋室 / 215

宿州涉故台龙柘树记 / 218

在桂林 / 222

太阳城 / 227

守顽地 / 229

灵渠 / 231

游西山 / 233

平凹携妇人游石林 / 235

佤族少女 / 237

南宁夜市 / 239

风景 / 242

羊城呓语 / 245

关于树 / 248

人病 / 249

荒野地 / 256

砻石岩 / 258

西大三年 / 260

四月廿三日游太湖 / 263

白藤湖梦忆 / 267

笑口常开 / 271

读书杂记摘抄 / 275

生活一种 / 282

鸡蛋 / 284

门 / 286

祭父 / 289

游了一回龙门 / 300

树佛 / 304

好读书 / 306

关于女人 / 309

独白 / 315

关于父子 / 319

这座城的墙 / 325

闲人 / 328

弈人 / 334

名人 / 339

谈病 / 346

牌玩 / 350

晚雨 / 355

哭三毛 / 358

再哭三毛 / 362

平凹作画记(七则) / 369

佛事 / 377

给你一根竹棍 / 381

三目石 / 383

木　耳

堂兄年前来,给我说:

南山,有一个密密的大森林,长着赤松、白桦、黑柏、杉、栎、杨、椿;我们修路进去,有计划地采伐;成批成批的栋梁之材就运出了山外。为了全面地普查这个古老的森林,一日,我们三人出发,一直往南山的深处去,于是到了一个神秘的地方。

这是个阴沉的谷沟,时而闪得开阔,时而狭窄得要豁啷啷碰在一起;山山峁峁,似乎全没有了脉势走向,横七竖八地乱了规律。就在最远最高的那个山梁,天幕衬托之下,分明看出两边尖尖地翘起,中间缓缓地落下,活脱脱一个上弦的月亮。我们便叫它月亮坳。到坳里去的路十分难走,一山的松动石,常常就有几块滚落下来,满山满谷响着爆裂的隆鸣。爬上去,那里却长满了清一色的栲树,盆粗的、桶粗的、一搂粗两搂粗的,从那月亮的底部齐楚楚地长得和月亮的两边一样高低了。这里几乎从未有过人的足迹和气息,鸟儿也很少;死寂寂的,一说话,就有了扩音,嗡嗡地回韵不绝,但嗡声太大了,说话反倒又不容易听清。我们惊喜发现了这个奇妙的山坳,惊喜这山坳里有这么多上好的栲树,这是一批难得的大梁、立柱用材啊!

但是,这里的地势太险恶了,木材无法运出,我们就决定将公路修进来。

一个月过去了,又一个月过去了,山路却无法开出来。那里三天两头就是一场恶风暴雨,可怕的雷电竟是一个火球一个火球击打在那巨大的黑石上,好多人以此便丧生了;而艰艰难难修出的那一截路面,哗啦啦一声,松动石涌下,什么也就不复存在了。路无法再修了,我们只有天晴的日子,站在沟底看去,那密密的栲树将月亮坳填满,像一个倒放的梳子,常要猜想:是月藏在林中呢,还是树长在月中?只好无可奈何地议论:

"那是一批好树啊!"

"那真是好树。"

"为什么就要生长在那个地方呢?"

"那地方太不是地方。"

就在夏天的一个月初,南山里又遭到了一次百年不遇的风雨雷电,月亮坳受到了残酷的劫洗,栲树全然地毁掉了。从此,那个地方又没有人再去,空留一个月亮坳,一个冰冷的坳的月亮。

栲树自生自灭了;这无光无热的坳的月亮,使它们长成了材,却又使它们遭到了毁灭!

"多么可惜的栲树!"

"多么可惜。"

一年后,我们偶然又赶到了那里,一片倒木,狼藉不堪,像一处古战场一样令人惨不忍睹。但是,出奇地却发现一群一群数不胜数的黑色蝴蝶,一齐落在那开始腐朽的倒木上,似乎都在扇着翅膀作极快的已经用肉眼无法分辨速度的闪颤呢。

"啊,蝴蝶!"

"啊,蝴蝶!"

我们惊呼着,跑近去,却立即傻眼了,原来那并不是黑色的蝴蝶,而是每一根腐朽木上,都密密麻麻地生长着小拳般大的木耳。

面对着木耳,我们再没有喊出声来,默默地作着长久的思想:这是怎么回事?这是向我们作着一种生命的显示呢,还是作着一种严肃的提问?古时的梁山伯和祝英台,生不能美满于世,死而化蝶双飞人间,这木耳,难道就是这栲树不死的精气而凝,生不能成材出坳,死也要物质不灭,化蝶飞出这个远僻的可怕的地方吗?这可怜可尊的木耳,腐朽的躯体里竟有了如此神奇的精灵!

我们面面相觑着,深深地感到了森林开发者的羞愧;小心翼翼地一片一片将木耳摘下,背下山去;下定了从未有过的决心:路再难修,也一定要修,让采伐队开进来,让机器开进来,让这闭塞的地方同外边的世界大同;天地自然有了栋梁的生长,就要让栋梁有其价值的用场啊!

路便重新修起来,一尺,一尺,千回百转,爬高伏低,一直向深山老林里延伸而去了。

堂兄留给了我一包木耳,看时,果然肉厚体大,形如黑色的蝴蝶。我舍不得食用,虽然那是明目健脑,补精提神之仙物;时时看着它,说不清对它的感情,是一种崇敬还是伤悲,是一种慰藉还是寄托,恍恍惚惚之际,写出这段文字,录下我此时此刻的心境。

写于 1983 年 6 月 10 日夜静虚村

初中毕业后

一九六八年八月,武斗的枪声渐渐平息,"红色政权"——各派势力平衡不均的革命委员会——一个村一个村地宣告成立,天下该是太平了。但娘仍是不让我到处跑,天不黑就关门,蒙了被子到炕上去睡。我那时好犟,嫌娘太胆儿小,说村子里谁家孩子不在热闹,偏偏咱家前门关了,后门掩了,自己吓自己呢。娘扇我个耳光,臭骂一通,末了却抹着泪说:"咱怎么能和人家比了?你要有个三长两短,你父亲回来,我怎么向他交代啊?!"

娘一说这话,我就不言语了。父亲,一个忠厚本分的教了数十年小学和中学语文的老师,被一个无赖轻易地诬陷,一夜之间,便成了历史反革命分子。如今还在"学习班"上啊。枪声的消失,使我们解除了命在旦夕的恐惧,但那叮叮咣咣——开批斗会是少不了这种打击乐的助威的——锣鼓声,却更加不安了我们对父亲的牵挂。

一日,正是黄昏,院门被人敲响,娘将我们兄妹拉进小房门里,死不出声。那敲门声响了一阵,就有人直接在后窗外喊我的名字,我听出是我的同学,将头从窗缝探出去。

"平娃,我是来给说句话的,你接到学校的通知了吗?"

"通知?是让咱们去'复课闹革命'吗?"

"你还想着读书？咱们要毕业了！通知去学校领毕业证呢！"

"你胡说！"

"谁骗你，让谁当了牛鬼蛇神，讲'学习班'去！"

第二天，我揣了几个蒸红薯，小跑步儿赶到十五里外的商洛镇中学去。"文化大革命"一兴起，先还觉得新鲜，哭着闹着要戴那"红卫兵"的袖章，但拳头武斗一开始，我就偷偷跑回家去，已经有近两年的时间未进过这学校了。那棕红色的大门，一边已经裂了；花坛上的防御工事，石头和沙袋拆除了一半；而高高的墙壁上，枪弹爆裂的洞孔还清清楚楚地保留着，据说有一位"烈士"鲜血直喷射到高墙的瓦槽上，我没有去辨认，一头钻进大门，去寻找我上过课的教室了。

教室的门口，被架起来的桌凳堵塞着，院子里，满是碎石、砖块，和零拆下来的桌子腿，全校没有一扇窗子是完整的玻璃了。我茫然地站在那里，看见入校时我亲自栽种的那棵小白杨，被刀拦腰砍断去，木桩的茬口上，已经隆起了一块肿瘤似的块疤。

没有典礼，没有仪式，班主任将一张白里套红的硬纸递给我，说："你毕业了。"

我看着硬纸，上面写道："贾平娃，男，十四岁，在我校学业期满，准予毕业。一九六七年八月。"

眼下是六八年，领的却是六七年的毕业证，我毕的是什么业？即使推迟了一年，可我的数学仅仅只学到方程，我算得什么初中毕业生？！

"老师，我不毕业。我这就再读不上书了吗？"

"我哪里想让你们这样出校门呢?"班主任说,"你们学到了方程,六八级连第一册都没学完也就要毕业了。"

我当下就委屈地哭了。四年前,我到这里参加考试的时候,一走出考场,在大门外蹲着的父亲和小学老师一下子就把我抱起来;父亲是一早从四十里外的邻县学校赶来的,他的严厉使我从小就害怕他,当下问起我的考试情况,得知一道算术题因紧张计算错了答案时,就重重地打了我一个耳光,又问起作文,我嚅嚅讷讷复述了一遍,他的手又伸过来,但他没有打耳光,却将我的鼻涕那么一擦,骂了句"好小子"!当我的名字以第三名成绩出现在考榜之上,一家人喜欢得放了鞭炮,而又从此得到了父亲为我特买的一支钢笔。初入学的一年半里,我每个星期日的下午,背着米面,提着酸菜罐子到学校去,那十五里的沙石公路上,罐子被打碎过六次。我保留着六条罐子系带,梦想着上完初中,上高中,上大学,做一个对社会有贡献的人……可现在,我才学到了方程,我就要毕业了,就要永远不能坐在教室里读书了?!

班主任一直把我送到了校外的公路上。我是他的得意学生,在校的时候,规定每周一次作文,而我总是作两次让他批改。他抚摸着我的头,从怀里掏出一本三年级的语文课本,说:

"你带着这本书吧;你还有一本作文,就留在我这儿作个纪念吧。回去了,可不敢自己误了自己,多多地读些书最好。"

我走掉了,走了好远回过头,老师还站在那里,瞧见我看他,手又一次在头顶上摇起来。

从此,我成了一个小农民。

我开始使用一本劳动手册。

清早,上工铃一响,就得赶紧起来,脸是不洗的,头发早剃光了,再用不着梳理,偷偷从柜里抓出一把红薯干片儿装在口袋,就往大场上跑:队长是在那里分配活路的。或者是套牛,"跟斗"滑了,踮着脚尖在牛脖子上摆好;"撇绳"绊了,蹴下身去扳牛腿;歇晌的时候,两头牛常常头碰头地牴起来,用鞭子如何打不开,就吓得变脸失色地哭。或者去割草,背一个和身子差不多高的大背篓,过深深的丹江河到山上去,到处跑着攥蒿草,割下了又背不下来,扎起草捆推下山,扎绳又断了,草扬得没个踪影。哭一阵,又重割,露水沾湿了浑身,又常常撞动了草丛中的长虫和野蜂,长虫可以避开,野蜂却成团紧迫而来,忙睡倒在地上装死,还是少不了一蜇,须急忙将小便或鼻涕涂在患处。天黑了,呼呼噜噜喝三碗糊糊饭,拿着手册去落工,工分栏里一满写着"三分"。

那时候,队里穷极了,一个工值是二角五分,这就是说,我一天的劳动报酬是七分五厘钱。

我咒骂过队长,嫌给我评的工分低,我将队长的名字写在石头上,然后挖了坟坑埋葬了。娘却总是吓唬我,不让去找队长辩理。

"咱现在是黑人,可不敢在人面前要强,惹不起躲起,人家谁的小拇指头都比咱的腰粗。你好好长吧,再过一年,力气大了,难道老让你挣三分工吗?"

这期间,父亲夜里可以从学习班回来睡觉。一到村口,他就要摘下带着"黑帮"字样的白袖筒,天明走时,一出村就又戴上。他教了一辈子书,未经过什么大事,又怕又气,人瘦得失了形。每次出

门,就要亲亲我们,对娘说:

"他们常常开会,突然就宣布逮捕人,说不定今日我就不得回来了;要真的不能回来,你不要领平儿他们来,让人捎一床被子就是了。"

说罢,一家人都哭了。娘总要给他换上新洗的衣服;父亲剪下领口的扣子,防止用绳索绑绑时,那领口扣子会勒住脖子憋住了气的。

父亲一走,娘就抱着我们哭。但去上工的时候,却一定要我们在盆子里洗脸,不许一个红肿着眼睛出去。

过罢年,学习班突然不让父亲夜里再回来,将他关押在他任教的一所小学校里交代"罪行"。不停地有人传来消息,说父亲拒不认罪,被捆了几绳,有一个麻脸无赖将他打得口鼻出血。我气愤极了,整日计算着去报复那个无赖,娘怕我惹出事来,就将我狠狠地打了一顿,硬逼着我给她回话:安安分分在家待着。我一肚子痛苦,发泄不了,就常常一个人跑到那个小学围墙外转悠。围墙很高,看不见里边,也听不见里边的动静,大门口站着凶神一样的造反派看守,好说歹说也不让进去看看父亲。我只好又返回家,在丹江河上的那条铁索桥上使劲地晃摇。这桥我以前一步也不敢过,走上去,脚抬多高,桥面也随脚浮多高,天摇地动的;如今我一点胆怯也没有了,双脚拼命地摆动桥面,恨不得将这天地全摆动个翻过。回到家里,村里的孩子们都在放着风筝,风筝是那样地自由自在,但弟弟妹妹却坐在门口呆呆地一动不动。

"放风筝去!"我大声地说,几乎在命令着他们。

8

我们也糊起了风筝,在阴沉沉的冰冷的高空里,我们的风筝放得最高,也最远。

秋天里,父亲回来了,从此他以历史反革命分子的身份被开除公职回来,再也不去那几十年投入了全部身心而又摧残了全部身心的学校了。他到家的那天,我正在山坡红薯地里拔草,闻讯赶回来,院子里站满了人,一片哭声,我门槛跨不过去,浑身就软得倒在地上。娘拉我到了小房里,父亲是睡在炕上,一见我就死死抱住,放声大哭了:

"儿呀,我害了你啊!我害了我娃啊!"

我从未见过父亲这么哭着,害怕极了,想给他说些什么,又不知道该怎样说,只是让父亲的眼泪,一滴一滴落在我的脸上。

父亲浑身是伤,伤得最厉害的莫过于是他一颗忠厚本分的心,他受不了这种屈辱,又悲又痛,就病倒了。父亲一睡倒,家里家外一切重担全都落在娘的身上。多年的饥寒交迫,担惊受怕,她的身子到了极端虚弱的地步,没过多久,胃病也就发作了。每次犯病,就疼痛得在炕上翻来覆去,不吃不喝,又直吐酸水,睡在那里只有一丝儿气了。我们到处借钱给娘抓药,账欠了很多,有人害怕我们还不起,也就不借了,娘后来病一犯,就只好用土方子整治,一直要睡倒七天,或者十天半月,才能下炕。在那段时间,我和弟弟确实祈求过神,跪在村后河湾处一座被拆除了房子的小庙旧址上叩着一个响头又一个响头。

家里什么都变卖了,我们兄妹的衣服,冬天里装上絮套就是棉,夏天里抽去絮套就是单。我那支上中学买的钢笔,却依然插在我的口袋里。村里人都嘲笑我,但我偏笔不离身:它标志着我是一个读过书识过字的人,标志着我是一个教师的儿子!每天夜里,我和父亲就坐在小油灯下,他说,我记,我们写着一份一份"翻案"状子,寄到省上、县上、公社,一份不行,再写一份,我们相信着我们无罪,要求重新调查落实。娘看着我,说:

"平儿书没白念呢!"

父亲就对我说:

"吃瞎穿瞎不算可怜,肚里没文化,那就要算真可怜。你要叨空读读书,不管日月多么艰难,咱这门里可不能出白丁啊!"

我记着父亲的话,开始读起我过去学过的课本,读起父亲放在楼上的几大堆书来。书是很杂的,但更多的是鲁迅的作品;顶喜欢的要算是鲁迅的那些杂文了,读着虽不十分懂,但能懂的地方,却觉得特别过瘾。越读越放不下,每天中午收工回来,娘还未将饭做熟,我就钻到楼上,在那里铺一张席,躺着来看。吃罢饭,要是夏天,开工还不到时间,大人都到门前树下去乘凉,四邻的孩子们也三三两两去河中玩水了,我就又趴在楼上看书。楼上很热,我脱得赤条条的,开工铃响了,爬起来,那席上就出现一个湿湿的人字形汗痕。

痛心的是这年秋天,要账的人很多,而且在家大吵大闹,我和父亲没有在家,娘一时气不过,就将这些书担了满满两筐到合作社去卖废纸。我知道后,撵到合作社,书已经过了秤,我和娘好一顿吵嚷,总算抱回来了两捆。娘将卖书钱还给了讨账人,跟跟跄跄回来,就给我流着泪说她不好。我看着可怜的娘,再也没有怨她、怪她,又给娘说起了安慰话,母子便又是一场痛哭。

书剩下了两捆,我越发珍贵起来,在楼上钉了一个木板架子,一本一本整齐地放在那里,看过一遍,又看过一遍。家里人都发觉我看书看出瘾了,到任何地方去,见到什么书就想着法儿给我借回来。娘常常后悔她卖书的过错,有一次翻箱子,翻出她早年夹鞋样的一本书来,就交给了我,我一看却是一本《中国地理地图》,当下就笑了,却直对着娘说:

"这是本好书,这真是好书呢!"

那年月,人活得不精神,天也不时地也不利了,麦秋二料的庄稼总是受旱,粮食一直收不下。家里没有钱,更没有粮。弟弟也从小学休退回来劳动,他长得又粗又高,我们的工分由"三分"上升到三分五厘,再到五分、六分。但是,无论如何,我们干上一年,仍包不住粮钱,而粮呢,却分得极少,一年到头稀溜溜饭喝着,还总是一料赶不及一料。夏里自留地里总是种着大麦,成熟得早,黄一片,割一片,在碾子上踹了皮就煮着吃。秋里,自留地里包谷还是嫩颗,就用指甲抠下来碾成稀粥做糊糊汤。最猴急的是二三月里,饭食不好,天又特长,娘每次做饭,若是糁子汤,她就要温半碗红薯面捏着菜窝窝煮在里边:大的一个是给父亲的,小的两个是分别给我和弟弟的,顶小的没有包菜的是给小妹的。而她只是喝汤。我把菜窝窝分一半过去,她倒骂我,说是她有胃病,吃那么硬的东西不是要犯病吗?若是吃糊涂面条,不下菜前,她给父亲盛一碗,下一筷篦酸菜了,分别给我和弟弟盛一碗,然后就再下一盆酸菜,她的碗里,几乎是没有一条面儿了。这么过着一段日子,后来连酸菜也没有了,我们每天收工回来,都沿路挖野菜:灰条,剌蝶,打儿蔓,猪耳朵,苦苦菜,拳芽;还有一种叫老鸦蒜的,煮熟了,装在笼里五天五夜在泉里泡,等水拔去涩麻,吃起来甜面面的,吃后却万不敢喝生水,几天里拉屎也不成个形状。

好容易熬到要分麦了,一决算,我们家欠队里五十多元粮钱,必须限期交上,否则就不分粮。在以前父亲有工资的时候,我们家季季的粮钱,都是本家子或者四邻争着让从他们的余粮钱中抵除,因为这笔钱不久父亲就可以还清的,又常常还得比原账多那么几元,这样,一可以有利可沾,二又落了人情。现在,娘去求好几户本家子,他们都借故急着用钱而拒绝抵除了。这使我们受到了最沉重的打击和侮辱,眼看着旁人一担一担往家里挑分得的新麦,父亲和娘急得满口火泡,没个办法。

在这短短的十多天里,我一下子懂了好多事,知道了什么是人情世故,什么是世态炎凉。悲愤之际,就趴在楼上,学着鲁迅杂文的笔法,记我心中的怨情。这便是我第一次进行的创作,每次写完,常要掩了门,大声念着。父亲回来,在门外还以为我在家和谁骂仗呢,当发现了我写的东西后,就一把夺过去塞在炕洞里烧了。

"你寻着死吗?这文章敢让外人知道吗?世事就是这样,你知道就行了,孩子。文章倒写得不错,怎么就那么多错别字,'卑鄙'的'鄙'字哪是'批'字呢?!"

他蹴在地上,用指头在地上更正着。

"你以先那么待他们,现在就落这么个好报吗?世上的人都是这么瞅红灭黑,等我长大挣了钱了,我宁肯撂到河里,也不肯给这些人一分一厘了!"

"胡说!世上好人仍是多着哩,他们总没有把我当四类分子看待,动不动去批斗吧?不借给咱钱,他们也是没多余的嘛。出去再不要嫉恨人家。咱慢慢再想办法吧。"

父亲的话是对的,果然过了几天,父亲的一些学生从外地回来,给我们援助了一笔钱。饥了给一口,强似饱了给一斗。这事使一家人感激涕零,也使我的世界观得到了改变:世上毕竟是有着好人啊!

粮食艰难地背回来,一家人心都盛盛的,决心要自强不息,把这个家支撑好,再不要被外人笑话。家里从此再没有吵声和哭声,父亲和娘天天出工,我和弟弟上山采药,下河捉鳖,和泥做坯,凡是能卖钱的活计,我们都去干。那几个冬天里,我们从不穿袜子,草鞋也是自己编。穷困的日子,倒使我们身骨一天一天硬棒起来,能挖能锄,能担能挑,我们的工分增加到八分了。

最难忘的是我们去南山打柴。半夜里,娘就起来将早饭做好了,几乎总是糊涂,我和弟弟站在厨房里吃,娘就一直坐在灶口下看着我们,千声万声地叮咛着上山脚下要留神,过河求大人拉上,不要背得过重。我们吃上两碗,一定让她吃些,她总是不肯,让得紧了,就生了气,反身进小房去睡了。我们便又端上两碗到小房去,让父亲也吃一碗。父亲坐起来,接过了碗,却硬将睡梦中的小妹拉起来,让她吃。吃罢饭,带上红薯干粮,我们赶天亮到了山上,吃中午饭就可以背六十多斤柴火回来。有一个冬天,山上冰雪很厚,我们将背篓和干粮放在一块大石旁边,就在草鞋底上又缠了好多葛条就爬到山顶去。等把柴砍好了,扎成捆从山上推下来,却发现老鸦将干粮吃光了。我们坐在石头上哭一阵,骂一阵,末了还是背了柴火往回走,又饥又饿,过一条河上的列石时,一脚未踏稳,栽倒在河里,等爬起来,额上碰了一个洞,血流不止。忙用小便涂在伤口,又嚼了一把蓖蓖草敷在上面,血是止住了,但天晕地转立不起身子,就睡倒在一面大青石板上。消息传回去,父亲那天又不在家,娘吓得呜呜哭,忙跑来接我,一直到了天黑严了,我们才回到了家。

　　从那以后,娘就不让我上山去打柴了,她每天不明起来,就抱了扫帚去河堤上扫落叶,麦秋二季,又是一夜一夜去田地里拔麦根和稻草根,院子里就堆起老大老大一个柴积子。再就是一心饲养猪,猪成了家里经济收入的唯一希望。但因为没有粮食喂,一天三顿的野草,猪架子倒很大,却上不了膘,一身的红绒毛不蜕。娘信迷信,以为是猪圈庄子地界不好,催着我们倒换了几处,但那猪的脊梁依然如刀子一般。

　　到了古历年前,全家吃的、喝的、花的、用的,就全计算在猪的身上,我们拦着到商洛镇、县城两处收购站去交售,却都嫌瘦不收。眼看着别人家都办年货,我们的猪还养在圈里,后来听说二十里外的邻县夜村镇上猪收得粗,父亲就提出拉猪去试试。天明起来,我们给猪喂了一顿熟红薯,吃得像打了气一般的圆,就冒雨用架子车拉着上了路。父亲说:

　　"今日把猪交了,咱们好好进一次馆子,你们想吃些什么?"

我说"油糕",弟弟说"荤面",两个人竞争起来动了手脚。父亲说：

"好了,好了,谁要吃啥就买啥;再闹,你们就不要去了!"

中午赶到夜村镇上,交售猪的队很长,好容易快排到我们跟前了,猪却又拉又尿,急得我和弟弟就不停地踢猪的屁股:这一拉一尿就要少多少斤数啊！开始验收了,收购员捏捏猪的脊背,摸摸猪的肚子,叫道：

"不够格!"

将猪一脚蹬出来,猪一下子乱跑起来,我和弟弟忙去拉,结果连人带猪跌倒在路边的污水沟里。父亲一脸苦笑,上去说：

"你看能不能交个五等?"

"六等也不要!"

"你抬抬手收下吧,我们靠这猪过年呀。"

"那你就在年这边不要过嘛!"

父亲受了一通奚落,痴在那里,末了就蹴下去,抱了头呆呆了好长时间;后来走回来,说声"回吧"！我和弟弟就都哭了。

回来的一路上,我们没有说一句话,路过饭馆,赶忙就走过去了。一到家,猪一放进圈里,我就拿竹竿狠命地抽打了一顿,把竹竿都打折了。

结果,猪在第三天的集市上卖给私人了,一共是三十六元钱,重新抱了一个小猪,花去十元钱,余下的钱就买了些包谷,打了二斤油,称了五斤肉。谁也没有想到,父亲竟又买了一张红纸,让我写副对联贴在门框上,我问他写些什么,他说：

"写毛主席诗词吧:'风雨送春归,飞雪迎春到'。"

到了二月,受饥荒的时期又来了,我们开始分散人口:娘带着小妹到姨家去,弟弟到舅家去,我和父亲守在家里看门。夜里不吃晚饭,父亲说:

"睡吧,睡着就不饥了。"

睡一会儿却都坐起来,就在那小油灯下,他拿一本书,我拿一本书,一直看到半夜。

我终于没有在那个困难时期沉沦下去,反倒使我更加懂事,过早地成熟了。如今还能搞点文学,我真还感激那些日月的磨炼;有人讲作家的早年准备和先决条件,对于我来说,就是受人白眼,受人下贱所赐予的天赋吧。

草于 1983 年 6 月 11 日静虚村

风　　竹

　　我曾经问过老者:风是什么？来无消息,去无踪影,倏忽似弦丝弄音,倏忽又惊雷般滚过,不知道究竟是怎样个形象呢？答曰:此天籁,地籁,宇宙自然之大籁也;其本无形,形却随物而赋,你如果在山上,可以看见它托起一根羽毛袅袅,那便是温柔形象;你如果在海边,可以看见它使水浪卷扬,浩渺色变,那便是暴烈的形象。

　　我怅然了。居在城里,足未到过高山,身也未涉临大海,却是一块天地,仍是一块天地属我,则四堵墙内的不足五米方圆的一庭小院罢了。我怎么能看到风的形象呢？

　　于是,我在院里植下了一丛竹。

　　果然风附在竹上而显形了。日复一日,一年复一年,我以生命的渴望观察着竹丛,终于明白了风是通过竹表现着它的存在的。清晨里,屋檐下的蛛网被露水浸得亮亮的,像是水银织就,竹丛后的卧石上,藓苔上茸了一层嫩绿。新篁初放了,叶子安静得像在梦里,正面是正面,复面是复面,一层一层叠起来,各自按着自己的身份各就各位。竹丛的地上,有一些去年脱落的叶子,白得像纸片儿,脉络还看得清楚,用手去捡,却全然腐烂了。太闷了,蚯蚓拼命地在土里松动,三个四个竹鞭顶起卧石,冒出尖尖的角来。一切都是静止的,风的形象该是严肃;太规律了,太一统了,死气沉沉的,我不知道我应该想些什么,应该说些什么。台阶下的草窝里有个不相识的虫子正慵懒地唧唧。

白日过去,黄昏笼罩了城市;风起了,晚空上的碎云也似乎有了一种凄凄流动的音响。微风又是什么模样呢?我回到了小院,竹枝稳稳的,每一片叶子却在颤颤地激动,竹丛像一团软软的东西,这边凹进去,那边就凸出来,间或就分散了,但立即又聚集在一块,像是互相粘连着。风的形象原来也有平温、生气的时候,叶子各自是什么形状,什么颜色,都分分明明地显露出来了。嫩叶抖擞着,浅绿得可人,一些深绿的衰老的叶子无可奈何地掉下去了。整个竹丛弥漫着一种爱,一种欲,摇曳出一首抒情的诗歌。

但是,暴风常常就在夜里降到这个古老的城市了。一个可怕的罪恶的形象。竹子纷乱得没有一点秩序了。像一只秃头折翅的即将坠落的雏鸟,像一个披头散发的失夫的女人。房子里的烛光熄灭了,墙外巷口的路灯半昏半暗地照过来,竹丛忽地拉长着一个柱形,又忽地压下来,像一个扁饼儿;最上的叶子或许就弯下来,最下的叶子又闪到了上边,枝与枝相摩,发出嘎嘎响声;叶与叶冲撞着,使正面的反着了复面,复面的又拧成了正面,该落的落了,不该落的也落了;老枝有的折了,新枝有的也折了。

风的形象见得多了,我又十分纳闷起来:风这么没有规律,它是依什么意志而变化的呢?便又请教老者,回答说:

"它是在完满天地和宇宙自然的意志啊。"

"啊! 不测的神秘!"

"好了,你知道了不测,也就不必一定要去测了。"

"这是为什么?"

"激情所致改变了认识,这也是深入了解事物真实的一种方式啊。"

我听着老者的话,再不为风的无形的形而恨了,再不为竹的可怜飘摇而悲了。风是通过竹的眼睛看万事万物对自己到来的反应变化而完满天地和宇宙自然的意志的,而竹又在这种完满中变为天地和宇宙自然的一个分子。实在是一种奇迹,我观察着竹丛观察得久了,这风竹上的意志的完满又通过我的眼睛,传递于我的心灵,使我竟也得到了生命的觉悟和完满呢。

大海里的水蒸腾成天上的云,云又将雨降落下大地归流大海,而田野、村庄、庄稼、花草、树木却滋润了、满足了。钟将它的声音充满四周,但钟却仍是钟。将麝香携带千里,麝香物质不灭,千里的空气里却全是一种芬芳了。

这是一位伟人曾经说过的意思,风竹却使我深深地理解了。

1983年6月17日夜记

读书示小妹十八生日书

　　七月十七日,是你十八岁生日,辞旧迎新,咱们家又有一个大人了。贾家在乡里是大户,父辈那代兄弟四人,传到咱们这代,兄弟十个,姊妹七个;我是男儿老八,你是女儿最小。分家后,众兄众姐都英英武武有用于社会,只是可怜了咱俩。我那时体单力孱,面又丑陋,十三岁看去老气犹如二十,村人笑为痴傻,你又三岁不能言语,哇哇只会啼哭,父母年纪尚老,恨无人接力,常怨咱这一门人丁不达。从那时起,我就羞于在人前走动,背着你在角落玩耍;有话无人可说,言于你你又不能回答,就喜欢起书来。书中的人对我最好,每每读到欢心处,我就在地上翻着筋斗,你就乐得直叫,读到伤心处,我便哭了,你见我哭了,也便趴在我身上哭。但是,更多的是在沙地上,我筑好一个沙城让你玩,自个躺在一边读书,结果总是让你尿湿在裤子上,你又是哭,我不知如何哄你,就给你念书听,你竟不哭了,我感激得抱住你,说:"我小妹也是爱书人啊!"东村的二旦家,其父是老先生,家有好多藏书,我背着你去借,人家不肯,说要帮着推磨子。我便将你放在磨盘顶上,教你拨着磨眼,我就抱着磨棍推起磨盘转,一个上午,给人家磨了三升包谷,借了三本书,我乐得去亲你,把你的脸蛋都咬出了一个红牙印儿。你还记得那本《红楼梦》吗?那是你到了四岁,刚刚学会说话,咱们到县城姨家去,我发现柜里有一本书,就蹲在那里看起来,虽然并不全懂,但觉得很有味道。天快黑了,书只看了五分之一,要回去,我就偷偷将书藏在怀里。三天后,姨家人来找,说我是贼,我不服,两厢骂起来,被娘打过一个耳光,我哭了,你也哭了,娘也抱住咱们哭,你那时说:"哥哥,我长大了,一定给你买书!"小妹,你那一句话,给了兄多大安慰,如今我一坐在书房,看着满架书籍,我就记想那时的可怜了。

咱们不是书香门第,家里一直不曾富绰,即使现在,父母和你还在乡下,地分了,粮是不短缺了,钱却有出没入,兄虽每月寄点,也只能顾住油盐酱醋,比不得会做生意的人家。但是,穷不是咱们的错,书却会使咱们位低而人品不微,贫困而志向不贱。这个社会,天下在振兴,民族在发奋,咱们不企图做官,以仕途之路作功于国家,但作为凡人百姓,咱们却只有读书习文才能有益于社会啊。你也立志写作,兄很高兴,你就要把书看重,什么都不要眼红,眼红读书,什么朋友都可抛弃,但书之友不能一日不交。贫困倒是当作家的准备条件,书是忌富,人富则思惰,你目下处境正好逼你静心地读书,深知书中的精义。这道理人往往以为不信,走过来了方才醒悟,小妹可将我的话记住,免得以后"悔之不及"。

兄在外已经十年,目不敢忘了读书,所作一二篇文章,尽属肤浅习作,愈使读书不已。过了二月二十一日,已到了而立之年,才更知立身难,立德难,立文难。夜读《西游记》,悟出"取经唯诚,伏怪以力",不觉怀多感激,临风而叹息。兄在你这般年纪,读书目过能记,每每是借来之书,读得也十分注重,而今桌上、几上、案上、床上,满是书籍,却常常读过十不能记下四五,这全是年龄所致也,我至今只有以抄写辅助强记,但你一定要珍惜现在年纪,多多读书啊。

既有条件,读书万万不能狭窄。文学书要读,政治书要读,哲学、历史、美学、天文、地理、医药、建筑、美术、乐理……凡能找到的书,都要读读。若读书面窄,借鉴就不多,思路就不广,触一而不能通三。但是,切切又不要忘了精读,真正的本事掌握,全在于精读。世上好书,浩如烟海,一生不可能读完,且又有的书虽好,但不能全为之喜爱,如我一生不喜食肉,但肉却确实是世上好东西。你若喜欢上一本书了,不妨多读:第一遍可囫囵吞枣读,这叫享受;第二遍就静心坐下来读,这叫吟味;第三遍便要一句一句想着读,这叫深究。三遍读过,放上几天,再去读读,常又会有再新再悟的地方。你真真正正爱上这本书了,就在一个时期多找些这位作家的书来读,读他的长篇,读他的中篇,读他的短篇,或者散文,或者诗歌,或者理论,再读外人对他的评论,所写的传记,也可再读读和他同期作家的一些作品。这样,你知道他的文了,更知道他的人了,明白当时是什么社会,如何的文坛,他的经历、性格、人品、爱好等等是怎样促使他的风格的形成?大凡世上,一个作家都有自己一套写法,都是有迹而可觅寻,当然有的天分太高了,便不是一时一阵便可理得清的。兄读中国的庄子、太白、东坡诗文,读外国的泰戈尔、川端康成、海明威之文,便至今于起灭转接之间不可测识。说来,还是兄读书太少,悟觉浅薄啊!如此这番读过,你就不要理他了,将他丢开,重新进攻另一个大家。文学是在突破中前进,你要时时注意,前人走到了什么地方,同辈人走到了什么地方。任何一个大家,你只能继承,不能重复,你要在读他的作品时,就将他拉到你的脚下来读。这不是狂妄,这正是知其长,晓其短,师精神而弃皮毛啊。虚无主义可笑,但全然跪倒来读,他可以使你得益,也可能使你受损,永远在他的屁股后了。这你要好好记住。

在家时,逢小妹生日,兄总为你梳那一双细辫,亲手为你剥娘煮熟的鸡蛋。一走十年,竟总是忘了你生日的具体时间,这你是该骂我的了。今年一入夏,我便时时提醒自己,要到时一定祝贺你成人。邻居妇人要我送你一笔大钱,说我写书,稿费易如就地俯拾,我反驳,又说我"肥猪也哼哼",咳,邻人只知是钱!人活着不能没钱,但只要有一碗吃,钱又算个什么呢?如今稿费低贱,家岂是以稿费发得?!读书要读精品,写书要立之于身,功于天下,哪里是邻居妇人之见啊!这么多年,兄并不敢侈奢,只是简朴,唯恐忘了往昔困顿,也是不忘了往昔,方将所得数钱尽买了书籍。所以,小妹生日,兄什么也不送,仅买一套名著十册给你寄来,乞妹快活。

1983 年 7 月初写于静虚村

三 游 华 山

华山是天下名山,我在西安住十多年了,却还没有去过一次。今年四月里,筹备了好些天,终于在一个天气晴朗的日子去了。一到华阴,远远就看见华山了,矗立群山之上,半截在云里裹着,似露非露,像罩了一层神光灵气。趋着那个方向走去,越来越不见了华山,铁兽似的无名群山直铺了几里远的凉阴,树木一片一片的。偶尔从树林子里漫下一条河来,河里却全都没水,满是石头,大的如一间房的模样,小的也有瓮大的、盆大的、枕大的。颜色一律灰白,远远看去,在绿树林子之下,白花花的耀眼,像天地之间,忽然裸露了一条秘密。这便将我吸引过去。置身在那里,先觉得一河石头高高低低,密密疏疏,似乎是太杂乱了,慢慢地便看出它乱得有节奏,又表现得那么和谐。本是一片死寂的顽石,却充满了运动和生命,这使我惊奇不已,高兴得从这块石头上跳上那块石头,从那块石头上又看这块石头的阴、阳、明、暗,不停地在石隙之间跑动出没,竟没有再往华山去,天到黄昏便返回了。

到了五月,我又去了一趟华山。直接搭车在桃枝站下来,步行了七里赶到华山入谷口,忽见谷外有一处院落,很是好看,便抬脚进去,才知道这是华山下名叫"玉泉院"的寺庙。院内空寂无人,数十棵几搂粗的大树,全部遮了天日,树下的场地上,有着深深浅浅的绿,如铺了一层茸茸的地毯。坐上去,仰头看见太阳在树梢碎纸片大的空隙激射,低眼儿看身下的绿,却并不是苔藓,是一种小得可怜的草,指甲盖般方圆,裂五个七个瓣,伏地而生,中有数十个针尖大小的花蕊,嫩黄可爱。用手去抠,草不能抠起,手却染成浅绿。这小草一棵挨着一棵,延续到草场边的斜砖栏上,几乎又生长在树的根部,如汗毛一般。我太喜欢这种环境了,觉得到了最好的地方,盘腿坐起,静静地听着自己呼吸。忽见后边的朱红方格门推开了,出现几个游客。再看时,一条曲径,直从那边花坛旁通去,不知那里又有了什么幽境,只见那路面碎石铺成,光影落下,款款如在浮动。我就这么坐着,神静身爽,竟不觉几个小时过去,起来看天色不早,就又搭车返回西安。

　　两次为华山来,却未登山而归,友人都笑我荒唐,我只笑而不语。到了六月初,又邀我的一个学生再次去上华山,终于进了谷口,逆一条河水深入。走了三里,本应再走十里便可上山了,河水却惹得我放慢了脚步,后来干脆就在水中列石上坐下。水很明净,河底石子清晰可见,脚伸进去,那汗毛上就显出一层银亮亮的小珠儿,在脚下形成无数漩涡,悠悠而去。青石板很多,水从上流过,腻腻地软着身子,但遇着一块仄石了,就翻出一朵雪浪花,或在下出现一个空心轴儿的漩涡。河里没见到鱼,令我很遗憾,到了拐弯处,水骤起小潭,有几丈深的,依然能看到底。捡些小片石丢下去,片石如树叶一样,先在水面上浮着飞,接着就没进水,左一飘,右一飘,自自在在好长时间才落水底。

　　这么又玩了半天,学生催我赶路,我说:"回吧。"他有些疑惑了:"你这是怎么啦?三次上华山,都半途而归?"我说:"这就蛮够兴趣了。"学生说:"好的还在山上哩!"我说:"是的,山下都这么好,山上不知更是有多好了。"学生便怨我身懒。我说:"不。要是身懒,我能年年想着来吗?能在今年接连三次来吗?之所以几年里一直不敢动身,是听别人说得多了,觉得越好越不敢去看。如今来了三次,还未上山,便得了这许多好处,若再去山上,如何能再享用得了?如今不去山上,山上的美妙永远对我产生吸引力。好东西不可一次饱享,慢慢消化才是。花愈是好,与人越亲近;狐皮愈美,对人越有诱惑力。但好花折在手了,香就没有了;狐皮捕剥了,光泽就没有了。"学生说:"那么,这是什么道理呢?"我说:"天地大自然是知之无涯的,人的有限的知于大自然永远是无知,知之不知才欲知。比如人之所以有性格,在于人与人的差异。好朋友之间有了矛盾,往往不在大事上纠纷,而在小事上伤了和气。体育场上百米赛跑,赛的其实并不在于百米,而是一步的距离。屋内屋外,也不是仅仅只是一门之隔吗?可以说,大自然的一切奥秘,全在'微妙'二字,懂得这个道理,无事不可晓得,无时不产生乐趣和追求。"学生点头称是。两人一路返回。学生很乐道此游,要我下次上华山,一定再邀他同往,并要我将所说的道理写出送他。

1983 年夏写于静虚村

桌　　面

我家书桌的面儿,是一块树的囫囵的横截板,什么也没有染,只刷了一层亮亮的清漆,原木本色的。

在这张书桌上,我伏案了十年,读了好多文章,又写了好多文章。闲着无事了,就端坐着看起桌面,心里便也感到沉静。因为桌面上是有了一幅画。

画儿就是木的年轮。一个椭圆形,中间是黑黑的一点,然后就一圈白,接着从那白圈的边沿,开始了黑线的缠绕。当然很不规则,线的黑一会宽了,一会窄了,一会又直,一会却弯起来;几乎常常就断,又常常派生出新线,但缠绕的局面是一直在形成,最后便囊括了整个桌面,像是一泓泉,一片树叶落下来引起的涟漪,没有鱼,没有风,一个静静的午时的或者子夜的泉。

有书这么说:树木,四季之记载也。日月交替一年,树就长出一圈。生命从一点起源,沿一条线的路回旋运动。无数个圈完成了生命的结束,留下来的便是有用之材。

我很佩服这种解释。于是也就兴趣起这条运动的线了。我细细看着,用米尺度量着一个圈和一个圈之间的距离。这种工作,所得的结果使我吃惊:这生命的线,当它沿着它的方向进行的时候,它是这么地不可自由!日月的阴晴圆缺,四季的寒暑旱涝,顺利时它进行得是那么豁达奔放,困难时进取又是如此艰辛。它从地下长出来,第一是挣脱本身壳的桎梏,第二是冲破地层的束缚,再就是在空间努力,空间充满着看不见摸不着的空气原来是这么坚实严密,树木的生长,必须靠着自己向外扩张才能有自己的存在的立体啊!

我为它们做着记载:哪一年是风调雨顺?哪一年是旱涝交迫?我算出这是一棵三百年的老树。三百年,这老树在风雨的世界里,默默地在走它的生命之路,逢着美好年景,加紧自己的节奏,遇着恶劣的岁月,小心翼翼地,一边走着,一边蓄积着力量,这是多么可怜的生命,又是多么不屈不挠可亲可敬的生命!我离开了桌子,燃上了一支烟,看见室外的一切。室外是刚刚雨后天晴,天上是一片云彩,地上是一层积水;风在刮着,奇异的现象就发生了:那云彩竟也是一圈一圈的痕纹,那积水也是一圈一圈的涟漪,莫非这天这地也是一统的整体,它们将两个截面上下显示着,表明自己的历史和内容吗?

我真有些惶恐:万事万物在天地宇宙间或许是有着各自的生命线路,这天地宇宙也或许同样有着自己的生命线路;那我呢,我想象不出用刀将我断开,那躯体的截面上一定也是有这种路线了吧?重新走近桌面,对着那木的年轮,开始顺着一条边圈往里追溯。这似乎是一场高级数学,常常陷入莫测,犹如一个儿童在做进迷宫的游戏,整整一个下午,才好容易回到了那桌中的,也是那圈中之圈的那个黑点。啊,那是树的童年。哪是我的童年?树是从那一点出发,走完了三百年的路程,我也是三十年了,三十年来,这路线也是这么一圈圈走过来的吗?

我想起了我的每一年。

这简直是一个惊人的发现!

从那以后,每每当我被胜利得意的时候,一面对着这桌面,我就冷静了;每每当我挫败愁闷的时候,一面对着这桌面,我就激动了。我自我感觉,我是一天天豁达、成熟、坚强起来,我热爱起我的生命了,热爱起我的工作了,以全部心血、全部精力而完成着一个我。

我在感激着这个桌面,我想我永远不会离开它的。

草于1983年8月27日午北京

改抄于1983年9月12日午金川

安西大漠风行

癸亥八月十一日，行至桥湾，吃多了白兰瓜，腹泻不止；便不去搭车受时间的约束，雇骆驼悠悠往安西去。前晌，距安西城百十里，忽起风，帽子吹落在地，滚轮而去不知了踪影，骆驼嘶鸣，常常停下来作踌躇状。看大漠却并无烟尘，太阳照着，正空空洞洞地晴。奇怪之，领驼人曰：没有树木，风便有力无形。在驼峰中一扬身，果然发抛竖直根根似铿锵有声。时走时歇，又半晌，远近一层玄武岩碎石覆盖，焦黑如烧过的灰渣，令人恐惧。接着，渐渐有了黄土，却堆得奇形怪状，如台，如塔，如柱，如盏；可喜的是有了沙蒿一丛一丛的，每一丛就巩固一个土丘，均匀分布，如是坟冢。风集中成旋转的一般，从坟冢间移动，袅袅扶摇，方向不能固定。还是没有飞鸟，三匹四匹野生骆驼，背负着大山，仄着头在远处出现，偶尔有了一片羊，肥得是一群肉的咕涌，身子雪白，眼子乌黑，像戴了墨镜。正午，风更大作，羊群顺风儿跑去，旋风的弧烟倏忽消失，大漠更是一片空明，却强硬不可前进。骆驼裹腿不走，下坡拉缰绳牵制，人不能站直，俯身六十度而不倒，骆驼躁怒，遂喷唾液，竟半盆之多，盖头泼来，腥恶窒人气息。只好拉骆驼在一根土柱后卧下等待。问领驼人：这土柱是风堆起来的吗？回答却出乎意料：风蚀而成。俯地看那坟冢般的沙蒿土丘，却在风中加高。由此引出好多思想:这里的黄土被风蚀成塔林,塔林一点点风化,玄武石片覆盖一切,但新的黄土堆又在沙蒿下形成突出,越忍越大,连成一片,风又开始腐蚀……以此反复,毁坏一切,又生造一切。大漠一定是有精灵的了,一片焦黑并不等于全然死寂,生死的抗争在编写着一部缓慢的历史。风突然停息了,但立即远远的地方出现了浩渺的海水,而且快极快极地漫延了过来,我惊慌爬上驼峰,水终没有到眼前。领驼人告诉我那是海市蜃楼,在这里随时便可见的。果真那水越来越大,在地平线上连成一片,且开始出现一痕远山,有了孤岛,有了卧桥,有楼台林丛,有船,豆点人物。我锐声大叫,心里说:富贵的人做的是噩梦,贫穷的人做的是美梦,这海市蜃楼莫非是大漠的迷离的梦了?因为它太荒寂,梦才如此丰富;它太痛苦,梦才这么神化。这理想的,浪漫主义的艺术,天地自然都会创造,何况人乎?一路荒唐想着,直到天黑,终于到了安西城。

1983 年 9 月 23 日追记

初人四记

一、记喜

我们家是个大族,父辈兄弟有五:四人健在;大伯夭亡,死于噎食而不治。据说曾有一个婶娘,极俊,可惜没生没养,又熬不得寡,改嫁进东龙山孙家的门了。到我们这代,人口愈发兴旺,竟十男又五女,奶活着的时候,就已四世同堂。奶很迷信,说这是祖宗的阴宅好,每年十月初一清晨,必率众子众孙去坟头花钱了祭酒,祭酒了又花钱;到了腊月三十,黑漆的夜里,又去供灯添土,磕一个响头,再磕一个响头。又说是我爷爷生前积德所致,已经是死去八年的人了,每顿饭还是先盛一碗在灵牌前。那献供过的饭是绝不让我们孩子吃的,说是阴饭,寡了味道。我总不信,眼见着那饭并不缺不少;问奶,她只是解释魂灵用膳是看不见的,就自个吃了,说:"唉,你爷爷好没福分,一家人热热闹闹,他倒孤伶;我几时也该去陪陪他了。"一听这话,我娘就要说:"你老又说些什么话了!我爹哪会孤仃,他有老大在身边;何况他老人家阳寿的时候,是人面前走动的人物,到了那里也不会受冷落的。"奶也点头,却要说一通爷爷在世的人缘:如何为人正直,街坊四邻口角纠纷必要找他评是论非;如何处事公平,谁家红白喜事定会请他应酬料理。爷爷到底是什么模样,我不得而知,他没有一张照片,灵牌上有他的名字,我却一个不认识,只想象他一定是长长的脸,眼睛笑笑的。几年后,奶还是丢开我们,陪爷爷去了。我记得清楚,头一天晚上,她还搂着我睡,喂我一块离锅糖,她也含一块,没了牙的嘴,嚅嚅地动,末了还是用嘴送到我嘴里。第二天一早,我醒了喊她,不回答,我还以为她瞌睡哩,但谁知她早已死了。奶一死,大家大户又过了半年,后来就分开了,好端端的一个门的四间瓦房有了四个门。又过罢一年,三伯盖了新屋搬出去住,我爹也买了一座房子,我们住在村的北头。人一分居,心便为己,又为着老屋前后的几棵大树分配不公,几家伤了和气;古人说,"树倒猢狲散",从此生分起来。各家的财物、用具、米面油盐,虽互有往来,但已是有借有还,几个大点的堂兄堂姐也来我家说笑趣闻,吃饭时却都借故走了;只有我最小,得天独厚,可以端着小木碗去各家吃喝。我那时聪灵,惹人心疼,伯父和婶娘故意不让我吃喝时,我就拿脑袋往墙上碰,这一碰,他们就都投降了。分家的时候,那条黄狗没有分,在各家吃剩饭,伯父便说:"拴子是第二条喂不熟的狗了,来了就要吃,吃了顺门走!"这些快活的日子,是我五岁半的时候享受的,屈指一算,那该是公元一九六四年的春天。

到了三夏,我患了一场病,险些没了;好起来再不发胖,也高长极慢,病恹恹的缓不过生气。到了冬季,耳朵都干起来,懒于走动,恶之荤食,常悄悄抠墙皮硬土偷吃。村里人都说我是个"荒"的,娘抱着我哭,求医拜神,末了以男占女位相冲:给我穿起桃红袄,印花的,有斜对襟,却和尚领;蓄一根辫子;脖子上戴了金锁银锁的缰绳。从此,我就叫着"瞎女"儿,在阳坡里晒暖暖的时候,一些老婆婆就喜欢拉我过去,一边在我头上吐些唾沫当发油,一边用篦子篦着虱,就骂道:"你娘真笨,怎么不在这条老鼠尾巴上撒些药粉闹闹(毒毒)!"这期间,紧邻的三间房里,迁来了一家人,男的姓韩,单字名久,女的不知姓名;一个女儿也是六岁,她娘喊她是"花子",像猫的名字,她也长得像只猫儿,圆圆乎乎的,拿大眼睛看人。这韩久原本也是村里人,转弯抹角推算起来,她奶和我奶的表妹还沾些亲,他一直在山里条子沟分销店工作,三十岁上和纸房沟一个寡妇成了家,做了纸房沟的上门女婿,现在全家又搬回来住。花子娘很嫩面,腰身长长的,奶子高耸,村里人都说漂亮,有些愤愤不平。后来有人说:哼,水蛇腰!众人就都说她眉里眼里有妖气。夫妻俩见人说话总是先笑,尤其对我们家更客气;客气反倒使我们不能太亲近。只有花子常常对我一笑,她娘一喊,却赶忙闪进门去。

她一个人在门前玩,用木棍儿搭架子,架得高高的,突然就拆了,然后再小心翼翼地搭。或者在地上用炭画画儿,画得很多,有她家的房子,也有我家的房子,而且还画了我:头很大,身子却小小的。我不愿意,坐在家门口,一边用手抠墙上的硬土吃,一边唾她,唾沫也是泥水点儿,她就骂一句:土老鼠。"你是土老鼠!""你是土老鼠!"两人隔着墙角儿厮骂,她嘴快,我骂不过,又懒得走过去打她,卸了帽子掷过去;没有打着,却露出了我的小辫子。

"你不是土老鼠,为什么把老鼠尾巴长在头上?假女子!"

她给我做鬼脸儿笑,闪进门去的时候,还掰了个红眼。我气得蛮哭,回家来一定要娘将辫子剪了,也不肯穿那花袄。娘好说歹说,末了不让我再理花子。以后每天早晨,娘去上工,就拿一篮子洋芋放在门口,让我一边守家,一边用刀子刮洋芋皮。我一坐下来,就听见花子在唱,瞧见她也坐在门口刮洋芋。她向我招手,我不理。

"瞎女,你来!"

"我不和你玩!"

"我给你剪辫子,你不来吗?"

我挪脚过去,咔嚓,她一剪子将小辫子剪了。我将辫子要扔到阳沟去,她捡起来,拉我到村头王家爷那儿换吃了离锅糖。

"你还叫我假女子吗?"

"我不叫了;你怎么谢我?"

"我给你刮洋芋。"

"你叫我姐姐!"

"我和你一般大。"

"我让你叫姐姐就叫!"

"姐姐。"

没了辫子,娘生了气,逼问是谁剪的,我说:"花子姐姐不让说是她剪的嘛。"娘要跑去吵架,爹把她劝住了。爹是父辈里年纪最小的,读过旧社会的县立中学,后来就一直在学校教授语文。他的声音很高,读着唐诗的时候,抄着手,摇头晃脑;学校离家十里,星期六下午回来教我背唐诗,却一脸严肃,每每背不下去,他就拿眼睛死死盯着我,那眼镜片子一个圈套着一个圈,像烧酒瓶底,我不敢走动,流着眼泪再背。我一向是怕他的。娘向他告了状,我只说爹又该打我了,他却扬过手来,一捏,捏住我的鼻子,将鼻涕擦去了。

"瞎女子,你要当男子汉了吗?"

"嗯。"

"好了,一条辫子哪能就防止了病灾祸难?!去吧,'两个黄鹂鸣翠柳,一行白鹭上青天',背十遍!"

我真感激爹,将杜甫的诗背了十遍,每一遍眼睛都闭着,但终不知道黄鹂是什么鸟儿,想问他,又不敢。

以后我更加到花子家去,花子娘就时常留我吃饭。她家喜欢吃揽饭。揽饭者,三分之一绿豆,三分之二北瓜,在一起微火炖烂,颜色呈紫红色,食之甜而不腻,干而不噎。我觉得好吃,让我娘过去请教做法,娘也慢慢和那女人谈得很拢。只是那女人特别爱好看戏,乡里戏少,逢年过节才演,而且这个村演一场,就转到另一个村去了。花子娘就早早吃罢晚饭,头上抹了油,摇摇摆摆撑着去看,样子像水上漂。她在戏台下看戏,戏台下就有好多人看她。忽一日,听到消息,原来花子娘是日本人。风声传得很快,好多人都到她家去,或者是借火抽烟,或者是讨水喝,全想听她讲些日本话,但她从未说出个听不懂的语句。讨一个外国人的老婆,稀罕是稀罕,却毕竟被村里人看作不光彩,于是花子爹的威信就降了。他在村里,辈分也算很高,便谁也不肯承认,久而久之,他也不敢这么认为。也为此,在我以后长大,弄起文学,总想为他写个传略,就怕冒犯了他们韩家的族中老者,写杂记吧,又觉得对他不恭,等读过一本《源氏物语》,知道日本人称杂记为物语的,就用过《韩久物语》的题目,既避嫌疑又觉文明。这是后事,当时,这女人的来历被人知晓后,村里人都叫花子是"二转子",含杂种的鄙夷之意。花子就显得很羞。

我曾经问过我爹:花子怎么会有这样个娘呢?爹讲了:日本侵略的时候,纸房沟张家的爷爷是做生意的,去河南荆子关贩水烟,不想遇着八路军和日军在那里打了一仗,日军全部消灭,一个随军生的女孩就流落在山里一户人家。民族再大的仇恨,小孩毕竟是可怜可爱的。张家爷爷以一个铜板买下,用箩筐挑回来。那时女孩刚刚五岁,做了他家的童养媳。后丈夫死后,张家绝了根,她便跟了韩久了。

我再不嫉恨花子母女,脚步儿更勤地去她家,花子娘使劲亲我,给我熬栗子汤吃。栗子是花子爹从山里带回来的,花子每天是要喝一碗的,我去后,她娘就在汤里加了五倍子,喝过一个冬天,我慢慢再不吃土,身骨一天天强壮起来。我娘乐得像念了佛,将我家的一只母鸡送给她们。她们并没有杀了吃,因为花子娘在鸡屁股里摸着了有蛋,就养着,一下蛋,就让花子去自留地掐些韭菜、葱花,在铁勺里炒了喂我们吃。村后边是一条公路,路那边有一所小学,我们去自留地的时候,总要趴在教室的后窗台上往里瞧。花子极聪明,竟因此背诵了好多课文。一下课,学生们就跑出来,一边拿眼光看她,一边喊:"打倒日本帝国主义!"她就也喊,喊得更起劲。后来,不知怎样,学生中有人说外国人都有狐臭,花子也有,一见面就捂了鼻子跑。她哭着去寻老师,让老师闻她的腋下,要给她平反昭雪。为此,日本女人还到学校来过一次,学生们都热闹地看,花子第一次对母亲发了脾气,从此再不到学校去,只是要我将爹教的唐诗再教给她。秋天里,我家收了好多玉米棒子,爹回来帮娘剥颗儿,她就来了,一边给我家剥着,一边央求爹教唐诗,一直剥到子夜,月光清幽幽的,露水也潮了上来,看见屋檐上的蜘蛛网也明亮亮的,像水银织就。爹教李太白的"床前明月光,疑是地上霜。举头望明月,低头思故乡"。她背熟了,突然站起来说:

"叔叔,婶婶,我要回去了。"

"再玩一会吧。"

"'举头望明月,低头思故乡'。我想我娘了。"

一家人就都笑起来,爹击掌叫道:

"学习就要这么个学法,融会贯通,举一反三,这样学得活,也记得牢了。"

说罢,爹拿眼睛死死盯我,我害怕他又该骂我,心里却很是嫉妒起花子。

那时候,耕种自留地,都是人拉犁的,星期六韩久回来,三人都下田了,日本女人将绳背在肩上前边拽,韩久在后边扶犁,花子总是过去帮娘,也拉了一绳走在娘的前头。韩久是个大高个子,鼻子红红的,休息的时候,手脚摆开在树下睡觉,花子和她娘就回去做饭,然后用瓦罐提来。走到村口,我们几个男孩在玩"老爷台",将一个粪堆作为阵地,上边一群,下边一群,几番进攻,几番退却。见花子过来,就向她招手,她将手中的菜碗交给娘就来了。一个男孩说:

"好了,你是日本人,你就来当鬼子兵,我们当八路军!"

"谁是日本人?我也要当八路军!"

"死了死了的有!"

"你才死了死了的有!"

两厢就吵起来,结果大打出手,她竟将那男孩打得嗷嗷叫。以后谁也不敢惹她了。

春节里,乡里举行社火集会,镇子分十六个生产队,队队都要出一台。这是大人们玩耍的事,我们做孩子的就更热闹。社火是在一面桌子上安铁打的芯子,然后将小孩装扮成各类戏文里的人物,捆在芯子上,穿上衣服,作出极巧妙的造型,然后八人抬起,威威乎,浩浩乎,招摇过市。谁家的孩子可以上芯子,这是极荣耀的事。吃罢早饭,我们都到公房里去看大人们张罗。这一年,果然就选中了我和花子,我当的是许仙,她当的是白娘子。她的造型特绝,高高在上,一支宝剑上站着是我,一只跃起的脚下,用一条铁丝吊着法海。法海是一个一岁三个月的小孩当的,他一上芯子就瞌睡,流着鼻涕。锣鼓敲响,我们被抬着出了村,十六个村的社火集中从街道拥过,我看见花子娘扯着我娘,在人窝里挤着,撵着社火跑。她头上又是抹了油,穿一双白粉刷过的鞋。我就对花子说:

"姐姐,你娘来了,你娘来了!"

"谁是姐姐,我是白娘子!"

"白娘子,你娘……"

"许仙,不要说话!"

这话却让下边的人听见了,一哇声地取笑。

闹了一春节的社火,村里人再不叫我们名字。一见面就说:"白娘子,你的许仙呢?""许仙,白娘子在家吗?"我们倒不理会白娘子和许仙的关系,从此也这么称呼起来。她可以用手帕叠好多玩意,尤其是那老鼠,能在手里一跳一跳的,有时把猫儿抱来,连猫儿还以为是真的呢。我玩不过她,就捉真的老鼠,用煤油浇了,在夜里用火点着,逗着猫儿去追,那老鼠成一个火团,跑得极快,竟钻进她家的柴垛里,引起了一次火灾。娘狠狠打了我一顿,花子娘倒过来安慰,待我更比先前友好。每次村里看戏,就让我和花子早早搬凳子去占地方,凳子搬去到开戏,足足有三个钟头,我们一步也不离。戏开了,她娘和我娘提了火炉来,站在场外大声叫喊,然后挤进来。戏对我们并没有吸引力,最烦的是出来旦角,坐在那里咿咿呀呀地唱,我们就挤出场子去玩。场子外小吃很多,我们顶爱去看卖烧鸡的。那是一个秃子,白日里从不卖烧鸡,晚上点一个灯笼在案盘上,帽子压得低低的,那长着一圈稀稀胡子的嘴巴不停地叫喊。我没有钱,花子搜遍全身,只有一个五分硬币,那秃子卖给我们一条鸡舌头,她吃一半,我吃一半。我就又钻进场子向娘要钱,娘却不给,我就生了气,再不理她,她见我可怜了,说:"给一角钱,吃去吧!"我偏赌气说:"不要!""不要就不要嘛。"娘将钱又收了。我再钻出场子,花子还在那里等我,两个人站了一会儿,都没说话,她拉我要到后台的窗子上看唱戏的去。

戏台是在一个庙台子上,绕过庙后的麦田,我们看见高高的后墙上有个闪亮的窗子,但无论如何却不能上去。我爬旁边一棵柳树,却意外发现树杈上有一个鸟窝,窝里有三颗鸟蛋,喜欢得锐声大叫。一颗嗑在口里,两颗装在口袋,从树上溜下来,口袋里的两颗都破碎了,蛋汁流了一衣服。

"咱们去烧蛋吃吧!"

两个人跑到队里的石灰窑上;窑上的人都去看戏了,那里堆着一堆石灰,我们将鸟蛋埋去,然后让她背了身,我在石灰上浇一泡尿,石灰嗞嗞地冒起热气,不大时间,鸟蛋就熟了。我们正分着吃,有两个人向窑场走来,忙在草窝里藏了,听见来人说:"好像有人,是偷石灰的?""哪里,你眼看花了吧!"两个人一走,我们猫身就逃,一直到了戏台下,笑得"嘎儿、嘎儿"响。

夏天的夜晚睡觉迟,在家里听大人说话无聊了,我们就去门前那一片竹林里。竹林并不大的,却十分茂密,钻进深处,一根一根竹子异常清奇,高高撑起一层竹叶的绿,无风的时候,这绿是静止的,如寂寞的云,各种鸟儿看不见,却在云里各呈其韵,如仙乐自天而下。稍一风动,那绿就游悠不停,无嘎喇喇之声,但一声儿价森森,使人满心满怀都津津生凉了。出奇的还有一条细水,水旁有一块仄石,卧牛的模样,我们爬上翻下,听那竹韵。听得久了,就不明白那清韵是在哪里蓄着?我说是细水带来的,细水在林中转九个曲儿,竹的清韵应是水的流音。花子说是竹子本身发出的,因为竹子是空的,里边全蓄着清韵,风一振摇,就抖出到每一杆枝,每一枝叶。我不信,她就砍下一节竹来,用烧红的铁丝在上面凿了眼儿,一吹呜呜地响。我觉得惊异,回家问过爹,爹很是夸奖了她。于是我什么都信起她了。

她曾经问:

41

"你说,树上的苹果为什么一边是绿的,一边是红的?"

"那是太阳晒的。"

"那地里的红萝卜太阳没晒怎么却还是红的?"

我回答不上来。

"你说,每天早上,鸡一叫,天为什么就亮了?"

"那是鸡把太阳叫出来了。"

"那今年我们将鸡都杀了,天怎么还亮呢?"

我还是回答不上来,问她,她也回答不上来。我们去问她娘,她娘说了好多,都不能服我们,说:

"听大人话,大人是不会错的。"

她说:

"我将来也要做大人的,我也是不会错的了。"

她娘无言可对。

这一个夏天,我们玩得最快活,在仄石下烧过蘑菇吃,也将生柿子摘下来在竹林的草窝里藏了,过七天八天去吃软柿。常常玩得累了,卧在仄石上睡觉。竟有一个黄昏,将帽子遗忘在那里,第二天去捡时,那草帽高高顶在一人多高的地方,下边是一只直直的竹笋。

到了八月,庄稼都熟了,把村子都遮住了,田边的路变得瘦瘦的。八月十五的夜里,有"偷娃娃"的风俗,是:如果某某媳妇不生养,四邻有人就去地里偷摘些西瓜、甜瓜、北瓜、葫芦,或者包谷棒子,悄悄塞进那媳妇的被窝里。这本是大一点的孩子干的勾当,我们也参加了,觉得有趣。花子对我说:"你让你娘给你再生一个小妹妹吗?"我点点头,她说:"咱给你娘偷一个吧。"我们便偷了包谷棒子塞在娘的被窝里。第二天我说:"咱们也给你娘偷一个吧,让她生一个小弟弟来!"两个人跑到西瓜园去偷。管瓜园的是一个老头,七十多岁了,没妻没子的,年年为队里当看守,冬管菜地,夏看瓜园。我们猫腰溜到园边,开始在畦垄间爬动,生怕弄出响声。花子让我蹲下观察老头,若一有发觉,就打口哨。我盯着那边的庵棚,看见老头在那里吸烟,一点红光,一明一灭,突然跃了跃身,但立即又安然端坐了,依旧吸他的烟。花子已经摘下一个瓜儿,向后一步步退着,一到地边,我们刷地就跑;到了村口,才发现那瓜小极小极,而且是生的。我们就准备第二天重又去偷。于是,又是我站岗,又是花子爬着前去,退着出来,那老头又是依旧吸烟,一动不动。这个瓜比头一夜的大多了,抱回来塞在她娘炕上,高兴得我们大呼小叫,又嘲笑那瓜园老头傻,竟一点未发觉我们。

"我们明日去瞧瞧这傻爷爷。"

"他真傻,只知道抽烟。"

等我们到了瓜园,老头把我们叫进庵,切了几个西瓜让吃,我们一边吃,一边笑。老头问笑什么,我们横竖不说。然后他让我们拔拔瓜园的草,却摘下一个大西瓜放在地边。问这是为什么,他说:

"晚上来摘瓜的方便啊!要么摘瓜的人紧张,我也紧张,又尽摘些不熟的瓜呀!"

我们脸刷地红了,知道他一切都知道了,当下就逃走,他却哈哈笑了。我们忙向他赔罪,又讲了偷瓜的用场,并撅了屁股让他来

打,他却一下子把我们抱起来,放在庵里的床上说:

"爷爷怎么舍得打呢?我盼你们常来哩!"

"我们再不敢偷瓜了。"

"听故事吗?爷爷一肚子故事呢!"

这使我们大出意外,当下就让他讲,他果然讲了好多。但每次开头,总是"从前,石头山上有一个石头洞,石头洞里坐着一个石老头在说故事,说:'从前,石头山上……'"然后就打个哈欠,说:"我该去园里拔草了。"于是,我们就帮着去拔草。这么几个月里,我们天天要去那庵里一次,每一次他一开口:"从前,石头山上有一个石头洞……"我们就说:"爷爷,咱们一边拔草,一边说吧。"听得高兴的时候,我就在地上翻几个跟头。到了腊月,瓜园里长满鲜活活的大白菜,每棵白菜都已经用绳儿捆了,上边还压一块土疙瘩,看守的老头却死了。他患的是直肠癌,先浑身发燥,以为是热病,将头发全剃了,后来就拉血,拉得很多,一检查,已经到了晚期,十天后就没了。我们大哭了一场,在他的坟头上,花子说:"爷爷,我们看你来了!"我说:"爷爷,我再给你翻几个跟斗吧。"说罢就翻,额头上碰了个疙瘩。

老头死后,我们常做梦到他的瓜园去,醒来就哭,娘听了巫婆的话,削了几个桃木橛钉在老头的坟上,说是不让他阴魂纠缠。我和花子悄悄去拔了,对着坟说:"爷爷,我们也开个园子,你来给我们看守吧!"就在花子家门前开垦了一片地,我们种了菜蔬和花果。果然菜长得很嫩,花儿也开得红也是,白也是的。花子娘也觉得奇怪,说我们能干,我们知道这全是亏有爷爷灵魂在看守着。冬天里,我喜欢雪花,曾经偷偷扫了一堆种下去,但没有收获。后来,在我生日那天,娘交给我和花子各一枚仙桃核,说夜里含着睡了,若梦见桃树开花了,长大就会幸福呢。但我晚上没有含,想实实在在看到那仙桃花了,就悄悄起来去园子里种。没想花子也正在那里种桃核。我们都保守了秘密,不让大人知道,暗中要比谁的桃核先出苗,先开花。结果,一个月后,苗儿就长了出来,后来,又都开了花,她的花是红的,我的花是白的,当然这又是四五年以后的事了。

最使我们无虑无忧的,是在田野里放风筝。风筝飞得老高,我们牵了线在地上跑,眼睛看着空中,脚高步低,常常跌倒。风筝飘过村庄,飘过学校,一直到了埋我奶的坟地上空,在那里静静浮一阵,又到长着一片柿树的牛头坡根下去了。那里有一个水塘,水不深的,藻类丛生,青蛙正产卵,新出生的蝌蚪如墨点儿,一团一溜地蠕蠕地浮动,像喝醉了酒。风筝走过了,水里划过一个影子;突然线儿绷断了,袅袅往云天上逝得无踪无影。我们都丧气了,坐在地上不动。抬头看看天,低头看看塘,我说:

"它走了,它还会回来吗?"

"它到天上去了。"

"天高吗?"

"天高。"

"天是什么呢?"

"天是什么都没有。"

"就像这水一样吗?"

"是一样的吧;没有鸟儿,没有鱼儿,它们就一样了。"

"风筝一定会变成鸟的。"

"那一定会的。"

我们心情又好起来,以后再做风筝,有时故意就丢开线。每每一看见有什么大鸟儿飞过,我们就要说:这只鸟儿是我们的风筝变的。

这日子过了不久,娘就不让我们尽去玩,因为到了春天,青黄不接,家里茶饭一天比一天稀薄起来,我们就提了篮子四处去剜野菜。田野里剜野菜的人很多,打萝儿花、灰条、刺蝶已经剜不到了,我们到牛头坡后的树林子里去捋嫩柳芽儿。有一次,已经黄昏,我们还没有走出林子,月亮就幽幽地上来,林子里地很湿,发现了一丛猪耳朵菜,一拔起来,下边的小坑坑里立时就注满了水,那月亮就浮在里边,这真是新的发现,就分头挖起坑来,比谁能挖出个月亮来,结果,她挖出了十个,我挖出了八个,等记起要回家了,突然迷了路,两个人都吓得哭起来,直到我娘和花子娘变脸失色地呐喊着寻来,才将我们领了回去。

这一次受惊,娘并没有责骂,回家吃过糊辣汤后,就领我们在院子里转圈,前边是花子娘,后边是我娘,我和花子在中间,一人提一个灯笼,她们喊:"回来了——"要我们应:"回来了——"这是招魂。直闹过一个时辰,夜里让花子和我睡在一个被窝里。两个娘就坐在炕沿说话:"这两个孩子,倒合得来。""怕有缘分哩。""如果你不嫌弃,将来了,让瞎女子做了你的女婿。"我听见了,爬起来说:"娘,什么是女婿?""就是给你娶媳妇,你愿意不愿意?""媳妇打人吗?"她们就都笑起来。后来,这话就传了出去,村里人一见面说:

"瞎女子,你有花子做媳妇了,你们什么时候结婚啊?"我先不知道结婚是干什么,不久村里有一家人结婚,锣鼓叮叮咚咚敲,人来得很多,一男一女都穿得新新的,还戴了花,跪在中堂下一张席上,有人喊:"一拜列祖!"双双磕一个头;喊二声:"再拜父母!"又一个磕头;三喊:"夫妻对拜!"还是一个磕头。我觉得好玩极了,有一次在地头拔草,我突然记起了这事,对花子说:

"结婚真好,有新衣服穿,能吃肉;咱们也结婚吧。"

"不,结婚要戴花哩。"

我去摘了两朵苦菜花,在她头上插了一朵,在我心口的扣子上别一朵。我们手拉着手站着,我喊:"一拜列祖!"就忙磕头;站起来又喊:"二拜父母!"又磕头;到了"夫妻对拜!"因为跪得太近,两个头碰在一起。偏巧让路过人瞧见了,笑得瘫在地上,又在村里说,人人一见面就笑。也不知道什么原因,我知道了羞耻,脸臊得像红布条子。

从此,花子也不肯多到我家来玩。果然是我们偷的西瓜的原因,不久,她娘肚子大起来,就到花子爹工作的条子沟去住,花子也随了去。

二、记怒

我又恢复了呆性儿,虽然再也不去偷吃墙皮硬土,却是觉得困,不喜欢跑着去玩去闹,爱一个人在什么角落静静地坐着。山墙根种了株葡萄,在春天的时候,它就抽出枝叶,秋天里,就沿着一条绳儿爬过檐头。我已经知道它的每一个叶子是怎么长大的,尤其那细细的枝茎儿,像小虫儿一样屈着身子,只要一触到墙头的砖瓦,立即就卷起来,卷得那么紧,掰也掰不开。我把这支茎儿叫做葡萄树的脚。白花子到了条子沟,她常让她爹回老家时带给我好多画,我也就开始画这葡萄树回送给她。我画葡萄树脚的时候,就画成了鸟儿的脚,因为门前的电话线上,常常落着一群麻雀,那一双脚就那么蜷在细细的电线上,风再大,将羽毛翻得乱糟糟的,却不肯掉下来。娘看了我的画,骂我乱画,爹却说好:"这孩子有想象力哩!"每个星期六的晚上,他让我坐在山墙下,看月光下葡萄树投在墙上的影子,然后去画。墙上的树影,叶子疏疏的,密密的,藤蔓在中联络。这样画起来,我的兴趣就大了。我还画了好多花子一家人的画,有一幅画上,使花子没有腿,却画成一条蛇的尾巴,使她娘的肚子很大,肚子里装着一个西瓜,花子爹的鼻子,画了一个辣椒,嘴上叼了个很大很大的烟袋,还画了一根肠子,用铅笔涂得又粗又黑。娘就又说我糟蹋纸张。我和娘争论,说:

"花子当过白娘子,白娘子就是蛇嘛。花子娘一定会生弟弟的,因为我和花子偷过西瓜塞在她娘的被窝里。还有花子爹,为什么一年到头都是红的,辣椒才是红的哩,你们总说他爱吃烟,会把肠子熏得黑黑的,为什么不能画根黑肠子呢?"

有时我坐在门口,往远远的地方看,最远的就是南岭,南岭顶高极了,很少有人上去过,天放晴,顶显得很清楚,可一旦生出雾来,像戴了帽儿一样了,很快天就要下雨。我总是问娘:

"站在那山顶上,能摸着太阳吗?"

"摸不着。"

"那上边一定离太阳近吗?"

"近。"

"那比这里暖和吗?"

"冷哩。"

"怎么会冷?"

"怎么会不冷?!"

山上有很多山羊、麝、狐狸,常看见有人提着枪在那里跑过,偶尔也就看见麝的模样被人追着,在山岩上一闪而去,接着有沉沉的枪声。我就又问起娘:

"为什么要打麝呢?"

"麝有麝香。"

"那它为什么要长麝香呢?"

"香呗。"

"它不知道有香就要被打吗?"

"我是麝吗,我怎么知道? 你这孩子,是中邪了,脑子尽想些什么呀!"

我越来越不喜欢我娘了,她总是骂我,往往天一黑,就逼我上炕睡觉,我睡不着,而且眼睛一闭,就出现奇奇怪怪的狗、牛、蛇、树,还有各种人物,脸上五颜六色,一齐向我跑来。后来竟患了夜游症,半夜里一个人就下炕出门,到门前的竹林边去。那里有好多蛐蛐在叫,就是不知在什么地方,有几只萤火虫飞来飞去,我提起来,提了一握,带回来装在一只小瓶子里,又一个人爬上炕去睡了。

第二天醒来,却什么都忘了。这事可把娘吓坏了,她晚上再不敢瞌睡,等我再去捉萤火虫,她就尾随着,到了家,拉住我问,我似乎才醒了,依稀回忆起出游的事,却不允许娘倒了瓶子里的萤火虫。天明来看,那萤火虫并不见光亮,我问:

"萤火虫为什么不亮了?"

"白天里哪会亮,它在夜里才亮呢。"

"我是昨天晚上装的,装萤火虫的时候,黑夜也是装进去的啊!"

娘听了我的话,哇地哭了,说我越发中邪得厉害,捎书带信要我爹回来,送我去医院看病。爹却说没事,摸着我头说:"你喜欢去上学吗?"我说:"喜欢。"他对娘说:"这孩子没有人玩,一个人太孤单,我领他到我那儿去,在一年级当个旁听生吧。"我便到了爹的学校。

爹的学校是在一个镇子上,很大,左边有一条深深的河,河上架有一座石拱桥。站在桥上往下看,水面就有桥的半圆的倒影,像是这桥原本是个满圆,一半在水上,一半在水底。爹把我送到一年级旁听,班上的同学都叫我"菜籽"。有一次正上课,要小解了,又不敢走出去,结果尿湿了裤子,就再不愿意去坐教室。等爹一去上课,我背几句唐诗,就跑到桥头玩,我认识了一只红嘴巴的鸟儿,不知道它叫什么,几天里总是在桥头的树上叫;喊它,它不来,它只给我说,我又听不懂。我猜想它是没了爹娘,哭得怪伤心的,每次就抓了些馍花儿放在桥栏杆上,让它去吃。后来,柳树就开了花,一团一团的,像绒絮,我捉住一朵,高高托在手心,轻轻一吹,它就飞了,我便又去捉,提了又要放,一直到黄昏,学校的钟就响了,在水面上颤悠悠地飘过。这钟挂在那棵杨树上,一天要敲十几次。我问爹:

"每天敲十几次,到处都能听到它的声音,这声音在哪儿呢?"

"是在钟里。"

"声音都敲走了,这钟不折吗?"

"不会折的。"

"为什么敲不折呢?"

爹就笑了。爹回答不上来的时候,总是笑笑,他比娘好,不骂我中了邪。

晚上,爹常在灯下写字,他字写得很小,密密麻麻的;写着的时候,不许我说话,让我也在床上写字。他对我的字总是夸几句,但从来不细细来念,对他的字却看一遍又一遍再念一遍。常常有人敲门,喊一声:"报告!"他应:"进来!"就进来一个两个学生,我给他们挤一个眼,他们还我一个眼,爹一看他们,他们脸色就立即静下来。他们怕爹,我不怕爹。有一次爹不在,又有"报告"声,我便说:"进来!"进来的是一个女学生,先鞠了个躬,一抬头看见是我,生了气,说:"你充老师!"我说:"谁充了,我将来也要当老师的!"那女学生走了,我好得意,不慎将墨水瓶撞倒了,只剩下小半瓶,我慌了,忙将脸盆的水掺进去,爹回来写字,一蘸墨水,淡得写不成,问我,我说不知道,那女学生又来告了状,爹揍了我一个耳光。

爹揍了我,我并不反感他,而更加听他的话,也不再到桥上去了,整日拿了粉笔在操场地上写字,写一片,又一片。到了期末,一年级老师要吸收我为正式学生,爹已经为我买了书包,订了作业本,但不知怎么,他却把我送回家来。我问他这是怎么啦,他不肯说。我就每一星期六在村口等他回来,但是,两个星期六,他都没有回来。而且娘常常夜里哭,我挺纳闷,身子一翻,她倒噤了哭声,问道:

"你没睡着吗?"

"娘也没睡着?!"

"我看月亮哩。"月亮是个半圆,正从窗棂里照进来。

"娘,你说月亮像什么?"

"像个梳子。"

"那太阳呢?"

"像个镜子吧。"

"娘说得真好。"我记得爹以前给娘买了镜子和梳子,娘很喜欢,"娘,那我爹买了太阳和月亮给你了!"

"唔,你也想你爹?"

"想,娘想吗?"

娘却抱住了我,我感觉她的脸湿漉漉的。

"娘,你哭了?我爹回来了,看见你的眼睛多不好看。"

"我不哭。"

娘给我笑了一下,月光下苦涩涩的。

过了半个多月,突然家里来了人,交给娘一张纸条,娘看了脸刷地煞白。忙叫我出去玩,当我回来,娘正在葡萄树下挖坑,然后用油布包了好多书放在里边,我一回去,忙动手填土,问我看见了什么？我说："你在埋书。"她击了我一拳头，唬道："你什么也没有看见！"我只好说："娘在那儿埋书，我没看见。"娘又提起了拳头，却一把拉我进屋，流着眼泪说："你爹受批判了，人家可能来抄家；这些书是你爹的命根子，抄去就会烧掉的，你千万不敢向外人说。"我给娘保证，却不知道批判是干什么？娘却不愿再说下去。果然三天后，一伙人到了我家，翻箱倒柜，口口声声要抄"四旧"，将家里好多书搬在门前烧了，还有我几十张画，那是爹保存的。我要去捡，被踢了一脚。临走，还拿走了一些笔筒、砚台、花瓶。很快，村里也闹腾起来，又敲锣鼓，又喊口号，说是要"文化大革命"了。就看见村头学校里开大会，好多老师站在台上头不能抬，又挂了牌子游街。外边一有动静，娘就关了门，不让我出去，她靠在门后，浑身嗦嗦嗦地抖。一次我跑出去，村里有人对我说："你爹是牛鬼蛇神！"我说："你爹才是鬼！"那人又说："你不信？你爹怎么没回来？！在他们学校游街了，是坏人！"我跑回来，问娘：

"我爹是坏人？"

"谁说的？"

"村里人说的，说我爹游街哩。"

娘突然呆在那里，泪水长流。我说：

"我爹怎么成了坏人？！"

娘一下子扇了我个耳光，叫道：

"你爹哪儿是坏人？他不是坏人，他不是坏人！"

我哇地哭起来，她却把我抱住，擦我的眼泪，不让我哭，说：

"娘打疼你了吗？"

"没。"

"你恨你娘吗?"

"不。"

"恨你爹吗?"

"不,爹不是坏人,是好人。"

"爹是好人。"

"爹能回来吗?"

"会回来的。"

"什么时候回来呢?"

"那日历撕完就会回来吧。"

日历是爹从学校带回来的,已经撕过了多半;还要撕完爹才能回来,我就搬凳子上去,将日历一页一页全撕下来。娘一回来,我就说:"娘,我爹要回来了!""听谁说的?""我把日历撕完了!"娘无力地打我一下,却抱住我又哭了。正哭着,爹真的就回来了,他头发老长,衣服皱皱巴巴的,胡子几乎把嘴巴都要罩住了,在门口说:"哭什么呀?"我和娘抬起头来,几乎都呆住了,谁也没动,也不说话。突然娘扑过去,抱住爹哭声大放,爹说:"孩子在哩。"就过来抱了我,还是用胡子扎我的脸,将我逗得咯咯咯地直乐。这天夜里,他一直和我玩,要我写字让他看。我写一个,就要求他满足我一个条件:买水果糖呀,让去上学呀,要他多回家来呀,末了就爬在他的背上,要当马儿来骑。娘只是在一边擦眼泪,爹就瞪她,我告状说:"爹好好的,娘偏在家老是哭。"爹说:"你娘没出息,她要再哭,你就羞她,好吗?"从那以后,爹每天晚上都回来,天一明就又走了。在

54

村里,一些人见了我,都说"可怜见的"。可去找孩子们玩,大人们却总是赶忙叫了他们孩子回去。后来就听到说我爹是"黑帮",是"封资修",已经由所在学校集中到公社受批判了,我才明白为什么爹现在夜里能回来。但是,爹一回家总是笑笑的,和我玩这玩那,便觉得村里人说得不对。过了几天,爹就没有回来,通知让我娘送饭,娘每次去,总是哭哭啼啼地回来,隔几天给爹换洗衣服,就在门前青石头上捶平,那棒槌总提不起,常常发着愣,或者衣服已经掉在地上,棒槌还在石头上空打。以后,娘去送衣服,却都将第一个扣子铰了,我问她:"铰了干啥?"她说:"批斗会上,常要绳捆索绑,系了这扣子,会憋着脖子的。"我当时吓得浑身发冷,也要和娘一块去看看爹,娘将我反锁在屋里。我从窗口逃出来,往公社大院里跑,出了村口,却被一群孩子围住。他们在玩"打架子",将几截柴棍支在那里,然后在一定距离里掷打,击倒者赢,否则为输,输者就趴地学狗叫,但他们掷打一下柴棍,叫一声:"打倒×××!"竟喊着我爹的名字。我便也喊:"打倒×××!"是喊我爹名的那个他爹。我们就争起来:

"我爹是贫农!"

"我爹也是贫农!"

"你爹是孔老二!"

"你爹是孔老三!"

他扯住了我的头发,我揪住了他的领口,势均力敌,我们相持起来,孩子们大叫:打起来了!就有那孩子的父亲过来,将我一个巴掌打倒在地了。正好我娘送衣服回来,那人就训道:"你们到什么时候了,还这么要强,是你让你的孩子打人吗?"娘不容我分说打了我一拳头,给人家赔不是,拉我到家关了门,却抓起我的手往她脸上打,说:

"你打娘,你打娘!你怎么敢打了人家!"

"是他要打倒我爹。"

"听娘话,让他们说去,骂去!你不敢惹事,人家把你打坏了,娘怎么活啊!"

说罢,娘哭,我也哭,哭成一团,晚上没吃饭就睡了。自那以后,她常将我看守在家里,我就在门前挖一个土坑,将一个石头上画了那孩子爹的样子,埋进去,又堆一个小丘儿,认作是坟,咒他爹是打倒了,而且死了,臭了,埋得深深的了。

这时候,韩久却回到村子里,我已经有很久没有见到他的面,他依旧还是个红鼻子。娘问起花子娘俩,他说:花子娘已经生了个儿子,花子在那里帮着哄娃娃哩。一提起花子,我就嚷着要她回来一块玩,韩久就对我娘说:

"他爹的事我都知道了,你也不要过分伤心,现在挨批判的人很多,不是他一个人啊。"

娘说:

"大人受些罪也就罢了,只是孩子还小,受人欺负,对孩子将来不好。"

韩久说:

"我就为这事来的。这瞎女子怪聪明的,将来必能成事,看样子,他爹这辈子要黑了,可不能让孩子背了黑锅。我和花子娘商量了,如果你看得上我们,我想将孩子的户口要过我们家,孩子当然也是你们的孩子,换个家庭对孩子好哩。不知你悦意不悦意?"

娘当下沉吟了半晌,坐着流眼泪。

韩久说:

"我们这想法或许不妥,叫你伤心了。"

娘说:

"他伯,难得你们这般心肠,到了这步田地,倒还为着我们好,我和他爹该怎么谢你们呀!我哪里还有不悦意的?"

但是,关于转户口的事,大队部不允许,还训斥韩久路线不清。娘叹了一口气,说:

"罢了,也真连累了你们了;怪这孩子投错了胎。"

韩久却抱了我,说:

"转不了户口,就不转了,他谁能管得了我。是这样吧,就让他认我们为干亲,我把他带到条子沟去,再不能让孩子留在这里,小小年纪就伤了心。"

于是,第二天里,娘在中堂摆了椅子,让韩久坐了,拉我给他磕头,长长声叫三下"干爹"!本来认干亲是要有仪式的,被认的要拿礼物,认的要设宴席,现在都不可能了。草草认了亲,干爹将我脖子上架了,在村里走了一遭,使大家都知道,下午就背我到条子沟去了。

我和花子又在一起了,她似乎长得比我还要高,一见面,就用双手将我脸托起,像大人一样,问我想不想到她;我说想,她就拉我去看她画的画,那都是分销店的香烟纸上画的,张张画的都是我。

干娘的脸色还是白嫩嫩的,正坐在炕沿给儿子喂奶,那儿子丑极,小瘦如猫儿。花子抱了弟弟,领我到村子去转转,这村子只有三户人家,是坐落在一个双沟交叉的山弯子上;分销店的房子墙白白的,店员只有干爹一人,而这分岔的两条沟却很深,足足三十里长,一条小沟洼里住一户人家,他们的衣物、用品、油、盐、碱、糖,却全得从这里去买。四面都是山,长着密密的冷杉、侧柏。山弯下有一条流沙的河,河畔上几棵核桃树,样子十分奇特,半边多,半边少,屈身横出,一些古藤缠上去,又吊下来,树身上、藤蔓上就茵茵长满了苔藓,生长长的毛。我们从屋后的石磴路上走到后洼,那三户人家一横一竖一撇盖在那里,四周却满是些栲树,阴得地面都潮湿湿的。我说:"这地方不好。"花子也说:"不好,天尽是阴着,我得了一身疥疮,刚刚才好。还有狼哩,夜里常叫唤,将王叔家的一头小猪都叼走了。"我说:"那为什么还要住在这里?"花子说:"我和娘早要下山去,爹说山下乱了,这里安静哩。"我们又信步儿到了弯后,那里有一个老大老大的石头,石头中间裂了缝,活生生长出一棵柏来,不知道是树栽在裂缝的土里,还是树长上来将石头撑裂了。但出奇的那石头上却有了一个小小的土庙,花子说,那是土地庙,听爹说,那柏树已有几百年的长寿了,往年还有人来烧香,现在不来人了。又说:

"我还给你家在那里求过神哩。"

"给我家?"

"爹说你家运气不好,我来磕了三个头。"

我们就从那座吊桥上走过去,我有些害怕,花子却抱着弟弟稳

庚寅 平四

稳走过去,站在庙门口。庙里果真有一个泥塑的老头坐像。这当儿,山沟里起了风,天暗了下来,看见庙左边的大石那边,树罩得很密,有水从里边流下来,"咚,咚"地响,从河边上来的云,钻在里边,再也不走。一阵风呼地上了庙台,我们都打了个寒战,说了声:"怪怕人的,快走吧。"就走过来,刚过了吊桥,听见后边又是一声很大的"咚"声,我们不敢回头,一气儿跑回家,心里还"别别"地跳。

晚上,我们就挤在一个大土炕上。我和花子睡一个被窝,干爹娘睡一个被窝,吹了灯,外边风呼呼地响,我们摸黑坐着说活,干娘说:

"花子,从今往后,瞎女子就是咱一家人了。"

花子说:

"原先不也是一家人吗?"

干娘就笑了,说:

"村里人谁要问起,就说是你的弟弟,万不要说起瞎女子他爹。"说到爹,我就哭了,干娘说:"不哭,咱在这儿住一个时期了,就都回村子去,你就能见到你爹你娘了。"

白天里,我们并没有多少事要做,村子里只有一个叫小豆的孩子,他总是流鼻涕,我们一羞他,他吸一声,鼻涕进去了,一会儿又出来了。但他每天可以从家里拿出好多好吃的东西,譬如柿饼,还有栗子,吃起来直噎喉咙眼儿,得连忙去喝水。干娘生过儿子,身子不好,总头痛,干爹用火罐在她额上拔印子,两个太阳穴拔两个,却显得更好看了。那儿子,我和花子轮流来抱,我们却烦他,常常抱到洼地里,让他自个爬着,我们就用炭在石头上作画、写字。我跟爹学会了好多字,会写自己的名字,也会写爹的名字。我们在稍平一点的石头上都写满了字,结果小儿子就尿湿了裤子,弄得一身泥,惹得干娘骂了花子几次。

来分销店买东西的人虽然不多,但人还是不断,有能识得字的,看见了石头上总是我爹的名字,就生了疑惑,问过干爹:

"这是谁写的字?"

"我这孩子。"

"他怎么老写黑帮分子×××的名字,×××是他的什么吗?"

"啊,哪里,怕是我写过打倒×××的标语,孩子学写的。"

那人一走,干爹就把我数说了一通,再不许我写爹的名字。过了三天,晚饭的时候,干爹却从外边背回来一块大石板靠在墙下,又买了一盒粉笔,说:"你们喜欢写字,就在家里写,我给你们当老师。"从此每天早晨,他要在石板上写上几个字,或者一道算术,教我们学会了,就让我们学着再写,到晚上考试,考上的上炕睡觉,考不上的继续默写,几时写出几时睡觉。先头我们都很来劲,要么我先会了,干爹就要骂花子;要是我不会了,花子笑话我,干爹却要说:"你能着什么,他总叫你姐姐呢。"但到后来,我们就烦了,趁干爹娘不在,便溜出去玩。我们曾经捉住过一只松鼠,它是钻在一条石堰中去的,我们就小心地抽开石头,它一钻,钻进了我的袖筒,就活捉了。更有意思的是采蕨草,如小儿拳一般,弯弯的,曲曲的,采下来煮熟了,炖肉也好吃,盐拌也好吃。我曾经采过一捆,用布包了,写上我爹的名字,趁乡邮员送信报到了分销店,偷偷塞在他的邮包里,没想干爹发现了,夺过去藏了,说:"不能让这里的人知道你是你爹的儿子！你这是往哪里寄？你连地址都不写,能收到吗?"到了晚上,干爹还是考试,我和花子已经好多天考试不及格,干爹动了气,踢花子一脚,干娘说:

"算了,孩子都小,这也不是学校,抓得那么严干啥呀!"

干爹说:

"唉,你好糊涂啊！要是咱花子,也就罢了,可是这瞎女子的爹是读书人呀,人家把孩子托付给咱,咱把孩子带得心野身野,一字不识,将来怎么向他爹交代!"

我听了,心里真后悔,以后就不再疯跑,老老实实在家里做作业。

冬天里,山上下了雪,到处都是白花花的。我们在屋里挖了很大一个火塘,日日夜夜将一些疙瘩柴架上去烧,熏得我们手脸都黑糊糊的。这一天午后,干爹到山下去提货,干娘让我们看着儿子,她去后山坡上砍柴火,我和花子在家待得闷了,说:"到河边堆雪人去吧!"就抱了小儿子到了河滩。我们用树枝扫开了一片干地,把小儿子放上去,就分头堆起雪来,雪人堆起了,是一个老头,就说这是瓜菜园里的爷爷。爷爷是有长胡子的,就又返身去家里拿包谷缨子。这时候,下山的太阳却红起来,在雪地上涂出一层玫瑰色。正走到河滩,就发现一只大大的狗向小儿子那里走去,我说:"姐姐,瞧一只狗。"花子说,"不是狗,尾巴在地上拖着,是狼!"话未落点,那狼已叼起小儿子就走。我们一下子失声大叫:"狼叼娃了！狼叼娃了!"哇哇而哭。干娘闻声赶来,举了木棍去追,那狼停下来,换了一下口,又叼起小儿子又跑,干娘一直追到河那岸,那边有人也赶过来,狼放下小儿子逃走了。但小儿子身上几处牙伤,血流不止,当夜就死了。

小儿子一死,干娘像疯了一样,骂天骂地骂狼骂自己,末了就骂干爹,说是她要回家去,总是不让,这下倒好了,儿子没了,韩家断了种了。干爹为儿子钉棺材匣子,狠命地敲打钉子,泪流满面。我和花子跪在地上。浑身打摆子一样乱颤。埋了小儿子,干娘就收拾东西,要离开这里,干爹拦不住,他突然发了火,将干娘一拳打倒在地,抱住了我说:

"要走,你和花子走吧,这瞎女子不能走!"

他这么一吼叫,干娘倒蓦然了,干爹就流下泪说:

"花子娘,这鬼地方我愿意再让你们呆吗?我这么大年纪,没了儿子,我不伤心吗?可山下搞运动,乱糟糟的,瞎女子娘将瞎女子交给咱,就是让孩子在这里清清心;这么回去,让孩子受罪吗?咱不想想咱,也不该不为孩子想想啊!"

干娘软在那里,一声一声地哭,却把包袱丢在了炕上。

就这样,我们又住下来,夜里一听见狼叫,干娘就搂住我们浑身哆嗦。白日里,也不允许我们乱跑,只是在家学习写字、画画。我已经能写会一百个字了。算术也学会了乘法。到了春天,干爹娘刚刚新搭了一间草棚,扩大了我们的住处,但我们却全都返回村子去了。

我记得这一天,是个早晨,干娘正烧饭,门口新养的狗汪汪大叫,河湾处走来一队人,将我们全赶在门前的树下站定,大声训斥、叫骂,勒令干娘立即回村去接受批判。干娘叫起来:

"我是农民,我有什么罪?"

"你是日本人安插的特务!"

"胡说!证据是什么?"

"证据?"

一个耳光打去,干娘倒在地上,口鼻出血。干爹忙上前说情,那些人留下指示:三天之内必须搬回,否则就五花大绑拉下山。走的那天,花子和我一大早就到西面山洼去转了一遍,我们向山岩、草木告别,它们无声,我们也无语。有一朵金银花,前三天就孕了苞儿,我们真害怕牛儿羊儿踩坏了它,用一些荆棘围住它的周围,我们已经要走了,它还没有开,使得我们好不遗憾。那只松鼠,在小木笼里生活了多半年了,我们不愿意再带它走了,砸了笼子,让它钻了山林,它先还是不走,瞪着眼睛看我们,后来箭一般地跑走了。干爹干娘挑了两副箩筐,里面装着被褥、锅盆,花子背一个包袱,我背一个包袱,干爹娘已经到了河滩,我和花子又过了吊桥,往那土地庙上去了,庙还在,那泥塑像被那队人砸了,大石那边的林子里,还是幽幽的神秘。我说:"这地方真好呢!"花子也说:"真好。"边说边走,还是离开了这里。

三、记哀

干娘是和我爹关在一起的,先在公社大院,后就又转到学校里,说是在那里办学习班,日日夜夜大门口有人站岗。我们老想着他们,就呜呜地哭,要去看望,站岗的人不允许,我给人家好说歹说,最后坐在地上哭,给人家磕头,花子却踢了我一脚,把我拖回来,骂我"丑人"。

"你不想你娘?"

"怎不想?你那么给人家哭、磕头,让人家作践,人家让你进去了吗?"

"那怎么办?"

"你听我的。"

我们就围着学校院墙转起来,院墙特别高,并没有倒塌的地方,因周围又没有什么树可以爬。爹关在哪个房子,干娘关在哪个房子,我们一点也不知道,就每天下午,绕着院墙唱歌,我们知道干娘和爹是会听出我们的歌声的,便把学到的歌子一个接一个往下唱,唱得口也干了,嗓子也疼了,还是大声地唱。

我说:

"姐姐,我爹和干娘能听见吗?"

"能听见的。"

"能听见是我们在唱吗?"

"能的。"

"那咱们唱。"

"唱。"

但是,唱过几天,院内并没有什么人回答过我们。我们累得趴在地上,心灰意懒,说不出一句话来。一股风扫过来,一根羽毛在那里袅袅,接着就浮动升降,在我们头上旋转,越旋越高,末了就到了墙头,一闪,翻过院墙去了。我们说起来:

"是鸟毛。"

"不,是鸡毛。"

争论以后,花子同意我说的是鸡毛,突然叫道:

"好了,咱可以让我娘和你爹看见咱们了!咱把咱们家的事画在纸上,缚在鸡翅膀上,让鸡带进去,你爹和我娘不是认识你家的鸡吗?"

这方法真好,我们连忙回家,偷偷画起来,一张纸上,花子画了她,也画了红鼻子爹,我画了我,也画了我娘,画纸上的四个人都在肚子里画着桃叶一样的心,表示全家人都想着他们。然后就把画纸叠起来,缚在鸡的翅膀根下,抱着到了学校院墙下。鸡每次被托起来,总是飞不到院墙上去,我们一次又一次往上抛,它终于站在院墙顶上,咕咕直叫,又要飞下来的样子,我就拿石头打它,它才飞进院子里去了。这一夜,我睡得很香,做了许多梦,梦见爹和干娘抱住了鸡,在那里大声地笑,又给我们回信,信上说:我们很好,你们好好在家,我们回来了给你们买水果糖吃。我真高兴,一骨碌翻坐起来,问娘:"鸡回来了吗?"娘迷迷糊糊的,问:"什么鸡?"我才知道是在做梦,就说:"我现在不告诉你!"就躺下又做梦了,希望那梦还能连续下去,但到天明,梦也没有做成,家里却来了人,将娘叫出去斥训了一番。我不知道又出了什么事,娘回来说:

"你们给你爹和干娘送信了吗?"

"是的,他们会写回信的。"

"那鸡让人家捉住了,要杀吃的时候,发现了信,就让所有批判的人认这是谁家的鸡,你爹说是咱家的,人家当场拿出那画,将你爹和干娘揍了一顿,又将鸡脖子拧下来……以后再不要去学校那儿了,孩子!"

我听了,伤心得只是哭。

过了三天,公社召开批斗会,门外边又是敲着锣鼓;一敲锣鼓,干爹就要把花子领过来,我们四个人在家里关了门。这次刚刚关好门,就被人敲开,来了一个汉子,样子很凶,说是让我们也去参加大会。我说:

"能见到我爹和干娘吗?"

干爹和娘忙拉我在身后,说:

"这孩子有病,饶了我们,让我们都在家吧。"

那人说:

"说得好美! 就是要让你们看着他们怎么个受批斗,洗洗你们脑子哩!"

我们只好跟着去了,而且偏让我们坐在会场前边。不一会儿,几十个"牛鬼蛇神"被人架着,推进会场,我看见了爹,也看见干娘,他们已经瘦得失了人形,我"哇"地就哭了,娘赶紧捂了我的嘴,小声说:

"不要哭,你爹和干娘看见了要伤心的,把眼睛闭上,闭上!"

批斗会开了三个钟头,三个钟头,干爹和娘都低着头,把身下的草茎一根一根都掐断了。我和花子噙着眼泪,只是盯着爹和干娘,他们也在看着我们,微微倒有些笑,那笑我是理会的,但越是那样,我越是想哭,娘就一直死死抱着我。后来,太阳红红的,爹的脸上汗水豆子一样滚下来,却死死盯起面前的一丛小草出神,眉毛一凑一凑的。爹在看什么,我也努力地往那草丛里看,但是看不清。批斗会结束了,爹和干娘又被拉走了,我和花子便走到那草丛去看,才发现那里有一个肥嘟嘟的肉虫儿,它是受了伤,被一群蚂蚁围着,它竭力在翻动,但蚂蚁太多,打落一层,又爬上来一层,已经被拉着往一个蚁窝洞里去。

"我爹是看着这虫子的。"

"真怪,他怎么看这虫子?"

"他可怜这虫子吗?"

"一定是可怜了。"

我们动手将蚂蚁全捏死了,把虫子放在草丛里。

"爹为什么要看着这虫子呢?"

"不知道,为什么呢?"

这虫子的事我们想了好多天,到底弄不明白,爹在那个时候,倒还那么关心一条虫子?又是几个月过去了,我们没有见到他们。家里越来越冷清了,很少有人到家里来,那些本家人偶尔来安慰几句,也是要在深更半夜时候。娘也不求任何人,也不让我们到任何家里去,有了什么事情,就去和干爹商量。干爹不会做针线活,也不大收拾家,屋里乱糟糟的,娘就时常过去料理。干爹也过来帮我们种自留地。到了收麦天,队里分粮,我们两家是无劳力户,要交许多钱方能分到粮。往年这个时候,那些余钱户就都争着为我们替垫,现在却没人了。我们一时拿不出钱,粮食分不回来,娘急得口里起了火泡。好不容易找人替垫了,可过了十天,人家就上门讨账,娘只得将一件丝布棉袄卖了,买得些棉花,然后在家纺线织布。

娘在布机上的功夫是很高的,没黑没明坐在机子上边忙活。"哐当",穿一梭子;"哐当",回一梭子,那线从梭里引出,娘抛来抛去,那线好像是从她手里抽出来的,织了经,织了纬,把我们的眼泪织了进去,把我们的希望织了进去,也织进去了白天和黑夜。我说:"娘,歇会儿。"娘说:"不累。""喝些水。""不渴。"我拉住娘的手,娘只好下来,抱住我亲一口,我将娘头上的一根白发拔去了。布织出来,拿到集上去卖,卖了钱娘数一遍,我也数一遍。织过几十天,才算把欠账还清了,娘很高兴,给我买了块离锅糖,我每天掏出来噙一会儿,就取出来包好,一连吃过五天,给娘说:"娘买的糖好甜呢!"

那时节,我真恨我长不大,不能挣钱给娘。记得以往过年,我们做孩子的,可以到各家去磕头,赚得满满一口袋磕头钱,就整天和花子在一起扳指头,计算什么时候了,就能过年了。天天盼着,一天却比一天过得慢,我们就等不及了,后来看见一些人在河里捕鱼,卖给过往的汽车司机,我说:

"姐姐,咱们也捕鱼去,能卖好多钱呢。"

"你会凫水吗?河水可大了。"

"咱们钓鱼。"

于是我们做了钓竿,又用娘的一根针在火里烧红了弯成钩儿,将蚯蚓一截一截套在钩上,就到河里去。河水黑黝黝的,看不到底,水面上浮着柳树根的红毛,一团一团地动得怕人。钓竿垂下去,慢慢看见有黑脊梁的游来,如影子一般。"快提,快提!"我大喊,花子一提钓竿,却依然是针弯做的钩,依然是钩上的蚯蚓,已被吃了一半。鱼儿不上钩,我们互相埋怨,我兀自到石堰头那里去钓,那里水更深,水面上一个涡儿套一个涡儿,丢一颗石头下去,并不溅出水花,只是"咚"的一声,但要把钓竿垂下去,半天不见动静。我是不甘寂寞的,便站起,想把钓竿往远处钓,将衣服脱下来,挂在身后的柳树桠上,一手攀着,身子努力地往外斜。不想,衣服却滑脱,我"扑通"掉了下去,立即就没了顶。花子在岸上大叫,岸上又没有人,她就哭了。我却又爬上了岸,因为在水中冲出一丈多远,正好卡在下石堰的木桩上,一冒头就上来了,只是觉得饱,喝了七八口水。那件衣服却再没了踪影。回到家里,干爹打了花子,说是她鼓动的,又将我抱到饲养室,让我趴在小牛背上,拉牛小跑,牛背上的我一抖一抖,把肚子里的水全吐出来了。

要钓鱼赚钱,反倒丢了衫子,娘筹着钱要给我买新衣,我不要,穿一件破了袖筒的衫子,娘说:"你穿的这个样子,让人耻笑吗?"我说:"反正人家都耻笑咱了。"娘说:"你爹的事,那是咱没办法的,可咱一定要穿着整整齐齐的,不要出去让人觉得咱真的是坏人了。"娘便在商店买了新衫子,我却偷偷将衫子拿去退了。退的时候,花子是和我一块去的,我们发了咒,决不告诉大人。回去我对娘说衫子丢了,是捉迷藏时放在麦秸积下的,后来就不见了。娘一下生了气,就打我,打得真狠,耳朵都拧破了,流下血来,我一声也不吭。晚上,她从炕席下整理积攒的钱时,发现多了三元五角二分,觉得奇怪,就又虎了脸问我钱是哪儿来的。我只好说了实情,求娘再打我,她却抱了我,一句话也没有说。

我竟能学会打草鞋了,这是干爹教的。下雨天,他一边打,一边指点我们,我和花子不但会打小孩穿的,也会打大人穿的。打那么一大堆,拿到集市上去卖,花子在前边,我在后边,每人肩头上挂两嘟噜草鞋,不停地喊:"谁买草鞋,一角五一双!"集市上人很多,挤不过去,我几次从人腿缝往过钻,几次被绊倒,花子急了,大喊:"油过来了!油过来了!"慌乱中,人群竟闪开一条缝来,我们忙跑过去,后边的人瞧见我们,知道上了当,但我们不理,只是咯咯笑,卖了草鞋,我们买了一个芝麻饼,她咬一口,我咬一口,旁边一些孩子瞧我们羞,我们也羞他们,将饼吞在口里,再送他们一个鬼脸儿。

我们也去剜野菜,但再不是在村前村后的田野上,而是到远远的山里。清早起来,月亮明晃晃的,娘给我摊一个很薄的黑面饼子,叮咛中午了吃,可一出门,就拿手在背篓里掏,心里说:"尝一口就对了。"拧下一口,饼子特香,一口下去,馋劲更上来,"再尝一口吧。"这么又拧一口。走到河边,饼子就全尝光了。后来,我们一定要嚷着去更远的大山里砍柴火,娘总是不同意,干爹却支持,并领着我们去了几次。再到以后,干爹不去,我们也去,限天明赶到二十里外的山根,砍了柴,中午后才回来。有一次去得早,到山根下天并不明,就坐在一片蒿草里歇着,天亮一看,原来是在一片乱坟地里,吓得我们毛骨悚然。最讨厌、也是最有趣的是那山中的老鸦,它们常常要偷吃我们的干粮,柴火砍好了,下山要吃干粮了,背篓一翻,里边竟没有一点干粮末子,连装干粮的布袋也不见了。正疑惑着,一只老鸦叼着布袋从头顶飞过,我一扬手,口袋掉下来,里边却只有半块干饼了,花子让我吃,她跑到山洼一棵毛桃树上去吃毛桃,结果吐了一路酸水。

在夏天时,娘就买了一头猪,说:"往后,一切花销就要向猪要了。把猪看成是家里一口人,每顿喂食,将草铡得碎碎的,端在猪的面前,一手拿着麦麸瓢儿,一手拿拌料棍,撒一层麦麸,搅一下,猪吃一阵,像哄娃娃吃饭一样。有事没事,我和花子就跳进圈里,给猪梳毛,然后搔搔它的肚皮,那黑物竟四蹄伸开就倒下去。猪架子长得很快,但膘上得慢,娘总是说:"咱没给猪加上料呀!"娘就将饭越来越做得稀了,每顿要给猪倒上两碗。猪有了膘色后,浑身白亮起来,不想又害了一病,三天卧着不吃,急得我和娘直哭。干爹找来兽医,扎过几针后,猪日渐好起来,我和花子乐得手舞足蹈,大叫:"猪身体健康了,永远健康了!"这话却被左隔壁的秦家听见,告我们辱骂副统帅。公社就将我叫去了,喝问:

"你为什么要辱骂副统帅?"

"我没有。"

"你喊没喊过'身体健康,永远健康'?"

"喊过。"

"在什么地方?"

"院子。"

"是在院子还是在猪圈?"

"院子!"

"狗崽子,老实交代!"

"是在院子。"

他们抽了我几皮带,但我死不承认。娘和干爹赶忙跑来,一口咬定我是在院子喊的。他们还是把我关在那里,轮番审问,我还是一句话"在院子"。他们苦于没有旁证,又见我太小,就放回了家。娘也就在这一次,吓得患了心疼病,以后三天两头就犯。

那秦家的老头,样子很凶,以前就是村盖子,批斗爹的时候,他骂爹在学校的凉房下坐着,倒每月拿那么大的工资,又质问他的儿子上二年级为什么老留级,而我只有几岁,倒能识好多字?平日从我们家门口过,总是要吐口水。这一次告状没成功,就更加恼羞成怒,竟然跳上院墙,将我家的树长过院墙的枝桠全部砍了。我娘质问,他蹲在墙头,挥着砍刀说:

"这树枝侵犯了我家领空!"

我气得说:

"你欺负人,这天也是你的吗?"

"地是贫下中农的地,天是贫下中农的天!"

"我家也是贫农!"

姓秦的竟要跳下来打我,叫道:

"你们黑帮!我就砍了,敢怎么样?"

娘拉我进了屋,捂了我的嘴不让我再说,眼看着人家砍了树枝,又全部不剩地拿走了。当天夜里,我想着如何报复他,想来想去,却想不出个办法来。花子领我到了秦家的自留地里,悄悄用小刀将那地里一颗最大的北瓜切开一个口儿,塞进一堆牛粪,再将切开的瓜块原样按上。过了三天,偷偷去看,那切开的瓜口竟又长合在一起,而且那瓜越长越大。直到最后,秦家摘了瓜在案上切开,才发现那瓜臭得吃不得。他出来对村人讲,我和花子知道了,跑在村后的洼地里,笑了个没死没活。回来给干爹说了,干爹却骂我们,对娘说:"孩子一天天大了,咱可要经个心了,万不敢闯下什么祸呀!"娘也日夜叮咛我,我说娘太胆小,我爹教了半辈子书,让他们拉去那么批斗,他们又这么欺负咱,为什么不报复一下?娘就打我,骂我心也学坏了,打过,就又哭,又下了跪让我们听她的话。我害怕了,就给娘赔话,说再不敢了。娘还是不放心,除了干活以外,就让干爹再教我和花子学习。

我学习并不像以前那么专心了,干爹布置的生字、算术,我总是让花子代替,花子不同意,说给我娘。我说:

"娘,现在都没学校了,学那干啥呀?"

娘说:

"把书念到肚子能瞎吗?书总会有用场哩。"

我们再做作业时,她就拿着鞋底坐在门口纳,我才一偷懒,她就瞪我。干爹说:"你愿意见你爹和干娘?"我说:"当然愿意。""那好好学吧,你们可以一天给他们写一封信,我给他们寄去。"

"能寄去吗?"

"能。"

我和花子就认真学起字来,又开始学造句,终于能写三句四句话的信了。写好了,念给娘听,娘喜得说好,我们就糊了信封,写上我爹的名字,写上干娘的名字,交给干爹。我们几乎两天就写一封,计算起来,差不多每人写过了二十封。但一封回信也没有。有一天,村里死了人,新坟上挂满了白纸剪成的纸条儿,第二天我和花子去那里偷偷收了纸条,回来做成写字本子,在她家翻寻锥子时,意外却在抽屉里发现了一叠信,拿出一看,却全是我们写给爹

和干娘的;原来干爹并没有寄。我一下子恨起干爹来,三天再不理他,娘劝说:

"这怎么怪你干爹呢,这信怎么去送呀?能送去吗?他是想让你们多学些字,那信,他一封封留着,等你爹和干娘回来,再一齐交给他们啊。"

听了娘的话,我再不怪干爹了,反倒越写信越长,写好了,就装在信封交给他。干爹还不知道,仍是在说:

"啊,你爹和干娘看了不知道会多高兴呢!"

转眼快到了腊月,两家都筹备起过年的东西,娘和干爹就为钱又犯了愁,商量说虽然家里人不全,这年还是要好好过,孩子们盼了一年,就盼这么几天,如果看见别人家高高兴兴,咱太凄苦,太伤害孩子了。但钱在哪儿寻呢?娘决定卖猪,让干爹拉到三个生猪收购站去交,都嫌瘦拒绝不收。娘就狠狠心,每顿倒两碗饭,又养过半月,让干爹再到二十五里外的另一个收购站去交。听说那里收的多,或许是能交上。

交售的那天,我和花子一定要去,娘对干爹说:"卖了,你和孩子美美在那饭馆里吃一顿吧。"一辆架子车,干爹在前边拉,右边一个我,左边一个花子。我们便为着准备在饭馆吃什么东西争起来:

"买一个沙锅豆腐。"

"豆腐不好,吃炒肉片。"

"不,吃肉吃粉蒸肉。"

二十五里路,走到半中午,我们才到。交售猪的人很多,每一个都拉着一头猪,有的大极了,像小牛一样;有的肚子拖在地上,走都走不动了;有的人背过收验员,又端了一盆熟食喂猪加分量。猪在哼哼直叫,动不动就突然跑走,人群就一阵大乱。干爹在那里排队,我和花子拉着猪站在一边,收验的进度很慢,眼看轮到我们了,突然人家说:吃午饭了,下午两点再收。"砰"地关了门。我们只好还站在那里排队,肚子已经饥了,呼呼噜噜叫唤,干爹说:"饿了吧?"花子说:"不饿。"我也说:"不饿。"干爹说:"饿了忍一忍,猪一交,咱就吃饭去。"我和花子又挤眉弄眼,我说:"现在能吃两盘肉呢。"花子说:"现在饿点好,空了肚子吃得更多些。"一直在那里等了三个小时,收购站的门开了,偏偏就在这时,猪却撅起尾巴要拉屎,这屎一拉,七八斤分量就没了,我恨它迟不拉,早不拉,却要在过秤时拉,直用脚踢猪的屁股。猪还好,只拉了一半。轮到我们了,收验员斜了一眼,用手在猪的脖子上捏捏,又在猪肚子上揣揣,锐声叫道:

"下一个!"

干爹忙说:

"我这猪是几等?"

"几等?不够等,拉回去!"

干爹急了:

"这猪可以呀!"

"这是收骨头吗?这号猪,亏你还拉来交!"

干爹一下子脸失了色,双腿一软,蹲在那里不动了,然后又走近去,苦苦央求说:

"你抬抬手,就按末等收了吧,等着用钱呀!"

"这是议价钱的事吗？不行就是不行！"

猪拉出来，我们都没有说话，重新在车上捆了，掉头往回拉。路过饭馆，干爹没有说去吃，我和花子也没有说去吃，一路上，猪却饿了，吭吭直叫，我用拳头就打，打得好狠，打了一拳，又一拳。

那猪后来还是在集市上卖了，卖了四十元，比国家五等收购价计算少了二十元。这猪灰了我们的心，但是，到腊月二十五，爹和干娘回来了。爹的问题落实不下来，不了了之。干娘的"特务活动"没有证据，宽大处理。两家人得到团圆，好不喜欢，娘将那四十元，竟以二十元买了酒肉，两家人合在一块吃了一顿。爹和干爹只是喝酒，一直喝到半夜，就都醉在桌下，爬起来，却抱头呜呜痛哭，我们从来没见过他们这么大声地哭过，觉得害怕，要去拉时，我娘却说：

"不用管，不用管，让他们好好哭一场。咱们上炕吃咱的肉吧！"

她夹一块放在干娘的碗里，我夹一块放在干娘的碗里，花子夹一块，也放在干娘碗里。干娘竟然全吃下去了。

四、记乐

一九七○年，我已经是十二岁了，个子还是不长，瘦筋筋的；平日是不言不语的，要干什么，却一股儿执拗劲。人都说我是小蔫驴，能踢死人哩。花子长得比我要高，腿显得特别长，站在那里，就像一个圆规，看人的时候，已经学会细眯着眼睛，神色甜甜的动人。

学校重新恢复上课,我们就去报名,但上的不是一年级,而是四年级,很为村里人惊奇,当新闻传说了许多日子。我们的老师,姓张,是个民办老师,年纪轻轻的,嘴唇上还没有长上胡须,常常上教室台阶时,一跳,就上去了。他很不耐烦,动不动在课堂上教训我们,甚至谁趴在桌上瞌睡了,或者扭头看窗外树上的鸟儿,他就要用粉笔蛋儿掷打,总是百发百中,全班同学就吃吃笑。"不许笑!"他一锐叫,大家就又噤了声。那时候,学校的秩序很乱,窗子上的玻璃全被打碎,一时还没有装上,就用木板条儿钉死了,糊上麻纸,一刮风,呼啦呼啦地响。墙壁上,还留着"文化大革命"中的标语,横一条,竖一条,还有许多漫画。有一条标语竟是打倒我爹的,我想去铲过几次,但苦于个子太矮。有天下午放学后,我搬过我的课桌,站上去用砖头将那一行字砸掉了,我的同桌却骂我踩了他的桌面,两人吵起来。他叫红卫,是他爹改的,但我们全叫他小名"福来"。福来的爹是革命委员会主任,常来学校里作报告,穿一件黄军用上衣,不系扣子,风张着,样子十分威风。从此我和福来恼起来,每次上课,两人总是在课桌中间划一道线,说是"三八线",谁也不许占了谁的地方。他学习不好,做作业总是偷看,我就侧过身子,他便要骂我"黑帮"。

"谁是黑帮?"

"你爹!"

"我爹的问题没了,黑帮帽子卸了!"

"帽子在群众手里提着哩,要戴就戴上了!"

"胡说,我爹现在是老师,管几班学生呢!"

"我爹是主任,就专管老师哩!"

这话张老师听见了,粉笔蛋儿就掷过来;我头一偏,正打在主任儿子的头上。

"你为什么打人?"

"我就打了,上课讲什么话?"

福来竟一撇嘴,背了书包就走,张老师一把拉回来,让站好,他竟不站,张老师也就生了气,猛地一搡,主任儿子一步未站稳倒下去,脑袋撞在讲台砖角上,用手一摸,有了一点血,叫道:

"今天这流血事件是你一手制造的,我告我爹去,开除你!"

张老师竟也火了,叫道:

"要打就把你打够,你去叫你爹吧!"

他去取教鞭,福来一溜烟从门里逃走了。课堂上立即乱起来,老师砰地关了门,喊:"肃静!"便又在黑板上写起字来。我看见他手抖抖的,粉笔断了几次。

果然那主任儿子的话是灵验的,没多长时间,那未长胡须的张老师就被开除了。我从此再也没有见过这位老师,却同那主任儿子又同桌坐了一年,当然再不敢去惹他。上到六年级,花子当了班上的文体委员,她爱上了唱歌,而且会跳舞,"六一"节的庆祝晚会上,她在台上跳新疆舞,竟会做"扭脖子"动作:双手平摆在下巴下,脖子一闪一缩,真是生动好看。到了夏天,最难熬的是睡午觉,午觉是每个人都趴在桌上瞌睡,我总是睡不着,趁老师一走,就悄悄溜出去,到河里玩水了。以后学我样的人很多,我们在河里打水仗、翻跟斗、钻没儿,还能一丝不挂地平浮在水面,将小白肚子露在外边。花子最为不满,她常到河岸上去喊我们,她一喊,我们就钻在水底,等我们一出来,她却要藏在树后,她嫌羞呢!惹得我们嘻嘻哈哈笑。有一次我们正玩得起劲,爬上岸时,衣服却不见了,眼见得午觉的时间已过,还是寻不着衣服,急得我们光身子跑出来,一人摘一张荷叶围在身上。后来,老师拿了衣服来,狠狠地批评了一顿,我们才知道这一切又是花子去告的状,就都害怕起来,以后一见她的面,我们就说:"没去玩水呀!"拿手在胳膊上搔,搔不出白道子来。

毕业的时候,我们整天夜里在她家复习,干爹也恢复了工作去到条子沟,一星期回来一次,干娘就坐在一边纺线。我看一会书,就侧过脸去看她摇纺车,纺车转得欢极了,是一个虚的圆。我说:

"干娘,你那车轮是一个圆形。"

"这我知道。"

"它的直径是多少呢?"

"什么是直径?"

"圆周长,你知道吗?"

"不知道。"

"你什么都不知道。"

干娘就笑了。我又说:

"干娘,线穗子肿哩。"

"那也肿个圆形,是吗?"

我们这么说着,花子就说:

"娘,你这是破坏我们学习呀!他作业还没做完哩!"

干娘立即醒悟过来,忙向我们道歉,就不言语了。接着,就又搬了纺车坐到院子里。没有人和我说话,我就困起来,几次头碰在桌子上。花子总是瞪我,我一打盹,她就拧一下,后来取了辣椒,说困了咬一口,我一咬,辣得直吸溜,只顾在一旁吐口水,她"啪"地放下笔,说道:

"你想不想上中学?!"

样子很吓人。我重新坐好做作业。心里总想:中学,她一定能考上,但愿我也考上。中学是在茶坊镇上,离我们村子十五里路,村里一些中学生每星期日下午去,星期六下午回,提着菜罐,神气很足。学校里有灶,可以上灶,也可以自己做饭吃。我对她说:

"姐姐,到中学了,咱不上灶,自个做了吃,咱们一个锅好吗?"

她说:

"我会擀面,顿顿给你捞干的。"

可是,就在我们马上要考试的时候,干爹却死了。干爹是到山下进货的时候,天上下雨,山沟里起了暴洪,他背了一背篓商品,走到河中,水上了腰,本来他只要一丢那背篓还可以浮出来,但他不放,结果水中的滚石砸倒了他,就卷走了。冲出了十里路,捞上来,口鼻泥沙,心口已经凉了。这突如其来的事故,把我们都惊呆了,两家人哭成一团。考试的那天,她就没有去,她完全是可以考上的,结果她连考场也没能进。

我成了一名中学生,但我并不高兴,因为花子不但没有上中学,小学也没有再上。干爹一死,干娘又得了病,家里走不开,她就在家里作为一个大人作用了。我爹娘曾要她再去小学插班学习,

80

来年再考中学,她却不,干娘流着眼泪,说:

"花子,娘害了你啊,使你不能上学啊!娘怎么不也死了呢,娘对不住你啊!"

她说:

"娘,这是我愿意的,我一走,你一个人在家,病了谁给你烧开水呀,我在家也能学习。"

干娘说:

"在家学习总不比在学校;你学不到东西,长大了怎么办呀!"

我说:

"干娘,你放心,她不去了,我一个人顶两个人学,长大了我对她好。"

在学校里,我常常想着花子,学习很是用功,几次考试都得了第一名。第一年里,就获取了三好奖状,我并没有把奖状贴在我家墙上,而是送给花子,她端端正正贴在她家的炕头上。每一到星期六,我从学校回来,她总是在村口等着,一到她家,干娘就说:

"瞎女子,快放下书包,锅里有饭哩。"

饭不是小豆蒸饭,就是萝卜馅饺子。

"干娘,你家饭真好呢。"

"我老记不住星期六,花子在门后墙上画道道哩,一到星期六,她就说:娘,做顿好吃的吧。我就记起来了,这一天一定是星期六了。"

我也把书包交给花子,让她翻看我们学到哪一课了。她也有像我一样的课本,是我爹给她买的。她逐句逐字和我对照作业,她几乎和我做得差不多,还常常更正我本子上的几个错别字哩。

后来,队里照顾了她家,让她娘俩去经管村南的水磨坊。水磨坊小小的,地基却很高,下边是一个偌大的水轮,水轮一转,屋里的一合大石磨就哗哗旋开来,那屋梁上、四壁上、窗棂上就面粉落得白花花的。干娘负责给粮食过秤,收钱,花子就帮娘记账,然后帮磨粮人拨磨眼,箩面;娘俩就一天到黑泡在那里,浑身上下像雪人儿一般。星期六我从学校回来,必是经过磨坊,就一头钻进去,我们便让干娘坐下歇着,两个人围着石磨拨眼,快活得大说大笑。星期天里,我都是在磨坊度过的,等没有人来磨粮的时候,我们就跑到磨坊外的水渠上去。沿渠上去,那里一口荷花塘,塘里养了鱼,也就有一条窄窄的小木船,我们跳进去,她在船头,我在船尾,划动了在塘里游来荡去,弄得水波刺刺响。有时一直转到塘西头边上,那里有她家的自留地,种了黄豆,我们就摘一些回来烧着吃。或者是晚上,月光照着,我们不急着回去,一直走到河边的沙滩上,沙滩上有好多沙鸟儿,夜里全藏在沙窝子里,我们脱了衣服,悄悄走过去,猛地一捂,鸟儿就在里边了。

我说:

"姐姐,你在磨坊里好吗?"

她说:

"闷呢。"

说完就笑了,说她最爱和鸟儿玩了,常常她一个人坐在磨坊,就听见磨坊上空鸟儿成团成团飞来,有的就钻进坊来,在门口拣着粮食吃,却那么调皮,吃一颗,用爪子刨一下,招手也不进来,害怕她去打呢。她有时就抓一把粮食往门口一撒,竟吓得它们噗噜噜地飞了。

我说:

"我给你做几个笼子,把这几只鸟儿装进去,挂在磨坊里,你就可以天天玩它们了。"

她没有言语,却将鸟儿放在手掌,一一放了去,就拉我到了磨坊,取出一本书,书里夹满了鸟的羽毛,她告诉说:哪样是黄鹂的羽毛,哪样是白嘴的羽毛,哪样又是麻雀的羽毛。

"这是它们飞到磨坊来掉下的。"

有时,她拉我就走到磨坊底下,看水轮转动。她说,她计算过了,这水轮一天到黑连续转,转数是二万五千个数。

"地球自转是一天吧?"

"不知道。"

"这水轮转起来真像地球呢。"

我看着水轮,它一半沉在水里,一半升在空中,那沉下水去,就是地球背了太阳,天黑了吗?那转上来,又是天亮了吗?

"你瞧那水,从水槽上下来是绿的,在水轮下是蓝的,水轮带上来又是白的,再落下潭却是黑的呢。"

她说着,突然歪了脑袋,问道:

"我说个谜儿,你猜得出来吗?'雷声呼呼而不雨,雪花飘飘却不寒,千里遥遥在眼前。'"

我想不出来,她骂一声"中学生笨蛋!"告诉说:那是水磨在磨粮食。

我真佩服她的聪明,在学校里对我的同学都说了,并且在一次作文中,我写了她,这作文得到老师的推荐,又在县广播站广播了。广播的那天,听娘说,花子很高兴,天不黑就拉她娘坐在炕上,将墙上的小喇叭放在炕头,一字一句听了。

又过了一年,她竟学会纳袜底,她会画画,那袜底上的花从不让干娘描图,自个随心所欲地纳,纳得很中看,人都夸奖她,说她将来准是个巧媳妇呢。从那以后,我的袜底就全是她纳的,在校常要抬起脚让别人看,有一双袜子被人偷去,我甚至伤心地哭了几天。因为那上边就纳了一只大大的水轮呢。

腊月里,学校放了假,在家住了几天,就风言风语听人说:干娘要改嫁了,媒婆子常到她家去,她新的爹是八十里外山阴县人,而且那男人还来过一次,也是个红鼻子。我听了,替花子高兴,她总算又有个爹了,但一想到她将来要到山阴县去,心里就疙疙瘩瘩起来。我问过花子,她说有这事。"但我不去。"她说。结果,不长时间,干娘就走了,她要带花子去,花子不悦意,我爹我娘也就说:

"他干娘,花子不去,就先待在我家,等再过一些日子,我们把她送去。"

干娘流了泪,说:

"我这么个年纪了,为什么要到山阴县去,就是为花子,我在这里,寡妇人家,虽然你们待我亲姊妹一样,可终究没了她爹,我身子不好,苦得她不能上学。到了那里,家里有人了,她就可以去上学啊。"

我娘说:

"这也是正理,这样吧,你们过去把家安排好,把学校找好,我们就把花子送去,她在这里,你放心好了,我会待她是亲女儿的。"

干娘走后,花子就离开了磨坊,她跟我娘过在一起。雨天里,地里没有活,她们坐在炕上,她看一会书,给我娘念念,一定还要我娘也识几个字。我娘也学会了写自己的名字,称她叫"老师"。我娘针线活好,又教她缝补裁剪,她叫我娘又是"师傅"。有人来串门,说:"瞧你们娘儿俩哟!"要看她的活计,她死活不肯,藏在娘身后,害羞得像一只猫儿;娘拿出来,别人夸奖,她脸像红布,低头儿只翻娘的布头包袱卷儿。夜里睡下,和娘打对儿,却总是在娘腿上写字,写一个,问一个,写出我的名字,娘回答不上来,她说:"连你儿都不知道!"

快过年了,村子里成立戏班,那时老戏还不能演,都是现代小戏,就把她选去了。她心盛盛的,每天晚上去,不肯迟一次。排戏是在学校后的一座老庙堂里,麦秋二料那里是队里的粮库,现在腾出来做排练场,冬天里夜长,常要排到鸡叫二遍才散。有次回来路过学校后大槐树下,遇见了一只叫春的猫,叫得像人哭一样,她吓得跑回来脸儿都白了。以后我就去接她,去得早了,坐在旁边一边烤火,一边看她,她却不好意思起来,总是笑,又忘了戏词,导演黑了脸训她,她还是唱一句,就看我一眼,便逮不住锣鼓声。导演说:"你看什么呀,瞎女子是外人吗?"她说:"我羞口哩。"我便说:"我先回去了。"出了门,黑影里趴在外窗口,她果然自然起来,咿咿呀呀的,入弦扣板。以后我再接,就没有进去,回来的路上,我说:"你唱得真好听。""你笑话了。""真的,我夜夜来得早,在窗口看你呢。""你坏!"她打着我,却说:"你听到了,就好;我给你唱一段吧。"就唱起来,一直唱到家门口,娘起来开门,声就噤了。演出的那天,戏台下人山人海的,她一出场,一片议论。她节目多,一会儿是姑娘,一会儿扮媳妇,竟还当起老太太了,弓着腰,乍着胳膊,腿一踮一踮的。我娘说:"这花子,扮什么像什么!"身边有个老太太说:"这就是日本女人的那个闺女吗?"我娘说:"可不就是,眉眼儿多像她娘。她现在我家住哩。"老太太说:"你真眼里有水,养活在家里,将来给你当媳妇。"我娘说:"我也盼不得哩。"那时节,我已经知道媳妇是怎么回事了,脸就通红,不愿和娘在一起,挤到台前,那里人多,挤得厉害,我就拿了树枝儿抖打着维持秩序,她的戏完了,藏在台边的乐队那儿,隔着窗缝软软地叫我,我凑近去,她说:"娘也来了吗?""来了,在那里坐着,都说你演得好哩。""给!"一只手就从窗格里伸出来,握着什么,等我接过看了,是一个核桃。

"导演给我的,你吃了吧。"

没想让乐队的人看见了,就有一个站起来,隔窗子翻一个红眼给我,我忙钻进人窝,把核桃握得紧紧的。

演过这一场戏,我娘在戏台下和老太太的话不想传开来,村里人都说我和花子好,将来要做夫妻了。这话说得一多,反倒使我们不好意思起来,尤其是花子,就再不在我身上动手动脚,一块出门碰见人,也不和我并肩走,夜里,娘为我们暖个被筒,让她睡一头,我睡一头,她说她睡觉爱蹬被子,自个裹一条被子睡在炕里边。我娘就说:

"花子长成大人了,知道害羞了!"

她越发脸红,忽地吹灭了灯,黑暗里说:

"娘,你不要在外边胡说,让我见不得人呢。"

娘偏要说:"我说什么了?"乐得只是笑。

过罢年,我又到学校去了,老想着她演戏的事,也想到她不和我睡一个被筒的事,心里反倒不恨她,便更爱惜她,我知道她对我还好,比以前更好。到了二三月,干娘来了信,要她到山阴县去,说那里一切都好。她还是不大愿意去,后来就摊面皮在集市上卖,每一星期有两次要到我们学校所在的镇上来卖。听娘说,她是要求到这里来的,又说是为了看我,可她一到学校,就扭扭捏捏不自然。我们总是在学校操场的草地上见面,她给我盛一碗面皮吃,一边吃一边问我香不香。同学们有的知道了,就站在远处指指点点,以至她再来,就有人喊:"拴子(在学校我恢复了我的大名),你媳妇来了!"气得她说:"这些人沟子嘴儿真坏!"匆匆忙忙就走。我去送她,送到镇子上,那里有卖热红薯的,她买一个给我,我让她,她又让我,末了,她咬一口,剩下的就塞在我嘴里。不巧,就被来镇上办事的一位同村人瞧见了,叫道:

"呀,这两个好成啥样了!羞哟,羞哟!"

花子撒退就跑了。

这一跑,却从此我再也没有见到她:星期六下午回到家,娘交给我一个手帕,说花子到山阴县去了,是她新爹来接的,告诉那边的学校已联系好了,限五天之内必须报到,否则就不再接收。花子先还是不同意,后来我娘考虑学习要紧,也劝说她同新爹回去。花子同意了,却一定要去学校看我,又是我娘怕见了面我们两个心里不好受,拦阻了她,她就连夜在这手帕上绣了她的像,她是对着镜子一边看,一边绣的。上边还有一句话:"别忘了姐姐。"看着手帕,我好不难受,同时在心里说:也好,她可以上学了,她一定会学得好,将来一定能上大学,出息比我大得多。眼泪却流下来,说:

"姐姐,我忘不了你;我怎么会忘了你啊!"

1983 年 11 月 4 日草完全稿

1983 年 11 月 8 日改抄完毕于五味什字巷

梦　城

八月走河西,在安西大漠见一城:东西长三百余米,南北百米不足,黄土版筑,墙垛完整;四周无一山一树障碍,天空地阔之间,便古拙壮观突出到了极致。戈壁滩上裹足行走了数日未曾遇见过什么村镇,偶尔有三户两户人家了,要么搭一间四方的不苫瓦覆草的泥棚,要么撑一顶毡包,泥棚前羊群或聚或散,毡包外孤烟直长,骆驼则负重而无声。突然竟有了一座城池,好不令人冲动!忙查地图辨方位拍照留念,却不见门洞里有人出入,也未听到鸡鸣狗咬。探头探脑步进城去,街巷屋舍却俱废了,唯有一些断墙残壁大小长短方圆错落,沙石遍地,金刚荆隆起如刺猬,马蛇子窜行,快极,只见影子不能辨其身纹。远远的败墙豁口,一只黄羊一闪,立即不知了去向。疑心是进了鬼窟,惊叫着逃出再不敢回头。一路仓仓皇皇,一看见风沙旋成立柱从身边疾过,就以为是追来的空城鬼魅的大脚,心怦怦跳荡不已。

夜里到安西,问起空城所见,安西人大笑,说:此梦城也,清代物事。相传康熙爷做了一梦,梦到一处城池甚美,便差人以梦境查访此地,遂到桥湾,景与梦合,便拨巨款令一大臣父子去造筑一座紫禁城一样的城池。大臣父子以为地处遥远,便大肆贪污,仅修了一个小城,后被人告发,康熙爷处其死刑,并剥下人皮做大小两个鼓挂在城门以戒天下。

康熙可谓荒唐啊！大臣可谓卑鄙啊！十七世纪,到二十世纪,日月运行,沧桑变迁,当年"普天之下,莫非王土",王土的大漠却是一所天然的博物馆:一座空城,日不能晒爆,风不能吹走,雨不能淋塌,几个世纪地记载着一代天子的梦,记载着贪官污吏的耻。

安西人问:在那里听到人皮鼓响吗？没有。又说:鼓是谁也未见过,但有人在飞沙走石、狂风四起之时,听到过一种卜卜声,如人的哀鸣。自恨没有耳福,一边感激大漠这所博物馆,一边又遗憾这博物馆离人群太远,不能使天下更多的人都看到那空城,都细辨出那鼓声,一边惴惴追忆而已。

1983 年 11 月 30 日夜记

钟鼓平地起 己丑 真昌朝峰

火　焰　山

　　这火很大,从安西城坐车往南走十分钟,大漠尽头就看得见了;地上的沙是白的,天上的云是白的,火势就沿天地相接之处蔓延。车一直开近去,到火边了,才发觉这火是凝固了的,成了石的,连成山的。它东窜至何处,不可得知,东边的天挡住了漫开的视线;车扭头往西,依山根下公路行驶,那火焰的山石就一会低了,一会高了,连绵不绝,似乎是向导我们走向火的极致去。瞧那一片赤褐之上,没有木,没有草,没有一个动物出没,一时作想:火虽然凝固了,但热量还未消灭吗?不可能上去动手摸摸,但车上的温度明显比安西城北灼烫得多,口舌已经干燥,鼻孔出气如喷火呢。后来,便听得见那里风响,霍霍卜卜,却不见尘雾。便又想:山石这么狰狞,那是刀雕出来的吗?刀就是风,刀的回旋才将山石雕刻成没有完整,没有规则,仄仄斜斜坑坑洼洼齿齿豁豁。也正是刀在那里回旋,刀刃碰撞得愈发锋利吗?以风灭火,火更蓬勃,刀之锋利愈发使火的山石残缺不齐吗?痴痴儿再想:可惜这火突然地凝固了,它曾经一定弥天地燎原,从此天是了一个灰烬的白云,地是了一个灰烬的白沙,云白天更高得单纯,沙白地更大得丰富,火是开山辟地的造物主之武功啊!但它却突然地凝固,永远留在这里了。它是死了,它完全成了伟大的功能,但形体不散,幽灵也不散,那一个月亮,我们两个小时后看到了,正出现在山石的火焰之上。

1983年11月30日夜

柳　　园

　　如果没有铁路,人不会来,黄羊兔子也不会来,但现在谁能不来。恰如一座美好的院落,总要进门道,跨门槛。从四面八方到敦煌,必此下车,然后搭汽车一漫儿斜下五六个钟头,从敦煌返回,又搭汽车一漫儿斜上到柳园。敦煌要和上海比,或许高度已在上海几百层楼顶,但往柳园,却成了煤井里的坑道,两条公路犹如坑道里的两条铁轨。

　　说准确些,柳园是在一座山上。山看起来并不高,沙把它埋了,所以沿路只是些高高低低的山峁顶尖,你能想象得出雾里在庐山,在峨嵋的境界。据说悬空寺修建,需大雾弥漫时才可动工,那么走这一路,之所以安全,心地踏实,那也是亏了云雾,云雾已经凝固了,云雾就是沙。

　　正因为如此安全,游人就忘形得意,表现出人的蒙懵和可笑,反说:沿途的山太小了,又不集中,这儿一个石的三角,那儿一个石的三角。但他们又出奇地只感觉冷,冷得直哆嗦。看那些石三角却像是大火燎过,呈焦黑色,寸草不长,怀疑是冶炼后的炭渣堆。偶尔一群石三角与一群石三角中间有了绿,远远就大呼小叫:有水了! 近去却是一溜骆驼草。路还并没有修好,常常前边放炮扩建,车要停下来,发现民工用钎用锤一下一下凿打黑石,才明白了身下的路并不是在沙上,而一尺厚的沙下就是坚硬的岩石,硬得如铁,铁镐碰得石,嘣!一撞一跳,全是金属音响。

到了柳园,就到了山顶,看四面一溜一带的群山,如摇头摇尾的细浪,似趋势而来,又似奔脉而去。镇子很小,但车站很大,其实车站就是镇子。有商店,有饭店,有旅店,职工就是居民,居民不多,是游客的十分之一。游客是四面八方黑白棕黄之人种,南腔北调日法英德之言语。本地居民服装也可粗细,语言也解中西,但一眼却能看出住籍,他们颧上都有大小不等深浅不一的两块红肉,那是日之所致,风之所致。靠山吃山,靠水吃水,他们靠的是车站,游客却视他们是大海中的一支桨板,是黑暗中的一颗星星,是上帝是观音是阿弥陀佛。一整天的塞外风沙,是他们给了吃喝,给了热炕,给了一颗稳妥妥的心。

但是,整个镇上,没有一棵树,搂粗的没有,筷子粗的也没有,石头上是没有长树的,没有树也就没有鸟了。只有一园花,那只能是车站单位养的,土是集中起来的好土,灌溉的水是特意从外地运来的,特意从人的食水中强行分配出来的。

没有青林鸟语。这是多么可怕的地方。但柳园却是一座大殿的石雕,具体点,是卧在敦煌艺术之宫门口的石狮子、铁狮子,还可以说,是一位战士。地知道它,将最高点的位置给它,天知道它,把太阳多来照耀,五点这里就天明,夜八点半了,太阳还不会全落。

1983 年 12 月 1 日早

柞水丝绸厂

大凡在一个县上,看其物产丰富者,是商店;看其人才颜色者,是剧团,而柞水县则物人合一,一切体现者只有到丝绸厂去了。丝绸厂位于县城之南,傍山依河,方圆并不甚大,院墙却高,终日听得里边机声轰响,笑语喧哗。有风和日暖之天,门前河道,青石板上,就三五成群坐了姑娘,千姿百态的美容,五彩缤纷的晾衣,高挽裤管,轻撩清波。人皆传说,柞水绕城之河流动叮咚,其声如琴韵,那是这群姑娘缘故,又传说河中水多旋涡,定睛看时,一个旋涡里便有好多光影出现,似人物形象,愈看愈多,常看常新。厂长曾是一位老太太,人便戏称为王母娘娘。

王母娘娘的事业发达,年年招纳新工,其条件除政治的、社会的、学历的之外,人的本身还有要求:一、个头为一米六五左右,过则嫌太高,不及嫌太矮;二、体重为一百二十上下,太瘦意而不稳,太胖意而为累;三、目清明齿齐利指修长,目清明者能辨出布面破绽,齿齐利者能咬下断接线头,指修长者能绕茧丝。

柞水地处沟坳,山脉走向,复杂而条理,云雾烟霭,迷离而分明,山水精灵所聚结又钟秀于女子,女子又归纳于工厂,这丝绸厂是最有希望的产业。此厂主要产品为柞绸,是蚕放养在柞树之上,喝天露,食鲜叶,其丝虽不比桑蚕丝精细而比桑蚕丝光泽。这些女工家全在沟沟岔岔,生下来就过着饥贫生活,但吃当年五谷,喝石隙泉水,空气又清鲜得可以拿到国外去卖,却个个朴实少华,天真无邪,又心性儿清高,富于幻想。如今父母放蚕收茧,女儿缫丝织锦,那锦缎上织就的全是她们幻想中的境界,异常浪漫而动人。但外地学描仿绘者往往得其形而不传神,据说大城市有人来取经,询问其图案春夏秋冬四季为一时,鱼虫花鸟飞禽走兽为一景,不解其意。她们也解说不清。此人住下来,住过七日,又住半月,晨观山川四色明暗,夕察云霭分合散聚,始有所悟。悟是悟了,却从此不走,申请调离,长做柞水人了。

1983年12月1日午

戈 壁 滩

这里应该是云,云却总是不虚,这里应该是海,海却永无水流;或许,这是上万年亿万年以前的事了,留给现在的,是沙的世界,卵石的世界,风在行走,看得见的是沙的柱的移动,这是独特的孤烟,是天地自然宇宙的意志的巨脚。

十几世纪,它一步步走向了成熟,先荒寂,后繁荣,再单纯,宇宙的进化演变在这里作了试点。因为它已经鄙夷了轻浮,娇容媚花在这里注销了户口,它已经反感起自大,空间之树在这里失却了位置。是真正的强者,极致,无技巧的艺术,是一块难得糊涂的、大智若愚的地方。

金刚草,一种内地长得能弹出水的娇物儿,在这里却长出一身硬刺、抱成一团,像一只刺猬,作内向的力的球状的形体。红沙菜,米粒般的叶子。动之便脱,颗颗酷似碎沙铁屑。野葱,古书上是作为形容美人手指的妙品,竟细如线,韧如丝,中无隙而断之无汁。那骆驼,或许前身曾是驴子,却未嘶叫,存质朴,忍劳负重。而蛇,却再不能炫耀其色了,缩小长度而添四足,更名马蛇子,翘起尾巴爬动迅如风行。这是一幅上帝的现代艺术的画,画中一切生物和动物都作了变异,而折射出这个世界的静穆,和静穆中生命的灿烂。

最孤独的是那一个过了花甲的牧羊人。

八月的天里,太阳悬在地平线上,大得像个铜锣。有两个最时髦的从上海来写生的姑娘,一个十分洋气,一个十分秀气。她们拉住牧羊人的手,认作是同类的知己。然后让牧羊人站在中间,三突出,自拍了一张照片。

1983年12月2日午

法门寺塔

甲子年四月,到扶风周原看出土文物,向当地人打听附近的法门寺,回答说:没甚看的,塔已废了,倒了一半。我说,那更该去看看了;同行的和川、白墨、沙丁、子余也都乐意,便徒步前往。

平原上没有山林障碍,数里外就看得见了那塔,果然单单薄薄,没了方圆建筑的气势,又大幅度的倾斜。当日天很白,它就显得极黑,像一株巨大的烧焦的树桩。到了寺,院落窄小,所有的房屋和墙垣原本是为塔而修的,但塔确实废了,是从塔顶到塔座,齐齐的,刀斧砍削似的将西边的一半倒塌了,砖石堆在那里,狼藉不可忍睹,周围用绳子隔了,挂着醒目的牌子:危险禁行。我们并没有听其警告,却站在塔下仰脖往上看,塔实在太高,拢共十三层,有四十五米左右吧,雕刻也实在精致,所剩下的每一檐,每一个拱,神佛人物都栩栩欲生。墙身底部的砖上,旁边的石碑上,院墙上也都涂满了朝拜人的题言,想象得见此塔往昔的威壮,香客的热闹。进入后院,却一片花木,月季、牡丹、芍药,红黄绿白灼灼耀眼。有几位闲人在花间品评观赏,估量一株君子兰的价钱。

从花木中小道到后殿,那里供有佛堂,香客没有,唯法师在蒲团上端坐,案上两根白烛摇一点红焰,三炷紫香飘一缕青烟。与法师攀谈,他似乎很伤感,说此塔是国内著名佛塔,内藏唐宪宗令人迎来的释迦佛指骨节,当年"王公庶士,奔走舍施",百姓有"废业破产,烧顶灼臂而求供养者"。但于去年秋雨中塌废,香客顿绝,只好院中植花育草,以花园怕揽游人,且亏得院中发现一石碑,水泼之便显出一条卧虎形象,倒有香客前来磕拜的。说话间,果有一些人进来,匆匆跑过塔下,到后殿台阶前跪下磕头,一边用水泼那石碑,一边口中祈祷不已。

我们退出寺院,远远地在院外田埂上坐了,看着废塔议论。和川说,此塔能写一首诗呢,残缺不全的东西最易于出一种诗意。白墨却连连遗憾塔在好时没有来过。沙丁、子余都是年过六十的老人,只是默默不语,末了对我说:你又可做一篇记胜文章了。我说,在陕西关中,此类文章是不能做的,这里名胜古迹太多,世人游玩的太多,记胜文章本是记心中各人之游,写出又不能全其形容,自会遭人笑骂的。但心中却想:这塔已倒了一半,那一半还会倒吗?是要倒在今年的夏初,还是秋后?但无论如何,我明年还是可以再来的。和川有诗名,已经被外省挖去了,工作正在调动;白墨德才兼备,经提拔进入政界,不几日将去陕南上任;沙丁、子余均为某部局领导,年迈离休,也要在六月返归故里,五人同行也怕是最后一次出游了。随怏怏不乐,说声:回去吧,五人转身离去。回到扶风县城,已是天黑,新月初上。

黄 甫 峪

这是两山之间夹出的一条细水。

见到它,先是在峪口的一片竹子林里,流得缓缓坦坦,没有一点声息。似乎是滋养这片竹子而来的,来得好,来得有用;这竹子微微地摇曳,却又传递到了它,使它在每一株的竹下,作一种神经的战栗,样子酥酥,情味也充满了脉脉。

峪里没有河岸,岸就是两边立陡陡的石壁,白得像涂过了粉,并不曾下雨,手按上去,却出现潮潮的一个手印。有一种草。疑心是无根无须地长出来,以为是贴上的,用手一掐,嫩得直溅汁儿,石壁上依旧无缝无隙;一打问,叫石蹦莲,名儿真妙,是山的元精水的灵润从石壁蹦出来的。河床越走越窄,成了槽子,水也束了身子,恰恰的饱满,是滚圆的体形。声音也大起来,空空地响,人却不觉得烦乱。走走停停,看一会半壁之上的云雾,想象里是一群羊、一条龙、鹰、狗和人物。再上行二十米,石槽就突然聚一个笸篮大的潭,深有数丈,清澈能看出底部平整,水面却生有云,忽聚又忽散。又二十步,又是一个潭,又是云;还上,还是,以此八个二十步,潭潭九个,九处生云,呈一个环链状。下边的潭最深,底层锈了黑绒线,石头就蠕蠕地动,像是海里的软体动物,这便可称作黑潭。再上,黑是浅了,有了绿意,幽幽的,算是墨绿潭。再上,绒的东西就没有了,底石却透了蓝色,是碧青潭。再是绿潭、浅绿潭、白潭、亮白潭、亮潭,末了就清,似乎不存在任何东西了。

九个潭上去,河床就开阔了,消失了石槽,满是屋大的石头,水又是软软的,滑滑的,可以脱鞋下去,捡几枚十分可爱的石子。等返身回来,天色近晚,明月要出现在山的上空,潭又成了九个一样的潭,却看出潭水有两种颜色,从入口进来,是半个圆的白,再一旋,是半个圆的黑,月亮就落在每个潭的两个半圆的中心,很像是九个双鱼太极图了。

至此,方明白了这是一条有玄妙的水,是哲理的水。

石砭峪

邻居说:城南石砭峪的山不同于别的山;它是裸露的,不但露出石头,而且石头都面目狰狞。居于崖上的,或陷或突,随势赋形,以形写意;处在河沟的,或仄或横,二石相压,三石一垒,摇摇欲坠。我说,噫,此等艰难劳苦之山态,微情妙旨之蹊径,名山大川里实不多见,一定是要去读读了。

农历十月末,阴雨初歇的一天,我一大早就去了峪口,正坐下来啃些干粮打尖,不觉天色暗起来,鼻子很呛,脸上也有湿漉漉的感觉,扭头看时,峪口正往外涌雾。像是峪里有一位烟瘾极大的神,从峪口的嘴鼻里一团一团喷烟。雾团撞在石上,石头变得惨白,正瞧那勾心斗角之处,雾则匀开来,五分钟后,群山入了远空,实体轻了,层次淡了,如纸剪的,如墨晕的,如水中的倒影。天真成了圆的,地却不方,十几步外就被雾摄收得缥缈。我一时方向迷失;坐下来,耐心儿等着雾散。到了十点,雾并不消退,天地搅和得如牛奶状;进来一山民告诫说:每每雨后,这雾就要生出,一整天儿不可能退去,但生了雾就预兆天要放晴了,明日太阳一出来,这山就看得分明了。我转身往回走,心里并不遗憾,大笑道:山没看到,却看到了雾;雾里看山,从此知道了影在离合之外,色在有无之中啊!

过了几年,又去石砭峪读山;太阳是朗朗光明,山却没有了。原来国家投了很大的资,在山中埋了巨量炸药,第一次试验了定向爆破,大获成功,所有顽石堆积成坝,造起峪中水库,可灌溉城南十二万亩干渴旱原了。

我站在大坝上想:既已无山,那雾也不会再生了吧。

高 观 潭

水从峪里来,随物便赋形,随形就变色。触之巨石,呈轮状,电感反应似的勒出层层碧痕;翻越伏石,又激动不已,看若千变万化,始终却不离方位,揉起一堆白雪;到那些光滑的仄石面上了,则薄得像抹上去,木木的织出难得粗布经纬纹来。几乎从每一个凸处到凹处,常常是两头胳膊粗的偌深石槽,铁链般地拴一个蓄水池,曰:"得月泉",一损即满,一满即溢,保持平和;白日不能得月,色却愈发的丰富;池底白者水白,黄者水黄,有生砂锈者则水红。好得意的水啊!有形而无形,有色而无色,似乎这样一直流下去,流个不休不止,经七色的阳光照射要升腾为红的霞白的雾乌的云了。

却谁也想不到,于峪口三里之处,河床突然一落,深数千丈,水一下子把握不住,全从那桶粗的石渠子里跌下去了。跌下去的再不能跌回,未跌下去的继续在跌,它们的经验是不能汲取的,各自的体验只能是各自经历后所得。这石渠子是它们自己身子刻凿的,刻凿了就来束住它们的身子,束为一绳,硬不能弯,拉也拉不起,扶也扶不动,是闭了眼睛纵身一跳地下去了的。

下去时,它们是绿的,落下了,哗,有生以来第一声呐喊,立即碎为烂银,随之悄然无声,颜色全然的黑了,黑得如漆,如墨。

这便是我看到的高观潭。我看到的也就是所有游客看到的。

游客很多,有少男,也有少女,更有老翁和老妪,差不多却全是城里人。当地农民并不来看,即使看了也便看了,说:"水往低处流,有甚看头?"但一些失意之人看了,临风叹息;一些下野之人看了,掩面而去,传说竟有人从这里跳下,潭中浮起一具尸体,被水剥脱的衣服被漂在潭边,是一件黑呢子中山装。我观后却仰天微笑,作想:水在潭台之上,诚然多形多彩,但毕竟浅薄无力,水跌潭内,由高处到低处,形态或许单一,色彩只是黑白,却从此低处愈深沉,深沉处愈力量,这原因本是水的原始原质原色原性啊!于是认定这高观潭之所以让人高观,全是天地自然为人开导的绝妙机关,遂记明此潭地点在户县,南二十里云台峪,观时为乙丑年正月二十七日傍晚。

关 中 论

秦始皇兵马俑发掘以后,天下哗然,荒荒西北高原,区区弹丸临潼,参观者将田埂踏出小路,小路扩为大道,大道纵横,网轮而散射;黑白棕黄各色种类之人民莫不叹其工艺美,英法德日各等言语之首相莫不慑服始皇威。忽有一日,有参观者锐声叫道:"兵俑多像关中人相貌啊!"众人顿时大悟,出来看关中人民,果然酷似:大个,前额饱满,眉骨隆起,鼻阔近于嘴,腰长过于腿;不禁拍手叫绝。此论一传十,十传百,绘画界便有了"描关中人容,临始皇兵俑"之说。关中人对此结论,并不反感,更觉荣光,一时开店建馆,成立学术学会,创办艺文报刊,皆改"陕西"为"秦",一字竟重有千金之势。

其实陕西,并不能全部称秦,古有秦川之称,是指从东部潼关始,沿黄河之东南岸,逆渭河而西行,经渭南地区华阴、华县、大荔、合阳、韩城、白水等十三个县,又咸阳地区高陵、三原、泾阳、周至、户县、兴平等十二个县,到宝鸡地区武功、扶风、岐山、凤翔、眉县、千阳等十一个县。这是一个八百里的黄土积壅平坦富饶的狭长谷地。自盘古以来,这里便是养人的黄土,日月经天,往来升降,穷万物之哲理;长河行地,洪纤巨细,尽万物之情态。故华岳崛地而起,当惊世界殊;故渭河三十年河东,三十年河西,横野漫流;故白杨最多,枝叶紧凑,直而不弯;故大蒜生紫皮,辣椒吊长线,非四川能比;

故黄牛大如骆驼,毛驴叫声赛雷。万事万物得受于地面辽阔之粗犷,人为万物之首,必然形成向外扩张之民性,走遍八百里,所见村庄,皆黄土版筑,墙高檐宽,房与房并不对称,横七竖八一任自然,但家家门前一丈二丈出路,路和路交叉,白杨高耸,黑榆遮荫,远远望去,蹲卧蓝天之下,黄土之上,鸡鸣狗咬,驴嘶马叫,人却急急行走,永远安闲,每每于清晨雾漫之时,或近黄昏夕阳腐蚀之期,有父呼儿的,有女喊娘的,必是一声"喂"音,长达数分钟,而结尾之处才极快吐出呼喊内容,彼起此伏,十里八里有呼有应。

  世间有"吃五谷长大"之理,关中人却除了五谷,生命里则不能没有酒的维持。山西汾酒虽美,但他们嫌太甜,四川老窖虽香,但他们嫌太绵,贵州茅台虽醇,但劲头太后,他们最嗜好的是"西凤"。西凤酒产自凤翔柳林镇,味辣性烈,外地人一杯便可红脸,二杯就要头疼,三杯下肚,天旋地转醉为烂泥,名副其实"三碗不过冈"啊。但关中人从乡到镇,从镇到城,农民、工人、职工、干部,大凡红事、白事、聚朋、会友,所办酒席上,必备西凤,无西凤者不为宴。喝将起来,七人八人,十人二十人,又三杯巡过,再打贯官,酒令五花八门,动作痛快豪爽。善饮者男人有之,女人亦有之,而且女人不喝便罢,喝则不可收拾,常在酒席之中杀出,横扫满座。以酒论英雄,不管地位、身份、性别、长幼,尽显天性。更有平日,有的能吃菜喝酒,有的无菜而喝,有的喜静坐独饮,有的爱聚众合饮,有的可一盅一盅悠悠来,有的则大碗仰脖而尽。善饮者却绝非酒鬼,人们不疯不痴,所到之处,不尚重礼,宾主无间,坐列有序,真率为约,简素为具,行立坐卧,忘形适意,那醉烂为泥而笑骂,那为酒吵闹之无赖,此皆饮中下流,一向为酒场上不足挂齿之徒也。

关中人能饮,关中人更能吃,八百里地面,县县都有传统小吃。这里生产小麦,米不多见,人也视米不能饱肚。每几省人开会,饭桌上吃白花花米饭,见狼吞虎咽者,必是南方籍人;而一边吃米饭一边啃馒头的,十个有十个是关中人。一样的面粉,吃法百样,仅烙吃的有礼泉的石饼,以大油、鸡蛋和拌,摊饼在锅里炒焦的泾河石子之上,饼酥、干、脆、馕,而白净色不能变;有耀县油旋,面擀薄如纸,敷之油辣、葱花卷团压扁,食之油而不腻,脆而不散,又觉层层叠叠,工艺叹为观止;有乾县锅盔,那竟是一拃多厚,形如磨盘,硬如石板,用牛耳刀方可切下。若论起面食,更是千奇百怪,渭南的是乒乓面,以蘸辣醋水吃之;有长安的粘面,以拌大油、蒜泥搅匀吃之;有岐山吊面,以韧、薄、光、煎、稀、汪为特色;有兴平涎水面,数十人捞面回汤而出名;兼之武功扯面,三原削面,大荔拉面,其形不同,味不同,各领风骚。但是,关中人最喜吃的,也最能吃的,却是牛羊肉泡馍。将牛羊煮熟,切成碎块,在炒勺匀匀炒过,加汤放料,汤是骨汤,色清而存味,料是生姜、大茴、辣椒、葱花,量重而味浓,再将烤饼掰成碎末倒入,滚成糊状,放香油香菜,盛粗瓷海碗。其整套做工,该粗即粗,该细即细,以土为洋,以奇反正,以丑变美。吃起来,碗比头大,馍比碗高,蹲在凳子上,直吃得咂声一片,汗流满面。南方人初见此食,大为惊骇,一是惊其野蛮,二是骇下肚难克,但吃之则香美绝妙。此饭是关中"国饭",入秦不吃牛羊肉泡馍,犹如进京不吃北京烤鸭一样,将为人耻笑,终生遗憾。

有了吃,有了喝,经济基础一经保证,必然要产生上层建筑,于是,相对而论就要提到秦腔了。关中人讲究实在,言语也多用去声,行走也多有响动,即使理想也不非非裊裊。在他们眼中,所谓的上流阶层,所谓的幸福生活,甚至理解共产主义,也是喝西凤,吃泡馍,听秦腔。秦腔生净丑旦,行当齐全,悲喜正闹,内容应变,它为中华第一大剧种,早于川剧,源以豫剧,甚至汉调京腔还是从其演变而成。走遍关中,县县都有秦腔剧团,村村都有自乐班,仅西安城内秦腔团竟达十几个。历代名流辈出,流派繁多,对台之戏常演。每逢古历正月十五,二月二,三月清明,四月过会,五月端午,六月六,七月十五,中秋八月,登高九月,十月一,十一月二,腊月五豆腊八二十三,村村镇镇锣鼓齐鸣,粉墨登场。巴西足球大赛可以使一城轰动,关中一场精彩秦腔,却可以使十几里村庄路断人稀。相传生角任哲中在西安城演《周仁回府》,曾使南大街交通堵塞了几个小时,相传名旦郭明霞其母去车站乘车误点,大叫"我是郭明霞的娘"!火车司机竟将车停下候她,相传一秦腔迷行将死去之时,还要叫人抬床铺去戏院,看到中途会神差鬼使般翻身起坐。秦腔最宜演雄壮之剧,故大净尤受欢迎,唱得得意之处,满口喷腔,不辨字音,便满场掌如雷鸣。外地人评论秦腔是"吵架",据说有一领导训斥部下,叫道:"再要如此,让你去看一场秦腔!"将秦腔与惩罚等同划一。"挣破膛"确实是秦腔的特点,因为一个血气方刚的壮汉,怎么能想象得到让他咿咿呀呀唱那软绵绵的细腔柔调呢?

总之,喝西凤,吃泡馍,唱秦腔,这便是关中人的形象。八百里的秦川形成了独特的风尚习俗,风尚习俗又影响到在这块土地上生养将息的人民。于是乎,这是一块产生英雄和建立英雄业绩的土地,从古以来,十三个封建王朝在此建都,历史上最强盛的周、秦、汉、唐,将这里的武威推到了一个极致。这是一个伟大的历史,这也是关中人种的伟大贡献。至今在世界上,一提起关中,谁的脑海中不浮现出一个雄壮的画面:东有潼关,西有大散关,南有武关,北有金锁关,威威乎白天红日,荡荡乎渭水长行,朔风劲吹,大道扬尘,古都长安城池完整,广漠平原皇陵排列,断石残碑记历代名胜斜埋于田埂,秦砖汉瓦散见于农舍村头常搜常有。关中大地真是中华历代兴邦立业之境,关中百姓真是中华民族刚强武威之种。

但是,天下之事是一兴一衰,唐才子王维也曾有诗:"行到水穷处,坐看云起时",关中正是如此。自周秦汉唐以后,这里便每况愈下,一座庄严的保存完整的世界独一无二的古城长安,便渐渐失落了它的风采。结果,封建王朝就东迁北移,从此留给这里的是一群天龙地凤的陵墓,和一种民众强悍的遗风。历史发展到了今天,伟大的中华人民共和国成立了三十多年,这块土地上进行了一场翻天覆地的革命,一批批关中儿女走到了历史的潮头,他们成为功勋昭著的将军,成了名垂青史的英雄。但是,不能不看到这块土地毕竟却落后了中华别的地面,长期以来,伟大的"长安"竟成了"保守"的代名词。曾几何时,人口拥挤的四川发达了,水旱相侵的河南发达了,长高粱大豆的辽宁发达了,贫困不堪的安徽发达了。而关中,在政治上、经济上、文化上,则虽未落入龙尾,但绝无出人头地,不上不下不左不右稳稳妥妥可可怜怜守一个中流。究其原因,当然可以列举无数,但也正如一只雄鹰被关在笼里,日夜向往云天,但一旦放其出笼,长期的有吃有喝的舒适的笼中生活,则使它翱翔的翅翼变软了,不能高飞了。关中辉煌的历史,使这块土地得以炫耀,关中祖先的勤劳、勇敢、威武、争胜使这块土地富饶丰盛,富饶丰盛的土地却使它的子孙们滋长了一种惰性,惰性的滋长反过来又冲击着古老的风俗。一旦这种风俗彻底改变,这将是多么令人伤心可怕啊!

现在,中华在振兴,陕西在振兴,关中在振兴,振兴之风愈吹愈烈,这是国之所望,人心所向。中华振兴,当在西北;西北振兴,当在陕西;陕西振兴,当在关中。为了振兴,政党在整风,国策在调整,机构在改革,上上下下,多少人杰,万众匹夫都在热血沸腾。对于关中这块土地,改变和恢复传统的健康可行的民俗却有着其独特的意义。试看今日的关中,年老的和年轻的已经明显的有了不同,对于西凤烈酒,年轻的慢慢趋向于甜酒和啤酒。早期关中人鄙甜酒为淡水,讥啤酒为恶水,笑那是城市中有钱有闲的红男绿女们的饮料,现在却恶其西凤太暴,一味去品甜酒啤酒之温和。那牛羊肉泡馍,则视之为不上雅座之食品,而热衷去吃七碟子八碗的凸底盘儿炒菜,什么糖醋丸子,什么甜米羹饭,什么拔丝甜果,推说泡馍胃不好接受而以南方口味为荣。至于秦腔,更是农村观众多于县镇,县镇观众多于城区,一进戏院,台上的是满脸皱纹,台下的是皱纹满脸。此不仅是吃、喝、听、唱,而风俗渐变严重渗透整个社会肌体,退化着关中人种气质:女的都时兴浓涂艳抹;男的也蓄长发,窄腰身,垫高鞋底;生活节奏松散缓慢;工作效率人浮于事;市面商店多出售鱼虫花鸟;作家诗人也尽写矫揉造作甜腻浮华之章。当然,历史在推进,社会在发展,风尚习俗也要依其变化,若泥古不化,墨守旧章,那是"九斤老太"之可笑。但若弃其健康可用之风格,一味洋化、软化、柔化、媚化、甜化,此不能不引起重视啊！日本人是好强不屈的,正因为好强不屈,才得以使日本发展成当今世界经济大国。清政府软弱无力,施行阿Q精神,因而导致不能自强而受洋人欺凌。不是听说许多干部对其工作不前不后,而美其名曰"这样少犯错误"吗？不是清清楚楚看出在关中上下领导机构中为什么陕北陕南的人多于关中人氏？不是已经出现关中人贫穷在家,出外干大事的人愈来愈少,而少出政治、经济、军事、文艺之人才吗？一位诗人曾到关中,参观了昭陵六骏之后,感叹道:"古关中人崇尚骏马,志在千里,威在海内,今关中人却喜黄牛,忍辱负重,厮守农舍,来回田头啊！"诗人的话有诗的夸张,但诗人的忧虑却不能不让关中的干群三思。所以说,人愈富,富易堕,要振兴关中,民性风俗要振兴啊！观今日天下,陕西要赶上,关中要大变,有中央领导,有政策保证,关中之地要大大补精滋神,这强筋健骨的五棓子中药,就是民俗风情。关中重振了雄威,必会人才辈出,万业俱兴,而以此强盛之业绩将在历史上再一次宣告这是一块力量的土地,这块土地上的领导将是胸怀大略的英杰,这块土地上的民众将是武威雄壮的龙的传人。

草于1983年12月14日

酒

我在城里工作后,父亲便没有来过,他从学校退休在家,一直照管着我的小女儿。我从来的作品没有给他寄过,姨前年来,问我是不是写过一个中篇,说父亲听别人说过;曾去县上几个书店、邮局跑了半天去买,但没有买到。我听了很伤感,以后写了东西,就寄他一份,他每每又寄还给我,上边用笔批了密密麻麻的字。给我的信上说,他很想来一趟,因为小女儿已经满地跑了,害怕离我们太久,将来会生疏的。但是,一年过去了,他却未来,只是每一月寄一张小女儿的照片,叮咛好好写作,说:"你正是干事的时候,就努力干吧,农民扬场趁风也要多扬几锨呢!但听说你喝酒厉害,这毛病要不得,我知道这全是我没给你树个好样子,我现在也不喝酒了。"接到信,我十分羞愧,发誓便再也不去喝酒,回信让他和小女儿一定来城里住,好好孝顺他老人家一些日子。

但是,没过多久,我惹出一些事来,我的作品在报刊上引起了争论。争论本是正常的事,复杂的社会上却有不正常的看法,随即发展到作品之外的一些闹哄哄的什么风声雨声都有。我很苦恼,也更胆怯,像乡下人担了鸡蛋进城,人窝里前防后挡,唯恐被撞翻了担子。茫然中,便觉得不该让父亲来,但是,还未等我再回信,在一个雨天他却抱孩子搭车来了。

老人显得很瘦,那双曾患过白内障的眼睛,越发比先前滞呆。一见面,我有点惶恐,他看了看我,就放下小女儿,指着我让叫爸爸。小女儿斜头看我,怯怯地刚走到我面前,突然转身又扑到父亲的怀里,父亲就笑了,说:"你瞧瞧,她真生疏了,我能不来吗?"

父亲住下了,我们睡在西边房子,他睡在东边房子。小女儿慢慢和我们亲热起来,但夜里却还是要父亲搂着去睡。我叮咛爱人,把什么也不要告诉父亲,一下班回来,就笑着和他说话,他也很高兴,总是说着小女儿的可爱,逗着小女儿做好多本事给我们看。一到晚上,家里来人很多,都来谈社会上的风言风语,谈报刊上连续发表批评我的文章,我就关了西边门,让他们小声点,父亲一进来,我们就住了口。可我心里毕竟是乱的,虽然总笑着脸和父亲说话,小女儿有些吵闹了,就忍不住斥责,又常常动手去打屁股。这时候,父亲就过来抱了孩子,说孩子太嫩,怎么能打,越打越会生分,哄着到东边房子去了。我独自坐一会儿,觉得自己不对,又不想给父亲解释,便过去看他们。一推门,父亲在那里悄悄流泪,赶忙装着眼花了,揉了揉,和我说话,我心里愈发难受了。

从此,我下班回来,父亲就让我和小女儿多玩一玩,说再过一些日子,他和孩子就该回去了。但是,夜里来的人很多,人一来,他就又抱了孩子到东边房子去了。这个星期天,一早起来,父亲就写了一个条子贴在门上:"今日人不在家",要一家人到郊外的田野里去逛逛。到了田野,他拉着小女儿跑,让叫我们爸爸,妈妈。后来,他说去给孩子买些糖果,就到远远的商店去了。好长的时候,他回来了,腰里鼓囊囊的,先掏出一包糖来,给了小女儿一把,剩下的交给我爱人,让她们到一边去玩。又让我坐下,在怀里掏着,是一瓶酒,还有一包酱羊肉。我很纳闷:父亲早已不喝酒了,又反对我喝酒,现在却怎么买了酒来?他使劲用牙起开了瓶盖,说:

"平儿,我们喝些酒吧,我有话要给你说呢。你一直在瞒着我,但我什么都知道了。我原来是不这么快来的,可我听人说你犯了错误了,不知道到底是什么情况,怕你没有经过事,才来看看你。报纸上的文章,我前天在街上在报栏里看到了,我觉得那没有多大的事。你太顺利了,不来几次挫折,你不会大有出息呢!当然,没事咱不寻事,出了事但不要怕事,别人怎么说,你心里要有个主见。人生是三劫四劫过的,哪能一直走平路?搞你们这行事,你才踏上步,你要安心当一生的事儿干了,就不要被一时的得所迷惑,也不要被一时的失所迷惘。这就是我给你说的,今日喝喝酒,把那些烦闷都解了去吧。来,你喝喝,我也要喝的。"

他先喝了一口,立即脸色彤红,皮肉抽搐着,终于咽下了,嘴便张开往外哈着气。那不能喝酒却硬要喝的表情,使我手颤着接不住他递过来的酒瓶,眼泪刷刷地流下来了。

喝了半瓶酒,然后一家人在田野里尽情地玩着,一直到天黑才回去。父亲又住了几天,他带着小女儿便回乡下去了。但那半瓶酒,我再没有喝,放在书桌上,常常看着它,从此再没有了什么烦闷,也没有从此沉沦下去。

1983 年作于五味什字巷

河　西

天很高,没有云,没有雾,连一丝儿浮尘也没有,晴晴朗朗的是一个巨大的空白呢。无遮无掩的太阳,笨重地、迟缓地,从东天滚向西天,任何的存在,飞在空中的,爬在地上的,甚至一棵骆驼草,一个卵石,想要看它,它什么却也不让看清。看清的只是自己的阴暗,那脚下的乍长乍短的影子。几千年了,上万年了,沙砾蔓延,似乎在这里验证着一个命题:一粒沙粒的生存,只能归宿于沙的丰富,沙的丰富却使其归于一统,单纯得完全荒漠了。于是,风最百无聊赖,它日日夜夜地走过来,走过去,再走过来;这里到底是多大的幅员和面积,它丈量着;它不说,鸟儿不知道,人更不知道。

一条无名河,在匆匆忙忙地流。它从雪山上下来,它将在沙漠上消失。它是一个悲壮的灵魂,走不到大海,就被渴死了。但它从这里流过,寻着它的出路,身后,一个大西北的走廊便形成了,祁连山,贺兰山,走廊的南北二壁,颜色竟是银灰,没有石头、树木,几乎连一根草也不长,白花花的,像横野的尸骨。越往深处,深处越是神秘,沙的颜色白得像烧过的灰,山岭便变形变态:峁,梁,崖,岫,壑洼,沟岔,没有完整的形象,像是消融中的雪堆,却是红的,又从上至下呈现出错综复杂的棱角,犹如冲天的火焰,突然的一个力的凝固,永远保留在那里了。而子夜里升起了月亮,冷冷的上弦,一个残留半边的括号,使你百思不解这里曾出现过什么巨大的事变,而又计算过一种什么样的古老的算术?

当太阳把一个大圆停在天边,欲去却还未去,那整个沙原、寂山就被腐蚀了一层锈红。一切都是无言的,骆驼默默行去,沙鼠悄悄扒洞,苍蝇也丧失了嗡嗡的功能,于无声处去舔血。沙蒿、红沙菜、金刚草,那裹在一片尖刺中一颗一颗沙粒般的叶子,是戈壁沙漠的绿,更是一切草食动物的生命的追逐。一群羊从远远的地方涌过来,散着一个扇形,牧羊人就在扇后,威严得像驾驶着一辆大车,而紧紧牵拉着数十条缰绳。其实,最孤独的是牧羊人了,他已经坐在一个沙包上,沉寂得像一尊雕塑了。这里是离太阳近的地方,他的肤色赤黑得像发着油腻的石头,眼睛却老睁不大,深深地陷进去,正看着一只马蛇子翘着长长的尾巴,影子一般地在卵石和蓬草里窜行。

倏忽风就起身了,先是温温柔柔地托一根羽毛,忽上忽下的袅袅,再就吹一片云来,才一出现,大颗大颗的冰雹夹杂在雨点里就下来了。冰雹砸在沙里是一个坑儿,雨点落下去,沙并不湿,却蹿起一股烟尘来。流沙在瞬息中或聚或散,骆驼草却巩固了地盘,碗大的一个丘包,像一个一个偌大的蘑菇,又像是一些分布均匀的铆钉,因为是有了它们,这荒漠的地表才没有被揭去了吗?生命的坚强,启示了电线杆的忠诚;它们说尽了人的话语,却没一句是它们的,一年,二年,十年,二十年,始终在列队站着。

再往西去,再往西去,蜃市偶尔就要出现:楼、台、亭、阁、花坛、鱼塘,还有驼群马队,万千人物……眨眼却没有了。这里曾经是唐朝花雨丝绸之通道吗?这里曾经是刀光血影杀声吞天的古战场吗?眼前只是白沙,还是白沙。沙的形成真的是卵石成千上万年在风里碰撞的结果,这该是多么伟大的艺术,似乎宇宙的变迁,生命的进化。在这里是一幕放慢的镜头,那一个世纪如果缩短为一个生命的单元,石头的碰撞为细沙,会是一首何等雄壮的七音俱发的音乐啊!

这时候,一辆列车从地平线上开来。沙原之大,其迅行疾驰,看上去只能算是蠕蠕爬动。通过道班站,一个小小的三间房子;五个站上的人,一条样子像狼的狗,都站出来。一天一趟的火车,带来了运动,也将生命的活力同时注射在他们的身上了吗?脸上都是笑笑的。列车走过了,轰轰的钢铁的震响慢慢消失,留下的又是那万籁的一个静,又是那屋后一排七棵用食水浇灌起来的白杨。还有一柱直直的孤烟;他们该吃晚饭了。列车继续往前走,车上坐满了西行的旅客,他们兴致特别高,一边吃着从沿途车站买来的西瓜,一边谈论戈壁沙漠这么缺水,却出奇地能长这种仙物,并脆极、甜极,那西瓜长在戈壁沙漠,是这白沙卵石中不枯不溢的立体的泉吗?他们谈论着远处奔跑的一只黄羊,羡慕那是多么得意的精灵,它奔跑着,时不时就要将身子往空中跃,作一个弓的形状,它是在为自己的自由而激动得发狂吗?他们有的在作起诗:"啊,到了这儿,才知道了祖国之大!"有的则油画写生了,感叹着这里该是产生东山魁夷风景画风格的妙地。但是,一个奇异的神秘的景象就出现了:铁路的北边,一片几十亩地的乱坟墓,一个坟墓,一个卵石地堆积;几千个卵石堆积的坟墓,横横竖竖,竖竖横横。睡眠在这里是些什么人呢？什么人又是什么时候睡眠在这里？他们不知道。他们没有看见一块墓碑，没有看见一丘砖砌起的坟台，更没有松柏，更没有花圈。他们猜想着，是当年长征路经这里的江西红军？是曾经进军新疆、沙漠剿匪的战士？或者是修筑这条铁路的民工？或者是那开发金川镍矿的工人？他们一起趴在车窗口，互相看着，一句话却不能出唇，一下子感到了在这个地方是来不得半点矫饰和轻浮的；这里曾经经历过同别的地方一样的人为浩劫、灾难、贫困，又比别的地方更多了一种大自然的凶恶和狠毒，生命在这里得到了价值的真正体验。戈壁沙漠的干旱使这些坟墓完整无缺地保存下来，戈壁沙漠的荒寂却使这些坟墓的一切消息都封闭了。多亏了这条铁路通过这里，而使所有路过的老少男女发现了这一片无名无姓的人的坟墓！坟墓是坟墓的纪念碑吗？活着的人是死去的人的墓志铭吗？列车在戈壁沙漠的深处一步一步推进，车上的人都在默默地说：

永远要记着那些为了征服戈壁沙漠而牺牲的和仍有可能牺牲的人！

敦煌沙山记

河西走廊,是沙的世界,少石岩,少飞鸟,罕见树木,也罕见花草;荒荒寂寂的戈壁大漠,地是深深的阔,天是高高的空,出奇的却是敦煌城南,三百里地方圆内,沙不平铺,堆积而起伏,低者十米八米不等,高则二百米三百米直指蓝天,垄条纵横,游峰回旋,天造地设地竟成为山了。沙成山自然不能凝固,山有沙因此就有生有动:一人登之,沙随足坠落,十人登之,半山就会软软泻流,千人万人登过了,那高耸的骤然挫低,肥臃的骤然减瘦。这是沙山之形啊。其变形之时,又出奇轰隆鸣响,有闷雷滚过之势,有铁骑奔驰之感。这是沙山之声啊。沙鸣过后,万山平平,一夜风吹,却更出奇的是平堆竟为丘,小丘竟为峰,辄复还如。这是沙山之力啊。进入十里,有一泉水,周回千数百步,其水澄澈,深不可测,弯环形如半月,千百年来不溢,不涸,沙漏不掉,沙掩不住,明明净净在沙中长居。这是沙山之神秘啊。《汉书》载:元鼎四年,有神马(从泉中)出,武帝得之,作天马歌。现天马虽已远走,泉中却有铁背游鱼,七星水草,相传食之甘美,亦强身益寿。这是沙山之精灵啊。

敦煌久为文化古都,敦者,大也;煌者,盛也。旧时为丝绸之路咽喉,今日是西北高原公路交通枢纽。自莫高窟惊世骇俗以来,这沙山也天下称奇,多少年来,多少游客,大凡观了人工的壁画,莫不再来赏这天地造化的绝妙的。放眼而去,一座沙山,一座沙山,偌大的蘑菇的模样,排列中错错落落,纷乱里有联有系;竖着的,顺着的,脉络分明,走势清楚,梁梁相接,全都向一边斜弯,呈弓的形状;横着的,岔着的,则半圆交叠,弧线套叉,传一唱三叹之情韵。这是沙山之远景啊。沿沙沟而走,慢坡缓上,徐下慢坡,看山顶不高,朦朦并不清晰,万道热气顺阳光下注,浮阳光上腾,忽聚忽散,散则丝丝缕缕,聚则一带一片,晕染梦幻,走近却一切皆无;偶尔见三米五米之处有彩光耀眼,前去细辨,沙竟分五色:红、黄、蓝、白、黑,不觉大惊小叫,脚踹之,手掬之,口袋是装满了,手帕是包饱了,满载欲归,却一时不知了东在哪里,西在何方。茫然失却方向了。这是沙山之近景啊。登至山巅,始知沙山之背如刀如刃,赤足不能稳站,而山下泉水,中间的深绿四边浅绿,深绿绿得庄重的好,浅绿绿得鲜活的好。四周群山倒影又看得十分明白,疑心山有多高,水有多深,那水面就是分界线,似乎山是有根在水,山有多高,根也便有多长;人在山巅抬脚动手,水中人就豆粒般大的倒立,如在瞳仁里,成千上万倍地缩小了。这是沙山之俯景啊。站在泉边,借西山爽气豁人心神,迎北牖凉风荡涤胸次,解怀不卧,仄眼上眺,四面山坡无崖、无穴、无坎、无坑,漠漠上下,光洁细腻如丰腴肌肤。这是沙山之仰景啊。阴风之日,山山外表一尺左右团团一层迷离,不即不离,如生烟生雾,如长毛长绒,悲鸣齐响,半晌不歇,月牙泉内却水波不兴,日变黄色,下彻水底,一动不动,犹如泉之洞眼。盛夏晴朗天气,四山空洞,如在瓮底,太阳伸万条光脚,缓缓走过,沙不流不泻,却丝竹管弦之音奏起,看泉中有鱼跃起,亦是无声,却涟漪扩散,不了解这泉是一泓乐泉,还是这山是一架乐山?这是沙山动中静,静中动之景啊。

天上的月有阴晴圆缺之变化,沙月却有明净和碧清,时令节气有春夏秋冬之交替,沙山却只有慢下、耸起和自鸣。这里封塞而开放,这里荒僻而繁华,有整晌整晌趴在沙里按动照相机的,有女的在前边跑,男的在后边追,从山巅呼叫飞奔,身后烟尘腾起,作男女飞天姿势的,是外国游人之狂欢啊。有一边走,一边回顾,身后的脚印那么深,那么直,惊叹在城里的水泥街道上从未留过自己脚印,而在这里才真正体会到人的存在和价值的,是北京、上海、广州的旅人之得意啊。有鲜衣盛装,列队而上,横坐一排,以脚蹬沙,奋力下滑,听取钟鼓雷鸣之声空谷回响,至夕尽欢才散的,是当地汉人、藏人端阳节之兴会啊。有三伏炎炎之期,这儿一个,那儿一个,将双腿深深埋入灼极热极的细沙之中,头身覆以伞帽,长久静坐,饥则食乌鸡肉,渴则饮蝎蛇酒,至极痛而不取出的,是天南海北腰痛腿痛症人疗治疾苦啊。九月九日秋高气爽,有斯斯文文长脸白面之人,或居沙巅望远观近,或卧泉边舀水烹茶,诗之语之,尽述情怀的,是一群从内地而至的文学作者啊。有一学子,却与众不同,壮怀激烈,议论哲理,说:自古流沙不容清泉,清泉避之流沙,在此渊含止水相斗相生,矛盾得以一统,一统包容运动;接着便吟出古诗一首:"四面风沙飞野马,一潭云影幻游龙。"此人姓甚名谁,不可得知,但黑发浓眉,明目皓齿,风华正茂,是一赳赳少男啊。

温　　泉

　　十年前,我曾在陕南的山中作过旅行,三个月的时间,走遍了那里的每一块地方。山中的地域广大,人口却不甚多,常常在一条四十里、五十里的沟岔里,间或才碰到一间两间石墙石瓦的小屋。有一日步行了六十里,还未见到一个人影,傍晚在一座山下歇身,要烧火做饭,却苦于四处寻不到水。别的地方,山是浑圆得到了极致,裸露石崖上清清楚楚看出一层一层地壳的结构线,曲曲地抛伏着。这山的两边层线却势均力敌,相峙相牴,使山大起大落,而将峰的层线直竖直立了。而且石头并不团结,危石耸耸,岌岌可坠。山下也没有河,两石一台,三石一垒的沟里,石头上生满了黑里透红的苔藓。一些矮矮的弯柳桩上却纠缠着泥草枯根,显示着夏日山洪暴溢才形成有河的记录。我只好啃些饼干,急急再往前走,不能有野餐的趣味了:煮一些携带的小米,在洼里剥一株出土的笋苞,然后垂竿去河里静静等待,看三尾四尾银色的小鱼上钩。

　　转过一个山弯,路却又没有了,只好坐下来看山上一片桃花,妖妖的,开在枯藤老树之中。倏忽之间,扭头发现在一面层线竖起的崖下,腾腾冒着一团热气,热气上升,在半崖之上凝为了云。虽然没有白鹤,成群乌鸦却聚散无常,皆一起在夕阳里,翅膀驮了霞光齐飞。我走近去,竟是清清的一潭新水,起源于崖下的一条石缝,咕咕嘟嘟地,然后注入潭中,无声而柔软,从沙石之下潜流而去,潭也就不涸不溢。陕南的山中是有着燃烧的煤的石头,水的燃烧这还是第一次见到。当下喜出望外,取了饭盒盛水煮饭。

这时候,有人在大声喊叫,便见一个采药模样的人从山上急急跑下来,将我拦住,说:此泉是鬼水,万不能喝的,喝了要拉肚子哩。我疑惑,喝一口尝了,其热滚烫,涩苦难咽,哇地就全吐了。不明白这么好的山野,竟没有水,难得有了水,竟又如此恶劣。采药人说:正是水恶,这里才远近无人居住。这就奇了,这般清澈的水,潭底碎石历历可数,若不是有热气蒸浮,清净得疑心那水是不存在的。但确实水中藻类不生,游鱼小虾也不见有一条,甚至潭的四周,竟也没有一花一草一树一木,土地上不曾留有各种蹄爪足迹。可以想见,蝴蝶是没有来过,禽鸟是没有来过,连那山羊、草鹿,有一个好胃口的走兽也没有走过呢。

我实在有些遗憾:是这水太清净了吗,清净得使鱼虾也不肯殖养?是这水太温暖了吗,温暖得使飞禽走兽也不肯渴饮?真奇怪不知道这是什么缘故儿,要辜负了这一片妖桃媚柳的山石!

这一天晚上,一直又跋涉了半夜,才到了山林深处的人家。谈起这一泉燃烧的水,山民当然又是一番怨恨,说正是这泉水,害苦了这一带地方,好多人去食用了,都上吐下泻,多少年来这里几乎就路断人绝了。曾经有人动手填过那泉。但总不能覆盖,也曾挖掘过那泉,但源头也无可奈何,依然没有别的好水出来,依然还是热,还是苦,还是涩。就只好以"鬼水"来诅咒它了。

我说:平日只知道世上人分各等,有好人大人,但也有坏人小人。且好坏大小一尽儿平均分配的,没想水也有良劣区别,怪不得那里满山桃林,自是特意儿去避邪的吧。

两年后,我上了大学,读到一本书,上面说:"因地壳变化,山中会出现一种泉,烫热,其味涩苦,不可食用。内含硫磺等质,沐浴之可治皮肤病,尤疗理内风湿关节炎最有特效。"我猛然想起那山中的燃烧的泉了,原来它竟是这等药水!一般流水可食用,它却能杀菌灭毒,强身健骨,功能不一啊!深山人只知其一,不究其二,诬蔑它为鬼水,这真是一桩冤案!天下水多为食用,以图鱼翔于底,蝶飞其上,它却永不变其清,永不冷其热,以自己的自生而不自灭的寂寞存在,来求得时间空间而证明自己的有益,这又是多么难能的可贵!遂深深怀念起那山中的燃烧的泉水了,不知它还在否,不知山民还肯认识它否,极想书信告知那些缺乏科学的山民:"大力开发这一温泉,建其澡堂,修其屋舍,办一所矿泉疗养院,那荒寂山里将会繁华昌盛,天下有病之人将蜂拥而至,使外地人来此地获益,也使本地人以此地收利。"但却不知那处山属何县何社何村管辖,地址不详。怏怏之间,自我安慰道:科学在发展,社会更文明,只要温泉还在,人类总会有认识的时候吧。

记于1983年12月28日五味什字巷

陕西小吃小识录

序	羊肉泡	葫芦头	岐山面	醪糟
凉皮子	桂花稠酒	浆水面	柿子糊塌	粉鱼
腊汁肉	壶壶油茶	乾县锅盔	辣子蒜羊血	腊羊肉
石子饼	甑糕	钱钱肉	大刀面	油条
泡油糕	揽饭	圪坨	跋	

序

世说,"南方人细致,北方人粗糙",而西北人粗之更甚。言语滞重,字多去声,膳馔保持食物原色,轻糖重盐,故男人少白脸,女人无细腰。此水土造化的缘故啊。今陕西省域,北有黄土高原,中是渭河平原,南为秦岭山地,综观诸佳肴名点,大体以历代官廷、官邸和民间的菜点为主,辅以隐士、少数民族、市肆菜点演变组合而成,是北国统一风格中而有别存异。我出身乡下,后玩墨弄笔落入文道,自然不可能出入豪华席面,品尝高级膳食饮馔,幸喜的是近年来遍走区县,所到各地,最惹人兴致的,一则是收采民歌,二便是觅食小吃;民歌受用于耳,小吃受用于口,二者得之,山川走势、流水脉络更了然明白,地方风味、人情世俗更体察入微。于是,闲暇之间,施雕虫小技,录小识,意在替陕西小吃作不付广告费的广告,以白天下;亦为自己"望梅止渴",重温享受,泛涎水于口,逗引又一番滋味再上心头是了。

羊肉泡

骨,羊骨,全羊骨,置清水锅里大火炖煮,两时后起浮沫,撇之遗净。放旧调料袋提味,下肉块,换新调料袋加味。以肉板压实加盖。后,武火烧溢,嘭嘭作响,再后,文火炖之,人可熄灯入睡。一觉醒来,满屋醇香,起看肉烂汤浓,其色如奶。此羊肉制法。

十分之九面粉,十分之一酵面。掺和,搓匀,揉到。做馍坯二两一个,若饦饦状,饦边起棱。下鏊烘烤,可悠悠温酒,酒未热,则开鏊,取之平放手心,在上搔搔,手心则感应发痒,此馍饼制法。

食客,出钱并非饭来张口,净手掰馍,碎如蜂臛(sá,头的别名)。一是体验手工艺之趣,二是会朋友谈艺文叙家常拉生意,馍掰如何,大、小、粗、细,足可见食者性情;烹饪师按其馍形,分口汤、干泡、水围城、单走诸法烹制,且以馍定汤,以汤调料,武火急煮,适时装碗。烹饪十年,身在操作室,便知每一进餐人音容相貌,妙绝比柳庄麻衣相师有过之而无不及。

西安五味巷有一翁,高寿七十。二十年前起,每日来餐一次,馍掰碎后等候烹饪,又买三馍掰碎,食过一碗,将掰碎的馍带回。明日,将碎馍烹饪,又买新馍掰。如此反复,不曾中断。临终,死于掰馍时,家人将碎馍放头侧入棺。

葫芦头

同于羊肉泡,异于羊肉泡,同者均为掰馍,异者一为羊肉,一为猪肉,猪肉又仅限于肠子。

史料载:孙思邈在长安一家专卖猪肠的小店吃"杂碎",觉肠子腥味大,油腻多,问及店家,知制作不得法。遂告之窍道,留药葫芦于店家调味。从此,"杂碎"一改旧味,香气四溢,顾客盈门。店家感激孙思邈,特将药葫芦高悬门首,渐渐,葫芦头取其名。

葫芦头三道制作工艺,处理肠、熬汤、渝(pào)饧。肠过十二次手续:挼,捋,刮,翻,摘,回,再捋,漂,再捋,又再捋,煮,晾,污腥油腻尽脱。熬汤必原骨砸碎,出骨油汤水乳白,下肥母鸡一只,大料花椒,八角,上元桂,大火小火汤浓而止。渝时将肠切"坡刀形",五片六片即可,排列在掰好的馍块上,滚汤浇,三四次,加熟猪油,味精,调料水。

南方人初见葫芦头,皆大骇,以为胃不可克,勉强食之,顿觉鲜香,遂大嚼不要命。有广东人在羊城仿法炮制,味则不及。

乡俗:身弱气柔人宜多食之,日入健壮。这恐怕是和药王孙思邈有关吧。

岐山面

岐山是一个县,盛产麦,善吃面条。有九字令:韧柔光,酸辣汪,煎稀香。韧柔光是指面条之质,酸辣汪是指调料之质,煎稀香是指汤水之质。

岐山面看似容易,而达到真味却非一般人所能,市面上多有挂假招牌的,欲辨其真伪,一观臊子燷法和面条擀法便知。

臊子,猪肉,必带皮切块,碎而不粥。起锅加油烧热,投之,下姜末、调料面煸炒。待水分干后,将醋顺锅边烹入,冲冒白烟。以后酱油杀之,加水,煮。肉皮能掐时,放盐,文火至肉烂舀出。擀面,碱和水,水和面,揉搓成絮,成团,盘起回饧。后再揉,后再搓,反复不已。尔后擀薄如纸,细切如线,滚水下锅莲花般转,捞到碗里一窝丝,浇臊子,只吃面而不喝汤。

在岐山,以能擀长面者为女人本事,否则视之家耻。娶媳妇的第二天上午,专门有一个擀面的隆重仪式:客人上席后,新媳妇亲自上案擀面,以显能耐。故女儿七岁起,娘便授其技艺,搭凳子在案前使擀杖。

醪　糟

醪糟重在作醅。江米泡入净水缸内,水量以淹没米为度,夏泡八时,冬泡十二时。米心泡软,水控干,笼蒸半时,以凉水反复冲浇,温度降至三度以下,控水,散置案上拌曲粉,装入缸内,上面拍子,用木棍在中间由上到底戳一个直径约半寸的洞。后,盖草垫,围草圈,三天三夜后醅即成。

卖主多老翁,有特制小灶,特制铜锅。拉动风箱,卜卜作响,一头灰屑,声声叫卖。来客在灶前的细而长的条凳上坐了,说声:"一碗醪糟,一颗蛋。"卖主便长声重复:"一碗醪糟,一颗蛋——"铜锅里添碗清水,放了糖精,三下两下烧开,呼地在锅沿敲碎一颗鸡蛋打入锅中,放适量的醪糟醅,再烧开,漂浮沫,加黄桂,迅速起锅倒入碗中。

要问特点?酸甜味醇,可止渴,健胃,活血。

凉皮子

是夏天食品,三九寒天却有出售,吃者,男食客绝少,女人多,妙龄女人尤多,半老徐娘的女人更多。

制法:一斤面粉用二斤水,分三次倒入,先和成稠糊,再陆续加水和稀,加盐,加碱,稀浆用手勺扬起能拉成筷子粗细的条为宜。笼上铺白纱布,面浆倒其上,摊二分厚,薄厚均匀,大火爆蒸,气圆,约六七分钟即熟。将面皮从笼箅上扣在案上,每张面皮上抹一层菜油,叠堆一起晾凉后用摆刀切成细条。

卖主卖时并不用称,三个指头一捏,三下一碗,碗碗分量平相等,不会少一条,多一条也不给。加焯过的绿豆芽,加盐,加醋,加芝麻酱,后又三指一捏,三条四条地在辣子油盆里一蘸放入碗上,白者青白,红者艳红,未启唇则涎水满口。

切记:吃凉皮子的别忘记带手帕,否则吃罢一嘴沿红色,有伤体面。

桂花稠酒

一、泡米：清水入缸，淹没江米，木瓢搅拌使脏物上浮撇而弃之，四时为宜。

二、蒸米：上笼，烧大火，熟烂达八成，离火，浇水，先米中间后笼周围，温度降至三度以下即可。

三、拌曲：平散摊开在案，撒曲面，拌，需均匀。

四、装缸：先置木棒一个，于缸中心，将米从四周装入轻轻拍压，后木心转动抽出，口成喇叭状。白布盖之，再加软圆草垫，保持三十度温，三天后酒醅即熟。

五、过酒：将缸口横置两个木棍，铜丝笊架其上，笊中倒多少酒醅，用多少生水几次淋下，手入酒醅中转、搅、搓、压，反复不已，酒尽醅干。

酒中放糖精，加桂花，加热烧开。

一般酒澄清，此酒黏稠；一般酒辣辛，此酒绵甜。乡民能喝，市民能喝，老人能喝，儿童能喝，男人能喝，女人能喝，健胃、活血、止渴、润肺。

相传太白饮此酒，成诗百篇。故历来文人到长安，专饮桂花稠酒。今有一学子欲做诗人，每次到酒店大饮觅灵感，但三碗下肚，则大醉，语无伦次，不识归路。

浆水面

"下里巴人"饭。不吃者绝不吃,喜吃者死都要吃。

城里人制浆:锅中添清水,一手持长筷,一手撒面,边搅边撒,搅匀烧开。将醋曲和洗净的芹菜放在缸里,烧开的面汤入缸内,日晒六七天,汤呈乳白色即可。乡下人制浆简单,泡半生不熟的萝卜缨子及白菜在瓮,将糁子稀饭的清汤倒几勺进去,六七天便成。

面条下锅,浆汇锅亦可,面捞碗浇浆亦可,以口味而定,但绝少不了荤油、蒜苗。冬吃能取暖,夏吃能消暑。万不能再加醋,有醋则涩,切记。

此食流行乡下,城市不多见,一向被视为贱食。殊不知浆水面味在于淡,淡方是食物本味、真味,饮食是卫护人的生命的,如果自视高雅,追求滋味精美,那将会本末倒置,反害了卿卿健康。曾风传:浆水致癌,此恶意中伤。

柿子糊塌

吃在临潼。

临潼有火晶柿,红如火,亮如晶,肉质细密,且无硬核。吃一想二,饱一人思全家。但季节有限,又不易带,遂柿子糊塌应运而生。

将软柿去皮摘蒂,放面盆中捣搅成糊,加入面粉,即为柿子面糊。

用铁片做手提,外凹中凸边高二公分。

手铲将面糊摊入手提,一起入油锅,炸;面糊熟至五成,脱手提漂浮,翻过,炸;如此数次两面火色均匀便可食之。

但买者多有不忍吃的,颜色太金黄可爱,吃在口,又不忍细咬,半囫囵下肚,结果有烧了心的。

临潼人炸的糊塌味最佳,油锅前常围满人,便有一光棍只看不买,张大口鼻吸味,竟肥头大耳。

粉 鱼

名曰鱼,其实并不似鱼,酷如蝌蚪。外地人多不知做法,秦人有戏谑者夸口为手工——捏制,遂使外人叹为观止。

秦人老少皆能作,以凉水加白矾将豆粉搓成硬团,后以凉水和成粉糊,使其有韧性。锅水开沸,粉糊徐徐倒入,搅,粉糊熟透,压火,以木勺着底再搅,锅离火,取漏勺,盛之下漏凉水盆内;"鱼",则生动也。

漏勺先为葫芦瓢作,火筷烙漏眼;后为瓦制;现多为铝制品。

漏鱼可凉吃,滑、软,进口待咬时却顺喉而下,有活吞之美感。易饱,亦易饥。暑天有愣小子坐下吃两碗,打嗝松裤带,吸一支烟,站起来又能吃两碗,遂暑热尽去,腋下津津生风。

冬吃则讲究炒粉,平底锅烧热,淋少许清油,将葱花稍炒后,倒粉鱼炒,加糖色、调料,以瓷碗捂住,一二分钟后,色黄香喷即成。卖主见妇人牵小孩路过,大声吆喝,小孩便受诱不走,妇人多边喂小孩,边斥责小孩嘴馋,却总要喂小孩两勺,便倒一勺入自己口中。

腊汁肉

并不是腊肉,腊肉盐腌,它则是汤煮。汤,陈汤,一年两年,三代人四代人,年代愈久味愈醇色愈佳;煮,肉入汤锅,肉皮朝上,加绍酒、食盐、冰糖、葱段、姜块、大茴、桂皮、草果,大火烧开,小火转焖,水开圆却不翻浪。

食腊汁肉单吃可,下酒佐饭亦可,然真正欲领略其风味,最好配刚出炉的热白吉馍夹着吃,这便是所谓"肉夹馍"。是馍夹了肉,偏称肉夹了馍,买主为了强调肉美,也便顾不得语言的规范了,奇怪的是这个明显错误的名称全体食用者皆承认,可见肉美的威力了。

现在的城镇人最不喜欢吃肥肉,肉食店里终日在走后门拉关系站长队争买瘦肉,但此肉肥而不腻,瘦则无渣,深为食者所好,故近年来城镇经营者甚多,大街小巷随处可见店铺。

有上海女子来西安,束腰节食要苗条不要命,在一家店铺前踌躇半晌,馋涎欲滴却不敢吃,店主明白,大口咬嚼,满嘴流油,说:"我家经营腊汁肉三代,我每日吃六个肉夹馍吃过五十年,你瞧我胖不堆肉,瘦不露骨。"女子连走了八十家店铺,见卖主个个干练,相信人的广告准确,遂大开牙戒。

壶壶油茶

深夜,城镇小巷有一点灯的,缓缓而来,那便是卖壶壶油茶。卖者多老翁,冬戴一顶毡帽,夏裤带上别一把蒲扇,高声吆喝,响遏行云。

所谓油茶,即面粉、调料面加凉水搅成稠糊,徐徐溜入开水锅中搅拌,匀而没有疙瘩,再加入杏仁、芝麻、籼米,微火边烧边搅。再加入酱油、盐面、胡椒粉、味精,微火边烧边搅。完全要用搅功,搅得颜色发黄,油茶发稠,表面有裂纹痕迹才止。

所谓壶壶,即偌大的有提手有长嘴的水壶,为了保温,用棉套包裹,如壶穿衣。犹在冬日,其臃臃肿肿,放在那里,老翁是立着的壶,壶是蹲着的老翁。

夜有看戏的、跳舞的、幽会的,壶壶油茶就成为最佳消夜食品。只是老翁高喊:"热油茶!烫嘴的油茶!"倒在碗里却已冰凉。

乾县锅盔

关中八怪之一:烙馍像锅盖。盖为平面,盔为凸形,且硬,敲之嘭嘭,如石如铁。一年,有少年从外婆家携锅盔回,中途下冰雹,皆蛋大,砸死许多鸡羊,少年头顶锅盔,有安全帽之功能,行十里路,身无伤损,馍无破裂。

坚硬,食之却酥,没牙的老人尤其喜爱,窝窝嘴嚅嚅而动,愈嚼愈出味。

用料简单,若面粉十斤,水便四斤,碱面七钱,酵面可夏七两,冬斤半,春秋一斤。制法也简单,却必须下苦力,按季节掌握水温,先和成死面块,放在案下用木杠压,使劲压,边折边压,压匀盘倒,然后切成两块,分别加入酵面和碱水再压,再使劲压,直到人大汗淋淋,面皮光色润,用湿布盖严盘饧。饧起,面块分成每块一斤多重的面剂,推擀成直径七寸,厚约八分的圆饼,上鏊,三翻二转,表皮微鼓即熟。

锅盔铺里,卖主称馍不用手折,而以刀割,刀是长叶马刀,割是斜面削割,大显大家风度。历来卖锅盔的未遭他人抢窃,刀具使一切歹人生畏,锅盔也随时能够当盾。

据乡里传,锅盔为古军人所创。极是。

辣子蒜羊血

将羊扳倒,白刀子进,红刀子出,热血接入盆中。用马尾箩滤去杂质,倒进同量的食盐水,细棍搅之,匀,凝结成块后改切成较小的块,投开水锅煮,小火,血固如嫩豆腐,捞出,呈褐红色,舌舔之略咸。

至此羊血制成,可泡在清水盆里备用。

清晨,或是傍晚,食摊安在小巷街头,摆设十分简单,一个木架,架子上是各类碗盏,分别放有盐、酱、醋、蒜水、油泼辣子、香油。木架旁是一火炉,炉上有锅,水开而不翻滚,锅里煮的是切成小方块的羊血。羊血捞在碗里,并无许多汤,加各类调料便可下口了:羊血鲜嫩,汤味辣、呛、咸,花椒、小茴香味窜扑鼻。

咸阳有一人,可以说什么都不缺,只是缺钱;也可以说什么都没有,只是有病。病不是大病,体弱时常感冒。中医告之:每日喝人参汤半碗,喝过半月即根除感冒。此人拍拍钱包,一笑了之。卖辣子蒜羊血的说:买羊骨砸碎熬汤每早喝一碗;再每晚吃羊血一碗吧。如此早晚不断,一月后病断。

腊羊肉

一九〇〇年,庚子事变,慈禧太后仓皇出逃,避难西安,一日坐御辇经城内桥梓口坡道,闻香停车,问:何处美味?答:铺里煮羊肉。便馋涎欲滴,派人购买,尝之大喜,后赏金字招牌:"辇止坡"。

辇止坡的羊肉便是腊羊肉。本是百姓食物,太后竟也辇止;而在这以前,百姓更是早已马止、步止,故此食品更朝换代数百年流传不失。

制作此肉一腌:大瓷缸倒入井水,羊肉,带骨鲜羊肉,皮面相对折叠而放,撒精盐、芒硝,夏腌一至两天,春秋腌三至四天,冬腌四至五天,腌到肉里外色红。二煮:倒老卤汤多少,倒清水多少,辅花椒、八角、桂皮、小茴香为料,旺火烧开,羊肉下锅,老嫩分别,皮面朝上,再烧开放盐,尔后加盖,武火文火煮四五个小时至肉烂。三捞:撇净浮油,将火压灭,焖半小时待汤温下降,用长竹棍挑肉,放入瓷盘。四滗:肉皮面上平放盘中,用原汁汤冲浇数遍,再小心以净布揩干。

因为是当年慈禧所留的遗风吧,此肉渐渐进入上流宴席,且趋热愈来愈甚,已大有攀高枝之德性。近多年更有人以此作后门的见面礼,致使声名大坏。

录者声明:有人曾非议腊羊肉,建议将其开除出小吃之列。但念其毕竟街巷有卖;况且,以送腊羊肉走后门,罪应在送肉人而不在腊羊肉本身,故不从。

石子饼

七十年代,关中一农民有冤,地方不能伸,携此饼一袋,步行赴京告状。正值暑天,行路人干粮皆坏,见其饼不馊不腐,以为奇。到京,坐街吃之,市民不识何物,农民便售饼雇人写状,终于冤案大白。农民感激涕零,送一饼为其明冤者存念。问:何饼?说:石子饼。其饼存之一年,完好无异样,遂京城哗然。

此饼制作:上等白面,搓调料、油、盐,饼坯为铜钱厚薄。将洗净的小鹅卵石在锅里加热,饼坯置石上,上再盖一层石子,烘焙而成。其色如云,油酥咸香。

同州人尤擅长此道,家家都有专用石子,长年使用,石子油黑铿亮。据传,一家有二十多年的油石子,到六十年代,遭灾,无面作饼,无油炒菜,每次熬萝卜,将石子先煮水中便有油花,以此煮过两年。

甑 糕

甑糕,用甑做出的糕也。甑为棕色,糕有枣亦为棕色,甑碗小而瓷粗,釉彩为棕色,食之,色泽入目,和谐安心。

做甑糕有四关:一泡米,米是糯米,水是清水,浸一晌,米心泡开,淘洗数遍,去浮沫,沥水分。二装甑,先枣子,后米,一层铺一层,一层比一层多,最后以枣收顶。三火功,大火煮半晌,慢火煮一晌。四加水,一为甑内的枣米加温水,使枣米交融,二为从放气口给大口锅加凉水,使锅内产生热气冲入甑内。

吃甑糕易上瘾。有一作家,黎明七点跑步,八点赴甑糕摊吃三碗,返回关门写作至下午四点方停歇,数年一贯,写书十年,体壮发黑眼不近视。

钱钱肉

此肉知道的人多,品尝的人少,据说,即便在盛产的西府,一县之主每年也只有支配一个正品的权力。一般人便只能享用到此肉的下品了。

下品者,腊驴腿。将失去役力的驴,杀之,取其四腿,挂架晾冷,淋尽血水,切块,分层入瓮,每层加土硝、食盐,最后压以巨石。越旬日取出,挂阳光下曝晒,等其变干,再以石块反复压榨,排尽水分,用松木水和五香调料煮熟。取出,用驴油及煮肉之原汁掺和,再加温，肉块在油汤中提提浸浸，然后将肉块晾至呈霜状之色。

人言：吃五谷想六味。腊驴腿下酒之后，便鼻沁微汗，口内生津，故猜钱钱肉的正品不知何等仙品六味！钱钱肉正品据说更味美，且补虚壮阳，但却不是一般人所能吃到，因其价昂且要有地位才能买到。

钱钱肉正品何物炮制？叫驴之生殖器也。

大刀面

最有名的在铜川。

刀：长二尺二寸，背前端宽三寸，背后端宽四寸，老秤重十九斤。

切：右手提刀，左手按面，边提边落，案随刀响，刀随手移。

面：搓成絮，木杠压，成硬块，盘起回饧，擀开一毫米厚薄后拎擀杖叠起成半圆形。

艺高者胆大，挥刀自如，面细如丝，水开下锅，两滚即熟，浇上干熓肉臊子，一口未咽，急嚼第二口，一碗下肚，又等不及第二碗，三碗吃毕，满头热汗，鼻耳畅通，还想再吃，肚腹难容，一步徘徊，快快离去。

铜川出煤，下矿井如船出海，乡俗有下井前吃长面，以象征拉魂。故至今矿区多集中大刀面馆。外地人传：卖大刀面的多姓关，是关公后世，或姓包，是包公后裔。此言大谬。铜川东关一家卖主，夫姓华，妇姓陈，皆是关公包公当年所杀之人的姓氏。问及手艺,答:祖传。再问:先祖出身?则马场铡草夫。

油 条

油条为极普通之食品,小说中描写旧中国工人生活贫困,即言其食"大饼油条"。但不料十年浩劫之中,区区油条居然也成了"珍品",好在这已是过去的事。

油条的原料为:面粉十斤,碱面一两,食盐二两,菜籽油三斤,白矾一两半。将盐、碱、矾溶化在六七斤温水里,后徐徐倒入面内和成絮状,再扎成面团,窝二十分钟后再揉和一遍,至面色光亮,再窝。炸时,切面一块于案板上,捋成长条。有走槌,两头细中间粗的物件,擀成宽二寸厚二分的长条片,那么三指头一蘸,将油条来回一抹,快刀横剁为若干小条。而小条有阴阳,两个一叠用筷子一压,逼使结合,再两手提起摔打拉长约一尺寸,捏紧两头入油锅。

其做法真令人想起包办婚姻,但经油一炸,两根面条相缠相粘,合二为一,活该是先结婚后恋爱了。

吃油条必喝豆浆。

西安北大街一卖主讲:来他店里食客多为夫妇,一人一碗浆,两根油条,而常有一男一女买两碗浆一根油条的,你吃半截,我吃半截,这必为少男少女,初恋情人也。

泡油糕

清花水一斤六两,熟猪油五两,上等面二斤,水烧开油搅匀形如乳油状烫火面成团。凉开水五两,掺入面团揉搓不已,使溶胶状为凝胶状,包馅料入油锅。炸出,色泽乳白,表皮膨松,形似一堆泡沫,恰如蝉翼捏成。

吃泡油糕,不可性急。性急者,咬一口便咽,易烫前心。糖馅溢流顺胳膊到肘部,扬肘用舌舔之,手中油糕的糖馅则又滴下,烫痛后心。

揽 饭

南瓜老至焦黄,起一层白灰的,摘下洗净切为小块,于日头下晾晒半晌。绿豆当年收获、饱满锃亮如涂漆的,簸净淘搓三四次,用温水浸泡一晌,起火烧锅,绿豆在下,南瓜在上,水与南瓜平齐。以蒸布蒙锅盖,小火半晌,揭盖用铲子将绿豆南瓜搅混捣为粥状,即成。

此食做法简易,重在选料。虽看来不伦不类,食之却甜而鲜香。

揽饭流行于秦岭山区,但平日不易吃到。吃则须贵客上门。冬食之可暖胃,夏食之能祛暑。有中医鉴定:久吃此食,身不出疮疔,足不得脚气。

圪 坨

圪坨,陕北语,关中称麻食、猴耳朵。以荞面为料,掐指蛋大面团在净草帽上搓之为精吃,切厚块以手揉搓为懒吃。饦坨煮出,干盛半碗,浇羊肉汤,乃羊腥饦坨。

吃饦坨离不开羊肉汤,民歌就有"荞面饦坨羊腥汤,死死活活紧跟上"之句。

饦坨是一种富饭,羊肉汤里有什么好东西皆可放,如黄花、木耳、豆腐、栗子。

此物有一秉性:愈剩愈热愈香。但食之过甚则伤胃,切记。

跋

古人讲:君子谋道,小人谋食;在《陕西小吃小识录》的写作中,我几次为我的举动可笑了。却又一想,未必,吃是人人少不了的,且一天最少三顿,若谋道不予食吃,孔圣人也是会行窃的,这似乎就如封建年代里苏东坡所说的,为官并不就是耻事,不为官并不就是高洁一样。更有一层,依我小子之见,吃也是一种艺术。中国的饭菜注重色、形、味,这不是同中国画有一样的功能吗?当物质的一番滋味泛在口中,而精神的一番滋味泛在心头,这又是多么于人生有实益的事情啊!

陕西这块浑厚的黄土,因地域不同,民族不同,物产不同,气候不同,构成了它丰富奇特的习尚风俗,而各地的小吃正是这种习尚风俗的一种体现。由此,当我在作陕西历史的、经济的、文化的考察时,小吃就不能不引起我的兴趣了。十分庆幸的是,兴趣的逗引,拿笔作录,不期而然地使我更了解了我们陕西,了解了我们陕西的人的秉性,也于我的创作实在是有了匪浅的受用呢。

需要声明的是,《陕西小吃小识录》陆续在《西安晚报》刊出后,外地很有些读者食欲受刺激,来信要来陕西,一定要逐个去吃吃品品,而一些烹饪学会一类的专门组织又邀我去做顾问,真以为我是能做善吃的角色。这便大错了。老实说,我是什么饭菜也不会做的,于吃又极不讲究,只是我请教了许多小吃师傅,用文字记录下来罢了。而这种记录,又只能是陕西小吃的十分之一还要少,又都是我个人自觉得好吃好喝的。这实在是一件遗憾的事。

所以,当我这个专栏结束之后,真希望每一个小吃师傅动手做了别忘了来写,每一个食客动口吃了亦别忘了来录。这么扩而大之,广而久之,使天下人都能吃在陕西,写在陕西,艺术享受在陕西,爱在陕西。

语　言
——人道与文道杂说之一

一

一根羽毛,一根羽毛,或许太平常了,但组合起来,却是孔雀的艳丽彩屏;一缕丝线,一缕丝线,或许太普通了,但经纬起来,却是一匹光华的绸缎;一部好作品,使多少人笑之忘我,悲之落泪,究其竟,不过是一堆互不相连的方块字呢。然而,这么些方块字,凑起来,有的是至情至美,有的却味如嚼蜡:这是什么样的魔术啊!

妙龄人大概都有这么个感觉吧:外表美,心灵不美,当然不是好对象;心灵美,外表不美,却不能不是一种遗憾了。语言是作品的眉眼儿,纵然有一颗纯洁善良的灵魂,那何不就去修饰打扮,使天下的读者"一见钟情"呢?

二

鸟儿都喜欢自己的羽毛,作家更想把自己的语言写好。然而,孩子们的憨,是一种可爱,大人们的憨,却是一种滞呆;少女们插花会添几分妩媚,老妪们插花则是十分的妖怪了。

这是为什么呢？

骗子靠装腔作势混世，花里胡哨是浪子的形象。文学是真情实感的艺术，这里没有做作，没有扭捏：是酒，就表现它的醇香；是茶，就表现它的清淡；即便是水吧，也只能去表现它的五色无味。如此而已！

三

可惜，我们的学生，或者说，我们在学生的时候，那是多么醉心于成语啊！华词艳辞以为才气，情泄其尽为之得意。写起春天，总是"风和日暖""春光明媚"，殊不知何和何暖的风日，何明何媚的春光？写起秋天，总是"天高云淡""气象万千"，殊不知又怎么个高淡的天云，怎么个万千的气象？单纯、朴素，这实在是一张艺术与概念、激情和口号之间的薄纸，而苦闷了我们几年、十几年地徘徘徊徊，欲进不能。

如果可能的话，快将那些"豪言壮语"从作品中抹去，乱用高尚、美丽的成语，会使这些词汇原有深刻、真切的含意贬值！

……一道溪水，流，是它的出路和前途。它必然有过飞珠溅沫的历程。而总是飞珠溅沫，它便永远是小溪，而不是大河啊。

四

那么，就将土语统统用上吧，那油腔滑调，那歇后语，那顺口溜……

错了!

难道坩子土里有铝,能说铝就是坩子土吗?金在沙中,浪淘尽,方显金的本色;点石如果真能成金,那也仅仅只是钻进了蛤蚌体内,久年摩擦、浸蚀而成的一颗珍珠。如果以为是现实里发生过的,就从此有了生活气息,以为是有人曾说过的,就从此有了地方色彩,那流氓泼妇就该是语言大师了?!艺术,首先是美好;美好的"冶炼"起来的。

五

什么是好语言呢?

理论家们可能有一套一套的学说,老师们可能有一条一条的规范;我,却只有一点儿偏见,又那么的含糊,似乎也只是有意会而苦不能言说呢。

之一:充分地表现情绪。

"窗外有两棵树,一棵是枣树,另一棵还是枣树。"鲁迅表现的是苍凉、寂寞的情绪。"我又掬你入口,便是吻着她了。我送你一个名字,我从此叫你'女儿绿',好么?"朱自清表现的是欣喜、激赞的情绪。陶潜的"采菊东篱下,悠然见南山",是一种遁世的闲适。李白的"举头望明月,低头思故乡",是一种怀亲的哀愁。这些字眼是多么平淡无奇哟。但是,发纤秾于简古,寄至味于淡泊;不写的地方,正是作者要写出的地方。

月有情而怜爱,竹蓄气而清爽。这一道理,该是我们从写第一篇作品到最后一篇作品,都不要忘记的。

之二:和谐地搭配虚词。

一首歌曲,是那么的优美,慢慢听,慢慢听,原来有了节拍的$\frac{2}{4}$,$\frac{3}{4}$,原来有了节奏的长与短,力度的强与弱,速度的快与慢,结构的整与散,色彩的浓与淡,织体的简与繁,唱法的放与收……噢,奥妙原来如此!

而文学呢?刻画的形象若要细致逼真,精妙入微,就应在其意境中贯穿充盈脉脉的隐隐的情思,奥妙也该是如此了。为着情绪,选择自己的旋律,旋律的形成,而达到表现情绪的目的,正是朱自清散文情长意美,正是孙犁小说神清韵远的缘由。以此推论下去,我们终于明白了老舍写文章为什么要对旁人反复吟咏,柳青的文章为什么有些句式颠三倒四。

每一个艺术大师,无不是在作品里极力强调自己的感觉,而这一切又是那么的追求着气韵、意境、含蓄和心灵内在的谐和呢。

之三:多用新鲜、准确的动词。

人们乐道王安石的"绿"字,李清照的"瘦"字,李煜的"愁"字,杜甫的"过"字……所谓锤句锻字,竟然都是在动词上了。生动,生动,活的才能动,动了方能活呢。杜甫的"牵衣顿足拦道哭",七个字里四个动词,形象能不凸现吗?试想,如果要描写两山之间有一道细水,"流"亦可,"漫"亦可,"窜"亦可,但若用个"夹"字,两山便有了"窄"的形象,水便有了"细"的注脚。

当然了,嚼别人嚼过的馍没有味道,随心所欲更是荒唐。你必须是你自己的,你说出的必须是别人都意会的又都未道出的。于是乎,你征服了读者,迫使着他们感而就染,将各自的经历体会的色彩涂给了你的文章。你,也便成功了。

六

本文应这般结束:

语言探索是迷人的,探索语言是受罪的;只要在生活里挖掘,向大师们借鉴,艺术绿树常青,语言永远不死。

1981 年 3 月 7 日于静虚村

观　察
——人道与文道杂说之二

问：人可以知天晓地，穷极一切物理，人却常常把握不住人自身的这个肉疙瘩。甲是歌唱家，乙是雕塑家，丙则是武林明星，什么人在什么事业上取得成就，而为什么人人却不能如此？"天生我才必有用"，才在何处作用于世呢？

答：各行有各行的悟性啊！悟性人皆有之，不同者是行当的悟性存异罢了。大凡世间一切成功的人，无一不是自我发现了自己的悟性。

问：那么，文学的悟性是什么？

答：是不是也可以说是感觉，对生活的，对艺术的。这种感觉愈强，从事文学的素质也就愈好。而一个作家，需要的是应培养自己的艺术素质。具体的，也就是培养三大功能……

问：功能？

答：是的，一是观察，二是想象，三是描绘。观察和想象属于创作动笔之前，描绘则属于动笔之后。这三大功能其实每一个人都具有，只是作家要求得更活跃更丰富更精到。

问：请具体来讲，什么是观察呢，到生活中去又如何观察？

答：艺术是来源于生活，生活却并不等于艺术。深入生活中去，有个思想感情上的深入……

问：又在讲政治大话了!

答：不,这可以说是在讲政治大话,但同时更是艺术上的实话!深入生活必须是充满激情的,激情是深入的基础。作品的产生,是一种生活积累的爆发,更是感情积累的爆发。怀着一种激情到生活中去,观山则情满山,观水则情满水,就可以看到别人能看到的东西,也可以看到别人看不到的东西,而且通过一种现象便又可以看到现象后边的内涵和本质。

问：怎么个看呢？

答：请不要将精力集中到搜寻一个完整的故事上去。生活极其复杂,它所发生的故事往往是不够完整的让你轻易去写,也不必满足于一个事件的轮廓,一堆变化的数字。这样,就是你大受感动,回到书案前你还是无法动笔,或许你写出来了,仍枯燥无味,引不起别人的激动。要注意那些细微之处。妙微精深,微的东西才往往是表现了深的东西。试想：人和人的一般情况下的关系疏远,常常不是在一些大的事件上有了隔阂,而是在一些细小的问题上产生的分歧,得罪了,久而久之积少成多导致分裂嘛!百米赛跑,第一名和末一名又总是差一步之远,难道不可以说百米赛跑就是一步赛跑吗？什么叫人物性格,人物性格就是在共同点上的那么一点差异。并不是漫画家和相声演员笔下和口中的那种所谓一胖一瘦、一性急一性缓的表象反差。从这些现实生活中的例子里,是可以使我们悟出"细微"二字的重要了吧？

问：这可以说,细微的东西就是那些生活琐事吗？

答：这怎么说呢？到生活中去,应该时时把握生活。体育上讲究运动员有一种意识,在生活中更应该强调这种意识。这样,才不可能失却生活总体的把握,亦不可能失却枝节细末的深究。留神那些细微的东西,并不就是生活的烦事,这里有一个起码的标准,必须是形象的,能表现某一人、某一事或某一景的特点的,能引起艺术上的美感的。如果看到了获得了生活中那些能表现某人某物某景的形象而细微的东西,这也就是抓住了细节。文学靠的是细节,而所谓素材的积累,说穿了就是细节的积累。

问:明白是明白了,可这细节的获得实在太难了。这里面有什么窍道吗?

答:窍道是有的,写在《国际歌》里:世上没有救世主,解放自己还得靠自己。一个作家,不是在动笔写作时才意识到自己是作家,而是在每时每刻都要明白自己的工作,这就是说观察是随时随地进行的,要从有意识而训练成无意识的下意识的习惯。艺术的眼光便是这种习惯的结果。

问:还有什么要说的吗?

答:没有了。哦,如果使自己的观察能更深入,请不妨多发挥自己的想象能力。其实,在现实生活中获得素材,观察和想象是同时在进行着,可以说观察是想象的基础;是一种推动力;想象是观察的能动,是一种引导力。这两种功能好,便可以创造"第二自然"。

问:还有呢?讲呀,再讲呀!为什么要保守呢?作家都是这样,说一半留一半,生怕把经验给别人说了,打了自己的饭碗?!

答:如果真是这样,何必上边讲那么多呢?这算什么经验?!

文学上的东西,是有规律无定式,有的问题可以讲,有的问题意会而苦于讲不出,有的问题压根就不知道怎么讲。创作创作,各人在创,创也是一种摸索,一种试验。

问:又回到了那个悟性吗?好吧,这个问题就不讲了,那么三大功能的第二个,第三个,能随便再谈谈吗?

答:那……(从略)

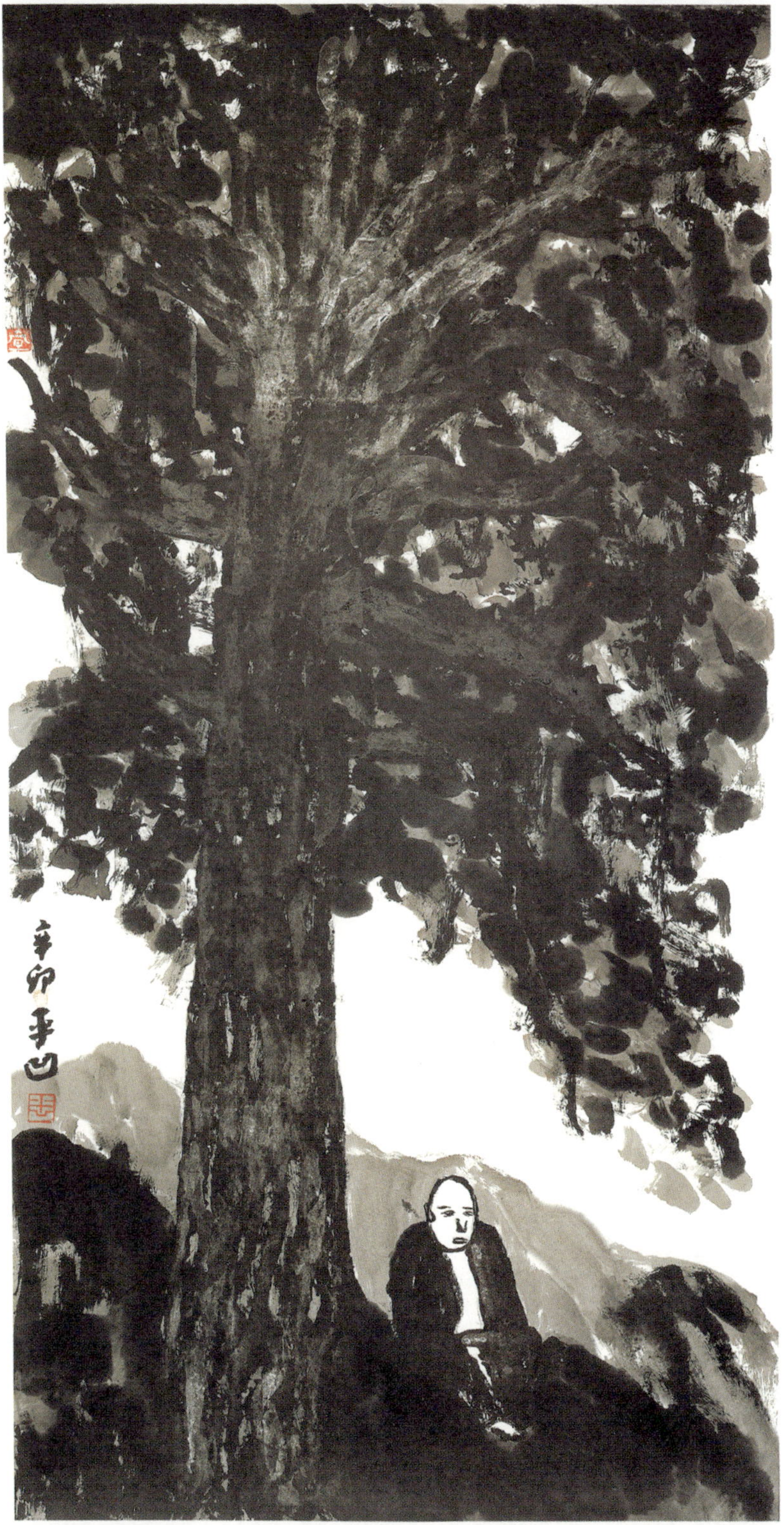
辛卯 平凹

他回到长九叶树的故乡

九叶树在等待着他。一个世纪,两个世纪,四百五十个反反复复的岁月,等待似乎是太长久了,太寂寞了。不,有太阳和月亮在照着九叶树;太阳在显示着白天,月亮在指示着黑夜。它是等待得渴渴的了,但信念从没有消失,缓缓的,一年一度圆满着一个木轮,将自信的液汁贯通于每一片叶子的脉纹,现在已是两搂粗的围长,三丈高的主干,九个曲龙一般的横枝了。树下的那座木石结构的庙宇呢,倒塌了一次,再复修一次,又倒塌了去。一块记载着它的历史的石碑已经断裂了三分之一,风雨腐蚀,斑驳脱落得一字也不能辨了。九叶树,一直还在等待着,站在群山之上,让锦鸡驮着五彩落在枝上,让香獐子带着麝香卧在树根,它相信他是会回来的。

他终于回来了!他的爷爷,爷爷的爷爷的爷爷,从这里走出了山,到中国的北方去,建造了一座城市,他这故乡的第八代子孙,是一名典型的都市人了。他并且成了一个诗人,时代的风云,使他能写出一手朦胧诗,诗坛上传诵着他的现代派的诗作和他现代文明的人的名字。他的祖先因为接触了文字,走出了山,去参加城市的建造,他的知识却使他越来越不满意城市的烦嚣,感到了拥挤的疲劳,现代物质的厌倦。

他写过一首闹市印象的诗,不愿意发表,却常常翻出来自我嘲弄：

　　一个人工的山，三个人工的海，人也被人工了，分住在百万个房间的世界。十三层、十五层高的大楼是居住者的十三层、十五层高度的厚底鞋。

　　一锅滚烫的开水在车站地道口，翻浮着没完没了的脑袋。四个轮子的，两个轮子的，还有一双腿，在东西大街上展开了越野比赛。

　　有一天，他百无聊赖，又念着这首诗，一位故乡的人来拜访他。他们谈得很投机，他询问着故乡的一切，一切都感到新鲜，产生了从未有过的吸引力。"你也该回去一趟了，那里会改变你这种空虚呢！"故乡的人在鼓动他，说那里的乡亲父老并没有忘记他，那里的山山水水也不会遗弃他。故乡，对于他来说，是梦一般的，是莫测，是神秘。他只知道在西北有一个陕西，陕西有一个商州，商州有一个山阳县，那是一个边远的偏僻的山高沟深的地方；能看到些什么呢？能得到些什么呢？

　　于是，故乡人，首先提到了这棵等待了四百五十个年月的九叶树。

　　于是，排除了一切困难，下定了最大的决心，他，回到生长着等待他的九叶树的故乡来了！

　　乘火车。搭汽车。骑驴。骑牛。一回到山阳县，他大呼小叫了：天下的山难道都跑到这里来了吗？诗人的得意立即要放浪形骸了,他当真相信起唐朝贾岛描述过这里的诗:"一山未了一山迎,百里无有半里平,疑是老禅遥指处,只堪图画不堪行。"也果然过起温庭筠的生活:"鸡声茅店月,人迹板桥霜。"四乡信步,八村游走,辰出不知早,酉归不晓黑,从此得知地间犹是一者,是县南百二里的金线河也,云外自为峰者,是县东八十里的天竺山也。雨后的馒头山上,一派清晖绕,万木八远空,雾中的丰阳塔,影看离合处,色辨有无中。山川清明钟秀,其精光灵气随脉势聚结,湾湾可见奇崖,崖下必有人家,居家宁可无肉,却不能没竹没荷。三、六、九日,人们赶集,背土产入城进镇,携美酒回村返里,唱二黄耕于田,吹笛箫在桥头。他狂得在田埂上追赶那初生的牛犊,牛犊在空中跳跃,将身子弯成弓形,他就在地上打滚,然后四肢放开,大口呼吸,叫:"这里可以出售空气,向中国的城市出售!向全世界出售!"

但是,他还没有造访九叶树。因为九叶树还在更深远的山里。他有些疑惑:这是九叶树故意安顿的吗?它等待他了四百五十年,这相会的场面应该是更庄严的,伟大的。几天来的见闻,那只是一种陪衬,一种欢迎的仪式。他还得再走,再走,走。沿着天下唯一的一条西流水的丰阳河,自行车骑不成了,坐驴,驴走不成了,步行。毕竟,他是找着了这条沟:刘氏沟。沟并不宽阔,甚至沟口小得如是一个门道。两边的石崖黑黝黝的,似乎随时便要合拢!一道流水,颜色青绿,水底的石头也青绿,里面有鱼,掀动石头,便有小蟹爬出来。先喝一口吧,这是没有污染的水,不会有氮肥厂排泄出的氨,不会有塑料厂排泄出的硝。用手掬起,水却清白,清白得不复存在了。沟口的浅水里是一排列石,紧跑着过去,一转过弯儿,山却豁然开朗,闪出几里阔的河沟。已经是冬天了,台田畔上、桦木树上架着收获过的禾草,架得像小塔一样。柿子树,多么沉重安静,有的是粗大的黑桩和细微的小枝的组合体,有的则枝桠呈一个扇形,酷如佛窟中女菩萨的三十六只向上张开的手。河沟的两边,半里路便又是水沟,人家就出了。他从来没有见过这样的图画,是传统的国画,又是外来的变形画:斜斜的沟垴畔上,一边是密密的林子,一边是一座高出一座依山而筑的房子,只看到山墙,是瓦顶的黑和墙壁的白的组合,是一片顶的斜面和墙的方块的组合。洼地里的,则一家独户,屋在栳树林中深藏,左有山泉流下,右有竹林铺荫,弯弯的石阶路垂下来,一个木桩立栽的羊圈,一扇大青石盘的碾子。

他已经有些沉醉了,不明白自己是走到了一个什么样的世界?沿途的人家,一里一户,二里一舍,正在吃午饭,男人们都蹲在碾盘上,女人们就坐在门槛上,看见他走过,都站起来,笑笑的,筷子敲着碗沿说:"吃些饭吧!"眼光是热情诚恳,隐隐有一些拘谨和羞涩。山民们愈是热见他,他愈是平和,往日的清高,诗人的伟傲,他觉得一点也用不上,才意识到那是现代文明世界的产物。"我是来看九叶树的!"他大声地说。看九叶树?这四个字使这个山沟的老少惊异:多少个年来,他们还没有听到有跑几千里路来看一棵树的。惊奇之后,他们得到了心身百分之二百的激动,似乎是被快乐的炸药粉碎在空中。讲九叶树的传说,讲九叶树的形状,争先恐后的来当向导,将他领到古树的脚下。

树在上边,上边是四百五十年来默默静伏的山,是云的世界,是雾的世界。群山都在它的脚下,万木都在寒冷和疾风中匍匐着身躯,一轮太阳,一升起在那里,整个天宇就堂堂朗朗的光明了!

这就是等待了他四百五十年的九叶树吗?这就是他赶了几千里路云和月来拜谒的九叶树吗?他开始往山上爬。山陡得几乎是八十度,九十度,帽子在走不到五百米高的时候就从头上滚下去。路是没有的,只能踩着石嘴,攀着松树、桦树、柏树、栲树。他几次滚下来,但又都安然无恙,因为树桠总是将他卡住。他有些发笑,觉得走这种无路的路,艰难是艰难的,却一旦失足并不会出现一切都推他掉下去,草木非人,却都用枝柯的手拉他,携他。他稳稳地坐在半山腰,浑身冒汗,就看见那太阳,红红的,一个燃烧的大圆出现在九叶树的顶上,树的横枝,山的仄峰,使无形的光有了立体,三角的,斜面的,圆锥的,从上直通山下。光的立体是迷离的,什么也看不清,只听见有鸟的长鸣,嗡嗡的韵律。那没有照到太阳的地方,却幽森森的沉静,树的枝叶形成着一个一个塔的模样,一层比一层高上去,安宁,谧静,一片一片白云就在那里停驻不起。他刹那间感觉到失去了耳朵,山林的清静,通过他的眼睛、皮肤、头发,每一个细胞一直渗透到了他的心脏、大脑。攀涉的活动,使他呼吸紧促,但除了呼吸,仅仅只是呼吸。他记不起闹市里各种人的车的、机械的音响的烦躁,记不起那单位的是是非非的人事的扰乱,记不起那商店柜台前的拥挤,为孩子就业去跑看他人的眉脸,为把煤块搬到十五层高楼上反反复复上下二百二十五个台阶,还有幼儿的吵闹,妻子的唠叨……他说:"我现在不是丈夫,不是父亲,不是单位里的小干事,不是一个写诗的。"他只是他,一个五十岁的有头有脑有脚有手的人。

　　他终于抱住了九叶树！他显得太渺小,太单薄,自惭形秽。天底下竟有如此奇妙的树,他做了半生的诗,想象力却从来没有这么活泛过。整个大树,就像一座伟岸的建筑,只有一步半宽的山脊上,树的圆周东到边,西到边,柱粗的根却铁绳一般纠缠在四周的石崖上,石崖全被根撑开了,又和石崖化作一体,用石头敲敲,和石崖一样发出空空的响。他仰着脖子往上看,主干在三丈之上,分出九股,每一股却不是直的,一尽儿歪曲,歪曲却聚集和显示了一种强大的力,如九条腾空欲飞的巨龙。九龙头上,长着不同的叶子,是冬青的,花栗的,散柏的,刺柏的,青桐的,铁树的,栲木的,栗木的,松的。这些质不同、形各异的树种,却和谐地亲善地团结在一起,这种集草木四季荣华于一身的现象,是大自然的奇珍异宝的显露吗?是山川河谷的精光灵气吗?他没有见过,他断定天下百分之九十九点九的人没有见过。形容词里,有"天有九头鸟"的比喻,九头鸟何许模样,谁也不曾见过,但九叶树的比喻却从来未有过,九叶树的形状竟如此实实在在地长着,长了四百五十多年了啊!

　　山沟里,升起了白烟,白烟在树林子里被拉得细细的,又是端端地往上长。到山民们吃午饭的时辰了。

　　山民们听说他回来了,听说他来拜谒九叶树了,三三两两的,带了那剪了尾巴的狗爬上山来,给他携来自酿的柿子酒、用烟火用盐熏咸的鹿肉。他们来自每一个沟里岔里,他们不是一个家族,不是一个姓氏,谁也没有命令,连号召也没有,集合在九叶树下,要为他接风,办一次野餐的聚会。从九叶树旁的一条仄路下去一百米,那里有一块洼地,洼地里一堆乱石,那是古庙的遗址,左旁竟有一个潭,潭不大,水却深极,九叶树就倒映其中,活脱脱的九龙戏水。舀一盆水上来,在石头上架了,随便在哪里抓抓,就是一堆柴火,水很快就沸了,肉很快就烂了。他们轮流着给他敬酒,一杯,又一杯,他不能不喝。他在闹市里,心烦的时候喜欢喝酒,养成了一喝就醉的毛病儿,但他现在喝不醉,他看着一张张黝黑的、健康的脸,都在冲着他笑,笑得大胆,笑得纯净。拿自家的酒给别人喝,拿自家的肉给别人吃,闹市里是有的,但那是一种生存的手段,利益的交易,是中国"研究"名词的变异。现在,他只是放开怀的大饮。他们询问着大城市的事,以为他说的一切都是自谦,就谈论起他们的生活,说分地包产后,人尽了最大的劳作,地尽了最大的收获,他们分居在大山的沟沟岔岔,山养活了他们,他们也知道了做山的儿子的责任。白天,他们在山上耕耘、打猎、挖药、砍柴,夜里,他们打着松油节子、毛竹火把,一家一家去走动,唱二黄、花鼓。只要山口进来一个生人,他们立即会注意到,他们像熟悉手上的纹路一样熟悉这山沟的每一块石头、每一棵树,每一户人家的大大小小。红白喜事,是他们全体人民的集会,一家人结婚、生孩子,一家的快乐分享给全体人家,聚成无限快乐;一家人有灾有难,分散给全体人家承担,消失得没有了灾难。盖一座房,只有全体人来,大梁才能撑起,打一头野猪,只有众多的猎人才能包围呀!他静静地听着,突然流下泪来,他后悔回到这长九叶树的故乡太迟了,太迟了。在这里,人是太少了,人才显出了人的自重,人的互助。半生以来,他生活在城市,人是太多了,街道上的人使人不能大摇大摆地走,一趟一趟电车,人在那里压缩,肩靠肩,耳擦耳,但人却是陌生的,一到站,谁也认不得谁了。更是那楼房产生了"单元"的名词后,人与人也就完全"单元"了。他的空虚,他的无聊,他的愁闷,就都是在这种人与人的隔膜、孤独中滋长了。一时间,他觉得一身的充实,世界观为之改变,深深自恨自己那些曾经自鸣得意的诗作原来是多么的空洞、苍白和病态的呻吟啊!

"吃块鹿肉吧,再喝一杯酒!"山民们在劝他。

他满嘴油光,高高端起了酒杯,喝下去。山民们在唱着花鼓,他也在唱着,他不会词,也不会曲,但也张着嘴唱,末了就倒在山上,高高的天在他的上边,高高的山在他的身下,他九分九的醉了,却在说:"我是山的儿子,我是第八代的九叶树的传人!"

他是该回去了,他在九叶树下的山村人家度过了七个白天,七个夜晚,他算算日子,是到了假满的日子了。但他不愿意离开这九叶树,不愿意走出山。可是,这是不现实的,他现在的家还在城市,城市里有他工作的单位,那大街小巷的车流人流里,他还得拥挤,他要去上班。上班后的是是非非的错综复杂的明里暗里的旋涡,他还得去翻卷。还有那妻子、儿子女儿,由他为主体组合的家庭。

他要走了,跪在九叶树下,深深地磕头。他毕竟是一名诗人,诗的素质在他的细胞里,他摘了九叶树上九种叶子,小心翼翼叠夹在他的笔记本里。他抓了一把九叶树下的黑土,虔虔诚诚地装在贴身的衣兜里。他想给九叶树题一首诗,记下这一次最伟大的拜谒。但他实在想不出诗句。这是一块神奇厚重的土地,才长出了九叶树的好树,才生养了山民们的好人,他的现代派的象征的印象的朦胧的诗是用不上的,浮浅、轻薄,无能为力。

他从九叶树下走开了,他走出大山。他有了决心和勇气,要花上他全部的力量,以血液,以生命,即使后半生写出一首诗,那就是对九叶树写的,他要以这诗号召,使天下人都应该到这儿来,尤其是那些闹市里有苦闷的、烦恼的、消沉的、空虚的、无聊的人,都来吸吸这里的新鲜空气,都来看看这天地大自然的风光,都来重新发现和认识每一个人的"自我"。

1984年1月20日夜—21日夜草于山阳、商县
1984年2月14日午改抄于西安五味什字巷

一 匹 骆 驼

一九八三年秋天,西安的雨特别多,哪里也不能去得,古老而完整的围城里,日子过得闷闷的。到了十月,天津搞散文评选,获奖通知里有我的名字;妻很高兴,说:"你不是老念叨去那里吗?这下逢机会了,公私兼顾,你可以去见见孙犁了。"我说:"是的。"脸子就涨得红红的,几天里慌得捉不住事做。出门的日子越来越近,我却胆怯起来。我形象委琐,口舌木讷,平日很少往大城市去,更绝无拜见过什么名人,听说天津街道曲折,人又欺外,会不会在那里迷失方向,遭人奚落呢?再说去见孙犁,又怎么个言语呢?妻好骂了我一顿窝囊,自个就收拾起我的行李,带了家乡的葡萄酒、木耳、核桃。东西已装好了,我取了出来,说送这些东西,虽是家乡山货,但都是口吃之物,未免有些那个,我怎么好意思在人家面前掏呢?妻便又说:"那就把玉石枕头带上吧。"这是一件长长的玉石凿成的物件,冬枕不凉,夏枕消暑,能治头痛眼热;她的父母早些年里给儿女分家,特意留给她的一件作纪念。我就笑了:"这成什么体统呀,你视它是传家的宝贝,可于别人那就是一块冷石头了,何况那是乡下人用的东西,大城市里哪会用上?"妻是刚从乡下搬进城来不久,什么都以乡下人走亲戚待客的规矩准备。她就为难了,说:"你们这些文人,这也庸俗了,那也逊眼了,人家老老的人,你莫非空手去吗?"我蓦地记起在一张孙犁的照片上,看见过他身后的墙上挂着一幅骆驼的画,就说:"带一件唐三彩的骆驼吧,唐三彩有咱秦地的特点,骆驼又是老人喜爱的形象,岂不更有意思吗?"妻便依了我,小心翼翼将书架上珍藏的一匹瓷质的骆驼取下来,用绸子手帕擦了灰尘,一边包裹,一边说:"这使得吗,这使得吗?"

十月二日,妻按乡下的风俗,包了饺子给我吃了,亲自送我到车站,帮我拉了衣襟,叮咛勤勤注意把衣领整好。上车了,还说:"包儿不要放在行李架上,要抱在怀里。"我当然就抱了包儿,后来实在不方便,才爬上最顶的卧铺,用毛毯紧紧围在铺角。过上几个小时,就爬上去看看。谁也不知道那包儿装了什么,我一直留神着周围人的神气,会不会发生被盗的危险呢?夜里去睡,包儿放在枕边,地方小,不能仰躺,就侧着,恍恍惚惚的,但终没有掉下来。到了北京,乘客都争先往车下拥,我不敢妄动,最后一个下的车。车站上人很多,通道全挤满了,我第一次真切地感到了人多的可恼,又都慌慌张张,像要去武斗似的。我慢慢往前走,别人可以碰我,我却不敢碰别人。包儿挎在肩上,一只手又过去抱住,生怕包带突然会断了。吩咐同行的三个同伴分别在我前后:"若有人要碰我,你们要保护呀!"

出了车站,我仍疑惑不定,问道:"是不是有人碰着我了?"他们就哧哧谑笑。我说:"我怎么有一种破碎感?"他们更笑骂我是书呆子气,又故意逗我,提出一些满足他们的条件,说:"要不,我们就不保护你了!"我只好百依百顺。

本来从北京到天津,两个小时的火车就到。但出站,买票,候车,却花却了整整四个小时,下午五点五十八分,我们才坐上去天津的列车。乘客不多,包儿就坐了一个位,被我用手搂着。天黑下来,大家都疲困了,坐着打盹,我不能睡去,竭力从窗玻璃上往外看。外边的世界是黑颜色,玻璃上映出好多乘客的脸面,当然最清楚的是我的眉眼了:头发乱乱的,腮帮子显得更瘪。心想:我真是要去天津了吗?两年前,当我发表了一篇小小的散文,孙犁偶尔看到了,写了一篇读后感的文章。对于他的人品和文品,我很早就惊服得五体投地,我一个才练习写作的小青年的一篇幼幼稚稚的散文,倒得到他的笔墨指点,这使我很激动,也鼓起了我写散文的勇气。于是,我给他去了一信,万没想到,就在他收到我信的三个小时后,他便给我回了一信,谈了许多指点我写散文的见解。从此,我们就通起信来,他的每一次来信,都十分认真,有鼓励,有批评,直来直去,甚至在大年三十的中午,为我用毛笔书写了梁沈约的宋书谢灵运传论里关于作文语言变化运用的条幅。但我又不敢多给他去信,怕打搅一个七十岁高龄的老人的生活。一些朋友都劝我去天津看看他,我也时时作着去天津的念头。但正式要去了三次,三次也没有成功。一次已经买了车票,却因为突然有个紧急会议没有去成。一次到北京开会,和妻说好顺路去天津,但在北京车站徘徊了许久,又作罢了。我知道自己的劣性儿,害怕见人,害怕应酬,情绪儿又多变化,曾经三次登华山,三次走到华山脚下,却又返回了。一回到家里,就十分后悔,自恨没出息。想:三去华山而不登,华山会长存,三次去见孙犁却不能,老人已经七十,难道还能再活七十吗?现在,身下的车是实实在往天津开了,一个呆头呆脑的矮个子怎么行走在繁华的天津大街上,一个蹩脚蹩手的学子怎么坐在一位文学家的面前呢?我的胆怯儿又出现了,我赶忙闭上眼睛,心里说:什么也不要想,什么也不要想了。

夜里八点多,到了天津,我们给散文评委会打了电话,我估计电话打通车来还需一段时间,就放下包儿,一个人去找厕所,又一个人去买烟,才悠悠抽着,同伴就大声喊我,原来接车就在近处,在我去厕所时他们已接上头了。我忙跑近去,人都上了车,我一钻进去,车就开动。我悄悄问同伴:"我的包儿呢?"回答:"都装在车上了。""没轻放吗?""还用你说?"街道在白天或许平平坦坦,夜里灯光一打,路面却坑坑洼洼起来,车时不时颠一下。每一颠,我就心一紧:会不会颠坏骆驼?真想把包儿抱在怀里,但行李全放在车后尾仓,要取是不可能了。我心里就叽咕了,"不会损坏吗?""哪儿就能损坏了?""天津街道这么不平?"心里总不踏实,只恨离驻地太远了。到了招待所,车停了,迎接的同志指着面前的楼房说:就住在二层上。我看见二层楼上灯光亮着,窗口有人在叫着欢迎的话,我多么高兴啊!这时候,迎接的人去打开尾仓取行李,仓一打开,突然掉下一个包儿来,"咚"的一声,我一下子惊慌起来:这是谁的包儿,不敢是我的包儿吧?包儿掉下来,在空中是翻了个个儿,依然底部着地的,那是一个崭新的不大不小的外边有一个小兜的皮包,我"嗡"地脑袋就大了。一把将它拎起来,站在那里一动不动了。同伴们也都发觉了,都闭了气儿,看我的脸色,问:"怎么会是你的?"我还是说不出话来。"不要紧吧?"我说:"不要说,不要说了!"言语里有了几分恼怒。再也顾不得与一些人寒暄,提着包儿就上了楼,就进了安排好的房间。一边自言自语:不会打碎吧?怎么会打碎呢?但却不去打开包儿看看,反点上一支烟,千声万声在心里祝福:它是不会碎的,它掉下来的时候是底儿朝下的,哪儿会打碎了!足足过了两个小时,我又走出房间,故意和一些同志打招呼,说,笑。然后再走回来,将门插了,慢慢将包儿打开,心中充满了战战兢兢又迷迷糊糊的神秘色彩。啊!果然没事,骆驼依然在包儿里站着,高昂的头颅,下垂的脖子,我太兴奋了!再用手往下摸去,突然触到了什么东西,硬硬的,慢慢取出来,竟是一条断了的腿的瓷棍儿。我站在那里,眼睛一下子直了。

骆驼一共破碎了四条腿,三条是硬伤儿,一条的脚上碎裂成几十个粒颗儿。我没有了勇气把它送给孙犁了。第二天,到了孙犁家,老人正站在门口的花台子上,大个,暖洋洋的太阳照着全身,眼睛眯着,似乎有一种黑和蓝的颜色。经人介绍,他迟疑了一下,就叫着我的名字,同时拉我进了屋子,连声说:"我才给你写好了信啊!"桌头上果然放着一封写给我的信。这封没有邮票、不加邮戳的信手接手地邮到了。我一时不知说什么好。他显得很快活,倒水,取烟,又拿苹果;问了这样,又问了那样,从生活,到写作,一直谈到读书,他打开了他的书柜让我看他的藏书,又拿了藏书目录让我翻阅。吃罢午饭,当我红着脸讲了骆驼破碎的过程,他仰头哈哈大笑,说:"可以胶的,可以胶的!文物嘛,有点破损才更好啊!"两天后,我将胶粘好的骆驼放在他的书案,他反复放好,远近看着,说:"这不是又站起来了吗!"便以骆驼为话题,又讲了好多为人为文的事。

他是慈祥而又严厉的人,有好说好,有坏说坏。又是一个上午过去,又在那里吃饭,又是戴了帽子,拄了拐杖送我到院门口,又是叮咛我多来信。

这天夜里,我给家中的妻写了信,信中对于骆驼的破碎事自我责骂了一通,写道:"你也不要再怨我,其实世上的事本来就没有十全十美的,愈是不十全十美才愈有了诗意吧;越是珍贵的东西,越是容易破碎,越是容易破碎的东西,也越是珍贵的吧。我留给孙犁的是一匹破损的瓷的骆驼的遗憾,孙犁留给我的是人品文品的永久启示的满足啊!"

我的台阶和台阶上的我

在我的书架上写有四个字：穷极物理。因为我无所知，所以我无所不欲知。一到夜里，躺在床上就习惯于琢磨，琢磨世上的事，琢磨别人，也琢磨我自己。自己亲近自己太易，自己琢磨自己太难。我说不清我是个什么样的人物：得意时最轻狂，悲观时最消沉，往往无缘无故地就忧郁起来了；见人遇事自惭形秽的多，背过身后想入非非的亦多；自我感觉偶尔实在良好，视天下悠悠万事唯我为大，偶尔一塌糊涂，自卑自弃，二天羞愧不想走出门去。甚至梦里曾去犯罪：偷盗过，杀人过，流氓过，但犯罪皆又不彻底，伴随而来的是忏悔，自恨；这种自我的心理折磨竟要一直影响到第二天的情绪。

我说，我是一个好人，也是一个坏人，是坏好人。

现在农历二月二的惊雷快要响了。一声惊蛰之后，我就是三十一了。讲经的人说：人死后是可以上天国的。如果确实有那么一个天国，人的一生是从诞生的时辰就开始这种长涉的吧？去天国的路应该是太阳的光线，那就是极陡极峭的了。一年一岁，便是一个台阶啊！

一位伟人又说了：作为一个作家，将来去了天国，上帝是会请吃糖果的。天国里有什么好景，自不可知，但糖果是诱人的。十三年前的那阵,这诱惑便袭上我的心灵。于是从那时起,对于我来说,人生的台阶就是文学的台阶,文学的台阶也就是人生的台阶了。

一九七一年

我是个农民,穿着一件父亲穿旧了的长过膝盖的中山装,样子很可笑。因为我口笨,说不了来回话,体力又小,没有几个村人喜欢和我一块干活。我总是在妇女窝里劳动的,但妇女们一天的工值是八分,我则只有三分。半年后我被提升了,工分多加了五厘。我去砍柴,一程三十里地,我只能背五十斤。滚坡过一次,只说粉身碎骨了,偏大崖上三棵桦树拉住了我;独独的三棵桦树啊,我又活在了人间。邻居一位婶娘讥笑我不如人,我指着门前公路上一位妇女骑自行车,反诘道:"人家女人能骑自行车,你行吗?"

同伴们都开始定媳妇了,我没有。娘很急,四处托媒,我倒火了,将李太白的诗写在山墙上:"天生我材必有用"。

公社兴修一座大水库,我跑去了,干了三天,我拉不动车子,也抡不了大锤,被开销了。过不久又去,毛遂自荐会写毛笔字,可以刷标语,于是大获成功!后来竟成"工地战报"的主编、编辑、记者、刻写、油印、发行、广播,集七职于一身,日子很清苦,工地偶尔改善生活,吃一次肉,每人三片;我吃一片,两片用蓖麻叶包了,夜里跑十里山路回去让娘吃。

为了活跃战报的版面,我学会写各类字体,学会绘画插图,学着写诗。有一首诗反应不错,有人鼓动让投寄省报去,说发表了可以得稿费。我心动了,誊抄清楚,赶回家去邮寄,但没有钱买邮票。向娘要,娘不给。我说:"借八分钱,过十天了,一定还五角!"稿子投去后,从第二天起,就留心省报。一天过去,五天过去,乡邮员一到工地,迎接的就是我。我把报纸从头至尾翻看,寻我的诗作,但是没有。就盼着明天的报,明天又盼着后天的报,如此半月过去,泥牛入海,毫无消息。忍不住问一位老大学生,他大笑,说:"编辑早把你的稿子揩了屁股了!"我失望了,再也不敢做投稿的事;欠娘的钱,娘忘了,我也装着忘了。

一九七二年

五月份,偶然的机会,我竟到西北大学读书了。

从山沟走到西安,一看见高大的金碧辉煌的钟楼,我几乎要吓昏了。街道这么宽,车子那么密,我不敢过马路。打问路程,竟无人理睬。草绳捆一床印花被子,老是往下坠。我沿着墙根走,心里又激动,又恐慌。坐电车,将一顶草帽丢失了。去商店,看见了香肠,不知道那是什么,问服务员,遭到哄堂大笑。我找不着厕所,急得变脸失色,竟大了胆儿走进一个单位的楼上,看见"男厕所"字样,进去,却见一排如柜一样的摆设,慌忙退出来;见有人也进去了,系着裤带走出来,便疑惑地又进去。水火无情,逼得我一拉那柜的门儿,才发现里边正是大便池子。

到了学校,第一次不睡土炕,总不踏实,老听见远处的火车声叫。真想娘,眼泪哗哗地流下来。

老师要求每一个新生写一篇入校感想,不知怎么,我突然想做一首诗,结果写得很长。交上去,三天后,第十期校刊出版了,上边尽是教师们的诗文,作为学生的,仅仅是我那一首诗。消息不胫而走,我成了同学们中的新闻人物。我走路还是老低着头,但后腰骨硬硬的。心里说:西安有什么了不起呢?诗这玩意儿挺好弄嘛!当年想当作家、诗人的梦,又死灰复燃了。

到城里的大街上去,风度翩翩的城市人乜视着我,我也回报着乜视,默默地背诵着五八年的一首民歌:"天上没有玉皇,地上没有龙王,喝令三山五岳开道,我来了!"

一九七三年

我几乎天天在做诗了,夜夜像初下蛋的母鸡,烦躁不安地在床上构思;天明起来,一坐在被窝上就拿笔记下偶尔得到的佳句。一天总会有一首诗、两首诗出来,同学们都叫我"小诗人"。

在校刊上连续又发表了几首,我便有些不满足了,想冲出校门,杀到西安市去。我得空就往市里的一家报社和一家刊物的编辑部跑动了。我没有钱去坐车,我有两条能跑的腿。常常就误了吃饭。编辑部的大门,我看做如阎罗殿一般森严。去了,却总在门口徘徊许久,紧张得手心直冒汗,在编辑面前,人家不让坐,我是不敢坐的。他们的每一句话,我只是往心上记。我认识了两位编辑,脸色不好看,言辞又都生硬,但皆诚挚,每每看过我的习作,劈头盖脸砸一通后,又说比前一篇强了,要我再写,又提供一些书目去读。我太感激他们了。源源不断地将稿子送给他们,他们又源源不断地退还给我。半年多过去了,我写了十几万字的小说、散文、故事、诗歌,竟没有一个变成铅字。但我感觉良好,总相信我还能写。每写出一篇,为了刺激鼓励,我就偷偷一个人到校外食堂去,买四两面条,或是两个馍,一碗鸡蛋汤,慰劳一番。

我四处求教。但凡在文学上有一字指点,便甘心三生报恩不忘。有一次,同一位同学骑自行车去找一个诗人指导诗文。边骑边讨论,车过十字路口,竟忘了躲避交警,结果连人带车扣住,挨了一顿辱骂,两拳击打。要么罚款十五元,要么没收自行车。我俩眼泪汪汪。十五元谈何容易?自行车又是借来的!雪地里仰天长叹。无奈,去商店讨了一张包装纸,买了一支铅笔,又买了一把七分钱小刀削了,趴在马路上写检讨,把罪恶的帽子全部戴在头上,把最求饶的语言全部连接。五个小时后,终于感动了上帝,自行车要回来了。诗文没有得到指点,但从此知道了"无产阶级专政"的厉害。至今骑车上街,一到十字路口,老远就下来推着走了。

一九七四年

就在我完全没有希望的时候,我的第一次真正的创作,一篇两千字的散文,在《西安日报》上发表了。

这天是星期天,我抱着几件旧衣服到城中一家小店里去缝补。缝补的价钱很高,那个红鼻子的老头惹我生了一肚子气。路过市邮政大楼前,那里有一个卖报的小摊,无意儿朝报摊上瞥了一眼,那报纸上显赫地有一行大字:《深深的脚印》。我立即目光直了,跳将近去,果然看见了铅字打出的我的名字。我锐声叫了一下,四周的人都看我,我自知失态,面烧如炭,赶忙逃走了。逃走得当然不很远,等四周的人散去,就想立即去购得十张二十张。但摸摸口袋,仅剩二角钱。我故意慢腾腾地满不在乎地重新走近报摊,说:"买十张!""十张?"卖报人戴着眼镜,镜片一圈一圈像烧酒瓶底,看了我一会,说,"你这中学生,买那么多干啥?包辣面吗?"我很窘,想说:"谁是中学生,这上边的文章就是我写的呢!"但我不好意思说出来。卖报人只卖给一张,声称不要糟蹋了新报。我只好买了一张。

当天夜里,我给父亲写了一封信,告诉了这一重大喜讯。信上说:"我开始有了脚印了!"但这张报纸我没有给父亲寄,因为报社赠我的样报还未收到,我要留着每天晚上温习一遍呢。

一九七五年

我写得越多,我越不是个好学生,班干部常常来提醒我"只专不红"的危险。一次一次写入党申请书,一次一次当班上宣布:党员留下,我便起身走了。我仅仅是一个团员,当同学提议让我作为团小组长的候选人时,有人就训起提名人:"你怎么能提到他?!"我那时很苦闷,恨自己不会找领导"谈心",恨自己能写诗文而写的大批判文章总是不能让人家满意。有一位干部让我猜一条谜语:"晚上不睡觉,早上不起来,起来不吃饭,就往教室跑。"说是打一人,问我是谁? 我说:"我。"说完一个人跑到阅览室后的花园里,委屈地抹了一把眼泪。

我很想喝酒,没有钱。学会了吸烟;九分钱一包的"羊群"烟,每天规定根数来吸。那时正与一同学合作写一部抒情长诗,写得疲倦,掏烟来吸,竟遭到有钱抽"大前门"的学生的斥责,嫌其劣等烟草呛人。

诗写成功了,与别人的长诗合在一起出了书。我和我的合作者特意各筹集了二元五角,进城玩了一天,照了四寸纪念相,逛了一次公园,下了一顿饭馆,又买了一包高级烟,给那位斥责我们的同学敬了一根,说声"谢谢"。但是,当我们去一家小书店购买十本我们的书时,时髦的女售货员总是不理睬我们。这是个胖脸的女子,脸上白粉很重,眉毛也涂白了。我们喊她喊得紧了,她说:"那是诗! 看得懂吗? 看了就不许退!"热热的心被一盆水泼凉了。我们说:"就要那本书!"傲慢的女子在我们拿书走出门时,还在奚落:"什么人也买诗集?!"我说:"哼,这书就是我写的呢! 等着瞧吧,说不定将来你会给我写求爱信呢!"这话是我走出书店三千米远的一个拐角说的。两年后,觉得这种话虽然她没有听到,但实在太粗野,想去对她忏悔一下,但去过两次,却再找不见她了。

一九七六年

一条破被子,一件小褥子,一条床单,一块塑料皮,伴随了我三年大学生活。冬天的夜里很冷,就借同学们的大衣覆盖,一到下雪天,大衣借不到,夜夜只好蜷着。我至今笑着对一些朋友说:现在个儿不高,全是那时睡觉伸不直所致。夏天,一宿舍六人,五人有蚊帐,我没有;蚊子全集中到我身上,可幸那时比现在胖,有的是喂蚊子的血;只是那时还支援越南,要求学生献血,我被抽去300CC,补养费二十元,我舍不得去吃喝,全买了书。身子从此垮下来,以致到今日面如黑漆,形如饿鬼。

好了,总算毕业了。按条件,我是该回山区去教学,但省出版社的同志却硬要了我去。我摇身成了一位编辑,分住在五楼的一个六平方米的斗室里。

一九七七年

我自由了,可以尽情地抽劣等烟了,可以彻夜不熄灯地看书写作了,可以不发愁没稿纸了,可以不再四处搜寻牛皮纸糊寄稿信封了。房子很乱,到处都是书、纸,谁也不来敲我的门。我一进去,就进入了创作的境界,我什么也不担心,只担心发生火灾。有人要和我换房,我拒绝了,因为我没有手表,但隔窗就一眼能看清报话大楼上的大钟表,还能看见城市的日出。单位人讥笑这六平方米是个鸡窝,我却写了三个字贴在门框上:凤凰阁。

快活的日子没有多久,我便陷于极端的愁苦之中。社会上的复复杂杂,单位上的是是非非,工作上的绊绊磕磕,爱情上的纠纠缠缠,我才知道了一个山地儿子的单纯,一个才走出校门的学生的幼稚。我一面读中外名著,一面读社会的大书。我开始否定了我那些声嘶力竭的诗作,否定了我一向自鸣得意的编故事的才能,我要写我熟悉的家乡的人和事,我要在创作中寻找我自己的路,提出的口号是:打出潼关去!

稿子向全国四面八方投寄,四面八方的退稿又涌回六平方米。我开始有些心冷,恨过自己命运,也恨过编辑,担心将来一事无成,反误了如今青春年华,夜里常常一个人伴着孤灯呆坐,但竟有这样的事发生:熬眼到了一点,困极了,只要说声睡,立即就睡着了;如果再坚持熬一会儿,熬逛了眼,反倒没瞌睡了。于是想:创作也是如此吗?就发奋起来,将所有的退稿信都贴在墙上,抬头低眼让我看到我自己的耻辱。退稿信真多,几乎一半竟是铅印退稿条,有的编辑同志工作太忙了,铅印条子上连我的名字也未填。

水泥楼上没有大梁,要不,系一条绳,吊一个苦胆,我要学勾践了。

一九七八年

创作是没有格式的,但有其艺术的规律,总算摸出点门道了。原来创作之大门,未走进去的时候,门厚如城墙;一旦走进去,却薄如一张竹纸。稿子的采用率逐渐在提高。我着了魔似的写,先安徽,后上海,再北京,再广州,这些大地面我至今还未去过,大地面的大刊物却被我的稿件几进几出。

《满月儿》在京获奖,赴京的路上我激动得睡不着,吃不下。临走时我一连写就了七八封信给亲朋众友,全带着,准备领奖的那天从北京发出。但一到北京,座谈会上坐满了老作家,坐满了新作家,谈谈他们的作品,看看他们的尊容,我的嚣张之气顿然消失。咦,我有什么可自傲的呢?不到西安,不知道山外的世界大小,不到北京,不知道中国的文坛高低。七八封告捷的信我一把火烧了。

颁奖活动的七天里,我一语不发。我没什么可发的。夜里一个人在长安街头上走,冷风吹着,我只是走。自言自语我说了许多话,这话我是给我说的,我不想让任何人知道。所以,直到现在,请原谅我还是不能披露出来。

回到家,我把获奖证书扔给了妻子,告诉说:"请把它压在箱子底,永远不要让人看见!"

一九七九年

这一年,文坛上新人辈出,佳作不断。惊叹别人,对照自己,我又否定起我前一段的作品,那是太浅薄的玩意儿了。我大量地读书,尽一切机会到大自然中去,培养着作为一个作家的修养,训练着适应于我思想表达的艺术形式。我不停地试探角度,不断地变换方式,我出版了三本小书,却不愿意对人提起这些书名,不愿意出门见人,不愿意让外人知道我是谁。

从夏天起,病就常常上身,感冒几乎从没有停止,迟早的晚上鼻子总是不顺通。我警告着自己:笔不能停下来。当痔疮发炎的时候,我跪在椅子上写,趴在床上写;当妻子坐月子的时候,我坐在烘尿布的炉子边写。每写出一篇,我就大声朗读,狂得这是天下第一好文章。但过不了三天,便叹气了,视稿子如粪土一般塞在柜屉里。

冬天里,爱人调进了城,我的脾气却越来越暴躁了,动不动就发火,小两口常常闹气。每一次气都是我惹起来,每一次闹起来都以我失败告终。我知道这全是由我的创作不长进的烦恼所导致的,我恨死了我这个没出息的丈夫,一个孱头男人。

一九八〇年

沉沉闷闷的一年,像一堆湿柴火,没有生焰,只是冒烟。终于攻出了一批文章,外界的反应不错,增加了我的信心。比较起来,我有些得心应手了,而且习惯了一种战法:思考了什么,就写出一篇;写出一篇,就写出一批;一批写完,就重新开辟领地。评论家们对我的作品有了注意,评价文章骤然多了起来,似乎是有些小名气了呢。

我的得意劲儿又滋生了,耐不得寂寞,耐不得孤独,喜欢听好听的。

有了小名,有了小钱,小家庭也完满了,两本小书又编辑了,好一个"春风得意马蹄疾,一日看尽长安花"!

一九八一年

我什么都想写,顺心所欲。开始了学写中篇,开始了进攻散文,诗的兴趣也涨上来了。又爱起了书法、绘画、戏曲。又是没黑没明地干,又是洋洋得意地轻狂。

一九八二年

一批又一批作品的发表,我等待着它们的爆炸,等待着社会的赞美,但是,回答我的,却是评论家的批评。批评得多么严厉啊!随之,社会上对我的谣言四起,说我写得多,是掏钱雇佣了三四个人专门提供情节、细节呀,说我犯了大错误了,被开除了;甚至说我已被下放,赶出城去了。我懵了,不知所措,不知道该怎么办,路该如何走。一个人在没人处真想哭。

明月夜里,我坐在城北的铁道边,一趟又一趟听着火车的轰隆声。

半个多月,我不再写一个字。我得好好想想,再一次将所有的批评言论翻出来,一一思考。我慢慢冷静了,有则改之,无则加勉。我在日记中写道:平凹,你要是个没出息的,你就沉沦吧,一蹶不振吧。要是把文学当作一生的事业,就不必为一时的成功而得意,也不必为一时的挫折而气馁。铁锤砸碎的只能是玻璃,宝剑却得到了锻炼。

我总结着我的过去:生活积累还是不深,理论学习还是欠缺,艺术修养还是浅薄。

我请人画了一张达摩图,决心从头开始:深入生活,研究生活,潜心读书,寂寞写作。于是,拒绝参加一切出人头地的会,躲避去文学讲习班上作报告,推辞到一些报刊创作颁奖会上领奖。

一九八三年

思考仍在进行,创作仍在继续,作品仍有奖励的,也仍有争鸣的。

各级领导给我亲切的指导,众多的读者给我热切的鼓励。我脱离了编辑部,在家专职搞起创作。我有时间了,平心静气地去从事我的事业了。我出奇地变得豁达起来:有奖,我也去领;有批,我诚恳接受;该笑,就放声大笑;该检讨,就认真检讨。我对妻子说:"现在,全家要保障我这个重点了!"出门十一次,除了去开一些必须开的会议外,大都下乡去了。当然,不可能一下子吃个胖子,不可能立即拿出像样的作品。我将我的创作视为试验,或许这个试验很长,很长,甚至是整个一生。但我在鼓励自己,写吧,好的作品还没有写出来,就看你的了!坚信只要我忠实于艺术,艺术必会有一天与我亲近的。

三十岁了,自立之年。生日那天,我请了一次客,说:"朋友们,为了我的慢慢成熟,干杯吧!"我自己先喝醉了。

弹指十三年了,十三个台阶爬得我很累,妻子搬进城来,我先在西安北郊的静虚村居住,如今移到了城中的五味什字巷里。我构思了一幅画:我拽着碌碡在上台阶,我不敢松劲,一松劲,碌碡就滚下去了。可惜我画功太差,不能作出。我知道前面的台阶还很长,一级一级还很高。我体力不行,气喘得厉害,眼看着大队人马都从我身边一跃而上了,我只是揉腿,捶腰。但是,我的眼光在看着台阶,我说,要到天国去,要得到糖果,我的出路只有上台阶,只有沿着台阶往上走。夸父不到大海就渴死了,他死得悲壮。我或许在半路上也要倒下,但是即使倒下,我仍是一个上台阶的鬼。我在房子里重新换上了一个镜框,上边写了日本电视剧《排球女将》的主角小鹿纯子的话:

"我的目标是——奥林匹克运动会!"

1984 年 2 月 17 日

我的小传

姓贾,名平凹,无字无号;娘呼"平娃",理想于顺通;我写"平凹",正视于崎岖。一字之改,音同形异,两代人心境可见也。

生于一九五三年二月二十一日,孕胎期娘并未梦星月入怀,生产时亦没有祥云罩屋。幼年外祖母从不讲甚神话,少年更不得家庭艺术熏陶。祖宗三代平民百姓,我辈哪能显发达贵?

原籍陕西丹凤,实为深谷野洼;五谷都长而不丰,山高水长却清秀。离家十年,季季归里;因无"衣锦还乡"之欲,便没"无颜见江东父老"之愧。

先读书,后务农,又读书,再做编辑;苦于心实,不能仕途,拙于言辞,难会经济;捉笔涂墨,纯属滥竽充数。若问出版的那几本小书,皆是速朽玩意儿,哪敢在此列出名目呢?

如此而已。

仙 游 寺

周至县南有一山,名终南,曲折迂回,别于天下所有名山,山中有黑河,更曲,曲到山为一窝水为一圈的极致处,有一塔一寺的,这便是仙游寺。仙游寺建于晋朝,是隋文帝的避暑行宫,唐代白居易在此客居,写就了千古绝唱《长恨歌》,故历来为游览胜地。近多年里,黑河暴溢,山路崩塌,寺院颓废,但仍时有游人沿山根荒草里前去,却不是烧香拜神,也不为消暑玩乐,是怜念古昔爱情悲剧,为纪念白居易而来。今春三月,我到了县城,两对大龄未婚人陪我去游,说:"到那里,你可见到好多有缘无命的人呢。"步行入山,果然水在路下,路在草里,草顺山转,如入迷宫,作想白居易之所以能在此作《长恨歌》,且不说他那时感世伤时,单这山曲水曲不尽,便也悟觉了人生的复杂,爱情的波折了。遗憾的是那天沿途并没见到别的游人,我只是头头尾尾地听清了这两对大龄未婚人各自的是是非非,哀哀怨怨。

行到五里,坐看寺容,水是从后山来的,并无山石阻拦,就白白地划一圆圈,那圈即将接榫处,水却向下流去。塔就在圆圈中,共八层,上小下小,中间饱满。上小者,为风之摧折,生就了无数蒿草,有斑鸠在那里啄朋鸣叫,下小者,则水的腐蚀,差不多的砖已朽去,蚂蚁在缝隙里拥挤。塔后有一寺,木的结构完整,檐下壁画却脱落,门上锁,又贴上了封条,窗扇被油毛毡从里钉死,窥内不能,但见前檐下吊一蜘蛛,大若拇指蛋,触之便沿丝而上,静卧檐角装板上俨若石块。寺门上墨笔题有"大雄宝殿",知道该寺并不仅此,环顾四周,分散有四户人家,两家是高脊拱瓦,檐头挂有瓦当,该是寺的厢房。四户人家正吃午饭,一律黑瓷大碗,睁白多黑少的眼睛看人,表情木木,只有门前木桩上拴的两头牛,一头犍,一头孺,头尾相接,发一种"哞"声。殿前共有五柏,四柏新植,粗已盈握,一株古老焦黑,一身疙瘩,若没有顶上三片四片柏朵,疑心是石头砌的。近视,腹内全完,如火烧过,从树皮的黑疙瘩里透出一个连一个的黑窟窿。

寺彻底是废了,怪不得五香无火,福禄寿的神耐不得这种寂寞,信男信女们的黄表草香也不会无目的地来烧点的,只有《长恨歌》诗灵尚在,爱神是不在乎物质条件和享受的。两对大龄未婚人已经抚柏仰天,长长地叹息了。

五个人里,我是不幸中的幸人,观寺就索然无味,于是离开塔往河边去。踏过一片麦田,麦苗起身,绿得软而嫩,再下去就是荒滩,却是在石堤之内,乱乱地躺伏了一片石头。石头浑圆如打磨过,雪白,眯眼远看,像芦草地里突然飞走了一群鹅鸭,留下一层偌大的新蛋。走上去在石头上跨踏跳跃,就有一种草,叫黄蒿的,去年就长上来,临冬干枯,枝茎硬而未折,疏疏地从石缝间生出二尺余高。呆呆拣一块石坐下,便感觉到这黄蒿疏得温柔,疏得妩媚,使蒿下的白石显一种朦胧,如在纱里,烟里,风起蒿动出石亦似动如梦幻。再走过石滩,下堤到水边,河中巨石堆积,脚下碎石漫漫,

祥雲

便见有一种石,如朽木一般,如腐骨一般,敲之则坚硬,嘣嘣价响,甚是稀奇好看。玩石坐下静观流水,名曰黑河,水却澄清,历历可见水底石头,有指长的群鱼游来,遂掏饼捏蛋儿掷去,鱼便急而趋之,饼随水漂,鱼随饼游,倏乎全然不见。忽一阵风起,水色不变,似若五云之浆,举着看时,才是对面上岸有无数的桃榆,临风落英。一时兴起,直唤塔下的两对大龄未婚人,他们皆不动,我便急不可待地脱鞋挽裤欲过河去攀折,无奈那水凉得瘆骨,又兼水中石看着清净,踩之滑腻非常,几个趔趄,险些跌倒,只好出水上岸,快快抓一些枯草燃火吸烟。此时风又静,夕阳从河边上升,停留在对面崖头的独树桃花上,面前的枯草火燃灭了,烟缕端直。

塔下的大龄未婚人赶来了,五人盘地而坐,我遥指后山垴上一片松柏中的屋舍,问是何处?他们说:是一小庙,庙里有一尼姑。问多大年纪?答曰:三十六。再问:如此年轻,为何出家?四人沉吟多时,方说:曾是下乡知青,婚事迟迟未能解决,后来连找几个,皆受波折,心灰就出家了。我顿时可怜那位夜对青灯的女子,社会如何耽误了青春,人世又如何沉沉浮浮,也不至于万念俱灭、消极遁世呀?!欲前往造访,但白云堆没了山垴,才行至塔后,那下山的小路上野花也迷了去径,幽鸟在风前鸣叫,只好作罢。两对大龄未婚人又去塔下了,且用石子在塔上划动什么。我赶去问:做什么呀?他们说:留言。看时,他们各对在上面写了:"××与×××于某年某月某日又游。"在这留言之上,又有四行留言,全是他们的名姓,日期则一是五年前,一是三年前,一是去年,一是今年正月。细看塔身,上边竟密密麻麻全有字,什么内容的都有,落款皆是一男一女。我不再责斥他们在文物上这么题字了,心沉得往下坠,也捡起一块石子在塔上题道:多少情人拜塔前,可惜再无白乐天。掷石说声:回吧。五人返回,又是到了山曲水曲处,扭头看那寺塔,没听见什么孤钟敲响,而水曲成潭,流溅空音如风里洞箫。大龄未婚人说:你今日没有游好,游人是太少了。我说:但愿人更少。四人无语,突然说:我们也是最后一次来游这里了。我说:那好呀,我祝贺你们!到时候我送你们什么礼呢?他们说:什么也不要你送,你是作家,你就写这里一篇文章吧,让天下都知道这里还有这样的事情。我满口答应,我虽文才不逮,我却真诚关心那些大龄的未婚男女,也企期所有人,整个社会来真诚关心,便于当夜草出此文。

1985年3月23日于静虚村

自　传
——在乡间的十九年

一九八三年一月八日,我从城北郊外迁移市内,居于三十六点七平方米的水泥房,五个门开关掩闭不亦乐乎,空气又可流通,且无屋顶漏土,夜里可以仰睡,湿湿虫也不满地爬行,心遂大足!便将一张旧居时的照片悬挂墙上,时时作回忆状。照片上我题有一款,如此写道:

"贾平凹,三字其形,其音,其义,不规不则不伦不类,名如人,文如名;丑恶可见也。生于一九五三年二月二十一日,少时于商山下不出。后入长安,曾怀以济天下之雄心,然无翻江倒海之奇才,落拓入文道,魔蚀骨髓不自拔,作书之虫,作笔之鬼,廿二岁,奇遇乡亲韩××,各自相见钟情,三年后遂成夫妻。其生于旧门,淑贤如静山,豁达似春水。又年后得一小女,起名浅浅,性极灵慧,添人生无限乐气。又一年入城合家,客居城北方新村,茅屋墟舍,然顺应自然,求得天成。为人为文,作夫作妇,绝权欲,弃浮华,归其天籁,必怡然平和;家寞平和,则处烦嚣尘世而自立也。"

随便戏笔题款,没想竟做了一件大事,完成了而立之年间第一次为自己作传。今读此传,甚觉完整,其年龄、籍贯、相貌、脾性,以及现在人极关心的作家的恋爱、家庭、处世态度无不各方披露。故《新苑》杂志要求自传,以此应付,偏说太单,迟迟一年有余不肯再写,惹得杂志社几乎变脸,生怕招来名不大气不小之嫌,勉强再作一次,发誓以后再不作这般文字,即就老死做神做鬼,这一篇也权当是自作的墓志铭了。

这是一个极丑的人。

好多人初见,顿生怀疑,以为是冒名顶替的骗子,想唾想骂想扭了胳膊交送到公安机关去。当经介绍,当然他是尴尬,我更拘束,扯谈起来,仍然是因我面红耳赤,口舌木讷,他又将对我的敬意收回去了。

我原本是不应该到这个世界上做人的。

娘生我的时候,上边是有一个哥哥,但出生不久就死了。阴阳先生说,我家那面土炕是不宜孩子成活的,生十个八个也会要死的,娘便怀了我在第十月的日子,借居到很远的一个地方的人家生的。于是我生下来,就"男占女位",穿花衣服,留黄辫撮,如一根三月的蒜苗。家乡的风俗,孩子难保,要认一个干爹,第二天一早,家人抱着出门,遇张三便张三,遇李四就李四,遇鸡遇狗鸡狗也便算作干亲。没想我的干爹竟是一位旧时的私塾先生,家里有一本《康熙字典》;知道之乎者也,能写铭旌。

我们的家庭很穷,人却旺,我父辈为四,我们有十,再加七个姐妹,乱哄哄在一个补了七个铜钉的大环锅里搅勺把,一九六〇年分家时,人口是二十二个。在那么个贫困年代,大家庭里,斗嘴吵架是少不了的,又都为吃。贾母享有无上权力,四个婶娘(包括我娘)形成四个母系,大凡好吃好喝的,各自霸占,抢勺夺铲,吃在碗里盯着锅里,添两桶水熬成的稀饭里煮一碗黄豆,那黄豆在第一遍盛饭中就被捞得一颗不剩。这是和当时公社一样多弊病多穷困的家庭,维持这样的家庭,只能使人变作是狗,是狼,它的崩溃是自然而然的事。

我父亲是一个教师,由小学到高中,他的一生是在由这个学校到那个学校的来回变动中度过的。世事洞明,多少有些迂,对自己,对孩子极其刻苦,对来客却倾囊招待,家里的好吃好喝几乎全让外人享用了,以致在我后来做了作家,每每作品的目录刊登于报纸上,或某某次赴京召开某某会议,他的周围人就向他道贺,讨要请客,他必是少则一斤糖一条烟,大到摆一场酒席。家乡的酒风极盛,一次酒席可喝到十几斤几十斤水酒,结果笑骂哭闹,颠三倒四,将三个五个醉得撂倒,方说出一句话来:今日是喝够了!

这种逢年过节人皆撂倒的酒风,我是自小就反恶的。我不喜欢人多,老是感到孤独,每坐于我家堂屋那高高的石条石阶上,看着远远的疙瘩寨子山顶的白云,就止不住怦怦心跳,不知道那云是什么,从哪儿来到哪儿去。一只很大的鹰在空中盘旋,这飞物是不是也同我一样没有一个比翼的同伴呢?我常常到村口的荷花塘去,看那蓝莹莹的长有艳红尾巴的蜻蜓无声地站在荷叶上,我对这美丽的生灵充满了爱欲,喜欢它那种可人的又悄没声息的样子,用手把它捏住了,那蓝翅就一阵打闪,可怜地挣扎,我立即就放了它,同时心中有一种说不出的茫然。

这种秉性在我上学以后,愈是严重,我的学习成绩是非常好的,老师和家长却一直担心我的"生活不活跃"。我很瘦,有一张稀饭灌得很大的肚子,黑细细的脖子似乎老承负不起那颗大脑袋,我读书中的"小萝卜头",老觉得那是我自己。后来,我爱上出走,背了背篓去山里打柴、割草,为猪采糠,每一个陌生的山岔使我害怕又使我极大满足。商州的山岔一处是一处新境,丰富和美丽令我无法形容,如果突然之间在崖壁上生出一朵山花,鲜艳夺目,我就坐下来久久看个不够。偶尔空谷里走过一位和我年龄差不多的甚至还小的女孩儿,那眼睛十分生亮,我总感觉那周身有一圈光晕,轻轻地在心里叫人家是"姐姐"!盼望她能来拉我的手,抚我的头发,然后长长久久地在这里住下去,这天夜里,十有八九我又会在梦里遇见她的。

当我读完小学,告别了那墙壁上端画满许多山水、神鬼、人物的古庙教室。我以优异的成绩考上初中后,便又开始了更孤独更困顿更枯燥的生活。印象最深的是吃不饱,一下课就拿着比脑袋还大的瓷碗去排队打饭。这期间,祖母和外祖母已经去世,没有人再偏护我的过错和死拗,村里又死去了许多极熟识的人,班里的干部子弟且皆高傲,在衣着上、吃食上以及大大小小的文体之类的事情上,用一种鄙夷的目光视我。农家的孩子愿意和我同行,但爬高上低魔王一样疯狂使我反感,且他们因我孱弱,打篮球从不给我传球,拔河从不让我入伙,而冬天的课间休息在阳光斜照的墙根下"摇铃"取暖,我是每一次少不了被作"铃胡儿"的噩运。那时候,操场的一角呆坐着一个羞怯怯的见人走来又慌乱瞧一窝蚂蚁运行的孩子,那就是我。我喜欢在河堤堰上抓一堆沙窝里的落叶燃起篝火,那烟丝丝缕缕升起来可爱,那火活活腾腾起来可爱。

不久,"文化大革命"就开始。"文化大革命"开始的同时,也便结束了我的文化学习。但也就在这一年,我第一次走出了秦岭,挤在一辆篷布严实的黑暗的大卡车到了西安"串联"。那是冬日,我们插楔似的塞在车厢,周身麻木不知感觉,当我在黑龙口停车小解时,用手狠狠地拔出自己的脚来,脚却很小了,还穿着一只花鞋,使我大感不解,蓦地才明白拔出的不是我的脚,忙给旁边那一位长得极俏的女孩儿笑笑,她竟莫名其妙,她也是不知道她的脚曾被我拨动过。西安的城市好大,我惊得却不知怎么走,同伴三人,一个牵一人衣襟,脑袋就四方扭转。最叫我兴奋的是城里人在下雨天撑有那么多伞,全不是竹制的,油布的。一把细细的铁棍,帆布有各种颜色。我多么希望自己有那么一把伞,曾痴痴地看着一个女子撑着伞从面前过去,目送人家消失,而险些被一辆疾驰的自行车撞倒。在马路口的人行道上,一个姑娘一直在看我,我觉得挺奇怪,回看她时,她目光并没有避,还在定定看我。冬天的太阳照着她,她漂亮极了,耳朵下的那块嫩白白的地方,茸茸可爱的鬓发中有一颗淡墨的痣,正如一只小青蛙遇到了一条蟒蛇,蛇的眼睛可怕,但却一直看着蛇眼走近它。我站在了姑娘的面前,"你从哪里来?"她问。"山里。""山里和城里哪儿不一样?"她又问。"城里月亮大,山里星星多。"我如实说了,还补充一句,"城里茅坑(厕所)少。"她嘎嘎笑了一阵就起身跑了,我看见她在不远的地方给她的朋友们讲述我的笑话,但我心里极度高兴,这是第一个和我说话的城里人,至今我还记得起她漂亮的笑容。

串联归来,武斗就开始了。我又拎起那只特大的每星期盛满一次酸菜供我就饭的瓷罐回到村子里。应该说,从此我是一个小劳力,一名公社的社员。离开了枯燥的课堂,没有了神圣可畏的老师,但没有书读却使我大受痛苦。我不停地在邻村往日同学的家里寻借那些没头没尾的古书来读,读完了又以此去与别的人的书交换。书尽闲书,读起来比课本更多滋味,那些天上地下的,狼虫虎豹的,神鬼人物的,一到晚上就全活在脑子里,一闭眼它就全来。这种看时发呆看后更发呆的情况,常要荒辍我的农业,老农们全不喜爱我做他们帮手,大声叱骂,作践。队长分配我到妇女组里去做活,让那些三十五岁以上的所有人世的妒忌,气量小,说是非,庸俗不堪诸多缺点集于一身的婆娘们来管制我,用唾沫星子淹我。我很伤心,默默地干所分配的活,将心与身子皆弄得疲累不堪,一进门就倒柴捆似的倒在炕上,睡得如死了一样沉。

阴雨的秋天,天看不透,墙头,院庭,瓦槽,鸡棚的木梁上金铜一样生绿,我趴在窗台上,读鲁迅的书:

"窗外有两棵树,一棵是枣树,另一棵也是枣树。"

我的眼里噙满了泪水。

我盼望着"文化大革命"快些结束,盼望当教师的父亲从单位回来,哪一日再能有个读书的学校,我一定会在考场上取得全优的成绩。一出考场使所有的孩子和等在考场外的孩子的父母对我有一个小小的妒忌。然而,我的母亲这年病犯了,她患得肋子缝疼,疼起来头顶在炕上像犁地一样。一种不祥的阴影时时压在我的心上,我们弟妹泪流满面地去请医生,在铁勺里烧焦蓖麻油辣子水给母亲喝。当母亲身子已经虚弱得风能吹倒之时,我和弟弟到水田去捞水蜗牛,捞出半笼,在热水中煮了,用锥子剜出那豆大一粒白肉。我们在一个夜里关了院门,围捕一只跑到院里的别人家的猫,打死了,吊在门闩上剥皮。那是惊心动魄的一幕,剥出的猫红赤赤的十分可怕,我不忍心再去动手。当弟弟将猫肉在锅里炖好了端来吃,我竟闻也不敢闻了。到了秋天,更不幸的事情发生了,父亲,忠厚而严厉过分的教师,竟被诬陷定为历史反革命分子而开除公职遣回家来劳动改造了。这一打击,使我们家从此在政治上、经济上没于黑暗的深渊,我几乎要流浪天涯去讨饭! 父亲遣回的那天,我正在山上锄草,看见山下的路上有两个背枪的人带着一个人到公社大院去,那人我立即认出是父亲。锄草的妇女把我抱住,紧张地说:"是你老子,你快回去看看!"这些凶恶的妇女那时变得那么温柔,慈祥,我永远记着那一张张恐惧得要死的面孔。我跑回家来,父亲已经回来了,遍身鳞伤地睡在炕上,一见我,一把揽住,嚎声哭道:"我将我儿害了! 我害了我儿啊!"父亲从来没有哭过,他哭起来异常怕人,我脑子里嗡嗡直响,什么也看不见,什么也听不见。

家庭的败落,使本来就孱弱的我越发孱弱。更没有了朋友,别人不到我家里,我也不敢到别人家去,最害怕是那狗咬了。那是整整两年多时间,直至父亲平反后,我觉得我是长大了,懂得世态炎凉,明晓了人情世故。我唯一的愿望是能多给家里挣些工分,搞些可吃的东西。在外回家,手里是不空过的,有一把柴火捡起来夹在胳膊下,有一棵菜拔下装在口袋里。我还曾经在一个草窝里捡过一颗鸡蛋,如获至宝,拿回来高兴了半天。那时间能安我的心的,就是那一条板的闲书了。这是我收集来的,用条板整整齐齐放在楼顶上的,劳动回来就爬上去读,劳动了,就抽掉去楼上的梯子。父亲瞧我这样,就要转过身去悄悄抹泪。

忘不了的,是那年冬天,我突然爱上村里一个姑娘,她长得极黑,但眉眼里面楚楚动人。我也说不清为什么就爱她?但一见到她就心情愉快,不见到她就蔫得霜杀一样。她家门口有一株桑树,常常假装看桑葚,偷眼瞧她在家没有?但这爱情,几乎是单相思,我并不知道她爱我不爱,只觉得真能被她爱,那是我的幸福,我能爱别人,那我也是同样幸福。我盼望能有一天,让我来承担为其双亲送终,让我来负担他们全家七八口人的吃喝,总之,能为她出力即使变一只为她家捕鼠的猫看家的狗也无上欢愉!但我不敢将这心思告诉她,因为转弯抹角她还算作是我门里的亲戚,她老老实实该叫我为"叔";再者,家庭的阴影压迫着我,我岂能说破一句话出来?我偷偷地在心里养育这份情爱,一直到了她出嫁于别人了,我才停止了每晚在她家门前溜达的习惯。但那种钟情于她的心一直伴随着我度过了我在乡间生活的第十九个年头。

十九岁的四月的最末的一天,我离开了商山,走出了秦岭,到了西安城南的西北大学求学。这是我人生中最翻天覆地的一次突变,从此由一个农民摇身一变成城里人。城里的生活令我神往,我知道我今生要干些什么事情,必须先到城里去。但是,等待着我的城里的生活又将是什么样呢?人那么多的世界有我立脚的地方吗?能使我从此再不感到孤独和寂寞吗?这一切皆是一个谜!但我还是走了,看着年老多病的父母送我到车站,泪水婆娑地叮咛这叮咛那,我转过头去一阵迅跑,眼泪也两颗三颗地掉了下来。

作于 1985 年 7 月 29 日病中

观　　菊

　　此日,大风降温,白霜染地,西安街道两旁树木疏稀,枝柯失柔软而僵硬,嘎喇喇碎响不已;行人顿减,皆弓腰缩脖,落叶则随步旋飞,作有意嬉戏状。我邀和谷、子雍、周矢诸友携酒去兴庆宫公园:观菊去。

　　公园门大开,守门人待在房内拥炉烹茶,一群麻雀在那里划霜觅食。买得票进去,过廊、过亭、过池、过台,一片静寂,唯有一清洁工在花台扫除残花、瓜子皮儿和糖果纸。坐船悄然到湖后土山,山顶方圆三十步,一片菊,金黄锦绣。有一株墨色,居百菊正中,高一人,分十枝,枝枝孕有花胎,未绽,故大如小碗。我们席地饮酒,未三巡,奇香喷鼻,视墨菊,大放,其状如碟,其色乌黑有光泽,不敢用手去摸。四人惊疑,以为从湖上坐船回,在岸上遇见清洁工,笑而说:"噫,这花是等待你们开呢。"

　　这是癸亥年九月二十七日事。

未 名 湖

夜本来黑得沉重,也刚刚下过雨,夜就全集中到了这里;我已说不清我是从哪一个丘后来的,记得当时进了北大校内往东走,又往南,又往东,凭我的感觉,有如狗凭借了嗅觉,在这里站住了。我第一次领会子夜的真正本色,先是隐隐约约看见一层微亮,后又不可复辨,眼睛完全地无用了,这种坠入深渊般的境界急过了一刻,便出现了一种漆光,眼睛依然无用,心身却感应了。我明白这是黑的极致,黑是无光的。黑得发漆却有了光泽。湖的边沿在哪里,是圆形的,还是方形的,触摸着身边的桥栏,认作是一座汉白玉的建筑,腻得有如人脸和玻璃的紧贴,或者少女的肤肌。身后的滴雨滑动下来,声响微妙,想象得见这滑动了很长的路线,无疑是从垂柳上下来的。夜原是为情人准备的。但今夜里没有星月,丘后的树丛里也没有绰约的路灯,幻不出天的朦胧水的朦胧,又等不及漆光,爱情也觉不宜,所以已经没有一个人在这里。这倒恰好,窃喜我来的是时候。我面朝着湖的方向,回忆着某杂志上一篇关于介绍此湖的文章,说湖中是有一个岛的,湖东是有一座塔的,但现在岛上的树和东边的塔认识不出,全在漆光里。这漆光似乎很低,又似乎很高,离我很远,离我又很近,湖显得非常大。在黑色里往前走,硬硬的就是路,软软的就是路边的草,草也潮润得温柔,踏着没一点声音。一种难得的气息拂过来,其实并不可称作拂,是散发着的,口鼻受用了,身上每一处皮肤每一根汗毛也在受用。我真感动着这一夜眼睛是多余的,心、口、鼻、耳却生生动动地受活,倒担心突然间丘的树丛某一处亮一点灯,或远远的地方谁划着了一根火柴。我度过了三十个年的夜,也到过许许多多的湖,却全没有今夜如此让我恋爱这湖。未名湖,多好的湖,名儿也起得好,是为夜而起的,夜才使它体现了好处。世上的事物都不该用名分固定,它留给人的就是更多的体验吗?我轻轻地又返回到汉白玉的建筑上,再作一番腻的触摸,在沉静里让感觉愈发饱溢;十分地满足了,就退身而去。穿过校园,北大的门口灯火辉煌,我谁也不认识,谁也不认识我,悄悄地来了,悄悄地走了。这一夜是甲子年的七月十六日,未名的人游了未名的湖。

红　石　峡

　　这是沙漠中唯一的石峡，石峡是红的。如果认定沙漠上的沙是塞外大火后的灰烬，那么它就是灰烬里烧焦的铁的凝锈。亏得一条玉溪河，坦坦地，又是成心地冲刷，使它裸露了形骸。沙漠上不可能建筑五脊六兽的神的殿堂，人就在石峡的壁上凿洞，不用泥塑，依石雕出许多栩栩如生的神像。洞如蜂巢一般，一层一层，被峡壁风蚀后的流水似的石线联系网络，有一种黑色的硬壳的爬虫在默然移动。道士已经没有了，于是也没有了布施的香客。空空的洞穴里，泥涂的墙皮剥脱无余，看不见任何壁画，但石壁天然的纹路却自成了无数绝妙的线条，如沙漠起伏，如云，如流水，如现代抽象派的艺术。清晰的是那一个一个洞顶上刻饰的阴阳太极八卦图，在静静地推算着黑白交替的昼夜，如流沙在风里懒懒地移动，河水在峡底的沙层上相吞相啮出一种微妙的律音。

　　水可以将石子运动为沙，风也可以将石子运动为沙。这里的沙就细腻为土，但绝对是沙，干净无泥。漫过的水退了，沙依然保持水流的模样，像打皱的卫生纸，像兽的足迹，或许是远古的一种象形的文字。赤了脚涉在浅水里，脚的感觉如踩在玻璃上，看粉一样的沙流从脚面流过，抽出脚，随风又干了，是一层霜白。若双脚使劲在一处踏踏，又会不自觉地陷下去，越陷越快，似乎一直会没了顶去。立定看河边的柳树,皆粗大,桩敦实强壮,枝叶隆起如蘑菇状,翠绿得十分新鲜。绿之间,露出一节一节红石堤岸,水在下边淘空了,上边却依旧坚硬,突出如板,上游引渡的流水钻进了峡壁中的空隙。又分流出来,从板石上流下,扯得匀匀的,看去如滚珠一样,一颗一颗洒落下来。

峡壁除了神洞,就是历代官人的题字,小者如碟,大者如席。大自然成全了人,人塑造了神,神又昭著了官人。这就是胜地,今日,大凡到榆林塞上的人都来这里游览,人人不见神塑,对神茫然,人人对做官人的好处模糊不清,对官人的题字却看得清清楚楚。他们差不多一直游览到天黑,燃一堆篝火,在还原的大自然中一直要游玩到天亮。

游 寺 耳 记

甲子岁深秋,吾搭车往洛南寺耳,但见山回路转,湾湾有奇崖,崖头必长怪树,皆绿叶白身,横空繁衍,似龙腾跃。奇崖怪树之下,则居有人家,屋山墙高耸,檐面陡峭,有秀目皓齿妙龄女子出入。逆清流上数十里,两岸青峰相挤,电杆平撑,似要随时作缝合状。再深入,梢林莽莽,野菊花开花落,云雾忽聚忽散,樵夫伐木,叮叮声如天降,遥闻寒暄,不知何语,但一团嗡嗡,此谷静之缘故也。到寺耳镇,几簇屋舍,一条石板小街,店家门皆反向而开,入室安桌置椅,后门则为前庭,沿高阶而下。偌大院子,一畦鲜莱,篱笆上生满木耳,吾落座喝酒,杯未接唇则醉也。饭毕,付钱一元四角,主人惊讶,言只能收二角。吾曰:清静值一角,山明值一角,水秀值一角,空气新鲜值八角,余下一角,买得吾之高兴也。

干 雨 松

商县城南六十里,山中藏有一寺,已经荒废了。夏末我们偶尔路过那里,前去看看,寺前石级三处断裂,衰草沿石隙而长,荒芜埋没人膝。葱籽大的黑蚊,无声附身,先不着意,后痛痒跳起,看腿上脚上手上已凸起桃核大的红包。四面墙全部倒塌,碎砖乱石,狼藉不堪,苔藓便布局其上,黑中显碧,灰中透红。殿堂左窗被挖去,右窗仅存三根檩条,有网织如席,中卧指蛋大一饱满黑蛛,一触网就沿丝迅走。嘎喇喇一阵惊叫,三只土灰色扑鸽从木梁上飞出,鸽粪落地已三寸有余,却不污臭,踢之如响沙。

殿侧一古松,身扭弯如绳索,作努力挣扎之形状。两人合抱,余一拃二指,主干却仅高三尺,便向右屈拱,枝横出蔓延,擦瓦檐而行,如手掌反撑,呈偌大扇面,匍匐院中竟达六十平方米的面积。人跃之便可摸,双手攀吊作秋千晃荡,树则纹丝不动。坐在树下望松针密布,其色深者碧碧,浅者青青,了了划天均匀,阳光从中激射,红绿光影相衬分外妖娆。我们一行四人,无不咋舌惊奇,立在树下拍照,有议论松的年代,见近旁泥土之中有一残碑,但可惜字迹脱落,揩擦了半日竟一字未见。

向导说:"怪了,寺庙荒成这样,这松倒如此新鲜?"

我说:"世人都知'走了和尚走不了庙',但烂了寺庙烂不了松,却只有咱们四人知道了。松,香火盛时不自矜,香客绝时不自弃,这是松的可贵啊!"

说话间,山雨骤至,寺庙里雨漏如注,全避于松下,滴水不湿。遂一时劣性儿兴起,用小刀刻字在树身曰:干雨松。松树却懒懒作抖,似有感动之情。

柳　　湖

柳湖在陇东的平凉,是有柳有湖,一片柳林之中一个湖的公园,我却在那里看到了两个湖的柳和柳的两个湖。

当时正落细雨,从南门而进;南门开在城边,城是坐的高坡上;一到城沿,也就走到了湖边。这是一个柳的湖。柳在别处是婀娜形象,在此却刚健,它不是女儿的,是伟岸的丈夫,皆高达数十丈,这是因为它们生存的地势低下,所以就竭力往上长,在通往天空的激烈竞争的进程中,它们需要自强,需要自尊,故每一棵出地一人高便生横枝,几乎又由大而小,层层递进,形成塔的建筑。从坡沿的台阶往下看,到处是绿的堆,堆谷处深绿,堆巅处浅绿,有的凝重似乎里边沉淀了铁的东西,有的清嫩,波闪着一种袅袅的不可收揽的霞色,尤其风里绿堆涌动,偶尔显出的附长着一层苔毛的树身,新鲜可爱,疑心那是被光透射的灯柱一般的灵物。雨时下时歇,雾就忽聚忽散,此湖就感觉到特别的深,水有扑上来的可能,令人在那里不敢久站。

顺着台阶往下走,想象作潜水,下一个台阶,湖就往上升一个台阶;愈走,湖就愈不感觉存在了。有雨滴下,不再是霏霏的,凝聚了大颗,于柳枝上滑行了很长时间,在地面上摔响了金属碎裂的脆音。但却又走进一个湖。这是水的湖,圆形,并不大的;水的颜色是发绿,绿中又有白粉,粉里又掺着灰黄,软软的腻腻的,什么色都不似了,这水只能就是这里的水。从湖边走过,想步量出湖的围长,步子却老走不准,记不住始于何处,终于何处,只是兜着一个圆。恐怕圆是满的象征吧,这湖给人的情感也是满的。湖边的柳,密密的围了一匝,根如龙爪一般抓在地里,这根和湖沿就铁质似的洁滑,幽幽生光。但湖不识多深,柳的倒影全在湖里,湖就感觉不是水了,是柳;以岸沿为界,同时有两片柳,一片往上,一片往下,上边的织一个密密的网,下边的也织一个密密的网。到这时我才有所理解了这些低贱的柳树,正因为低贱,才在空中生出一个湖,在地下延长一湖,将它们美丽的绿的情思和理想充满这天地宇宙,供这块北方的黄色太阳之下黄色土壤之上的烦嚣的城镇得以安宁,供天下来这里的燥热的人得以"平凉"。

  这是甲子年八月十四日的游事,第二天就是中秋,好雨知时节,故雨也停了。夜里赏月,那月总感觉是我所游过的湖,便疑心那月中的影子不再是桂树,是柳。

求 缺 亭

你坐着,真的,已经很久了:这么一个公园,一个茶亭,在火炉旁的一张茶桌。茶桌是正方形,你只坐了一边。你在外边走了那么多路,到过那么多地方,坐下来,却只是这小小的茶桌的小小的一边。夏天的比例是日长夜短,冬天里则夜长,白日里只有十个小时,下午,你却要到这里坐坐。要一杯茶,并不喝,作为你坐在这里的代价和资格;一杯茶一角钱:你买了这个座位,然后就面对着窗子。窗子是玻璃的,是两块大玻璃,可以看见天。

天总是阴着,你觉得有诗意。合你的心境吗?你是做过一句诗的,说:"天是有两个洞,一个是太阳的火洞,一个是月亮的冰洞。"太阳激射的时候,有着光芒,却也有着阴影。于是,现在天是圆的,是完全的,多么单纯,单纯得不能得知它的高远和深厚,这又是多么崇高。于是,也消失了傍晚的混乱的血红、灰黄、铁青的云,一张张从舞台后扫出来的演员揩擦化妆面部的纸。

茶总是花茶,一杯中可以冉冉浮出茉莉,三朵,小小的,五个瓣的。还是美丽的花;冬天里已经很少见到花了。

茶亭里是十张桌子,你是九号桌,就你一个人。冬天游园的人很少,游园又来喝茶的更少。茶亭的旁边是一个冰雕室,几个末流的艺术家,用冰雕头像诱惑了年轻人想留纪念的心,五角钱,将丑的变成美的,将美的,一个变成两个。这里就留下了静寂。本来热闹的地方却静寂了,你好不庆幸。炉子里加了煤块,会燃烧的石头,燃烧起来本来是无声的通红,火苗子却是蓝幽幽的,像无数的蛇在吐闪舌子。那就是煤的灵魂。你又在作非非之想了。

窗子外是一个湖,湖上没有树和建筑物,看不见湖水,却看得见天。你奇怪了,从玻璃窗子里往外看天的时候,窗子的玻璃怎么就不存在了。

这时候,有一只鸟儿飞过,很大的鸟,翅膀没有闪,也没有扇,平行地飞过。天像是一面冰雪的谷坡,它是从上面斜斜地往下滑行的。腾起一阵大惊小怪;这是一群放学后的孩子在放风筝,他们结束了一天拘束的课堂纪律,风筝又挣断了他们的线绳。

那个退了休的,又来喝茶看报的无事无思无欲的红鼻子老头,酣睡得一塌糊涂了。

你只是看着天,天在玻璃窗子上,天在茶亭的上空。

一张脸出现在窗子外边,天被挡住了。于是玻璃存在了。那张脸在玻璃上压着饼形,嘴扁圆,喊着;亭子里立即有一个人走过去,将脸也靠近玻璃。四只手都扒在空中,空中就是玻璃。然后走掉了,玻璃上出现两个圆形的嘴的热气的图案,四只手印均匀地留在那里。

你没有动。服务员却骂着"讨厌",走过去用干布擦了。这是一个没线条的姑娘,一直站在茶台里的桌子旁,嗑瓜子,丢一颗进嘴,嘴唇不动,吐出来,瓜子皮儿张着,仁儿留下,舌头在里边机智地操作。她将那图案擦净了,天又显出来,窗子的玻璃又不存在了。

她已经注意了你,对你有了认识,也有了疑惑;靠在那里一边嗑瓜子,一边说:

"你不去那边雕个头像吗?"

"我不愿看见我。"

"是在等人?"

"没有要等的人。"

"噢,是失恋了,失恋的人都是这么个苦相。"

"我在看窗上的玻璃。"

"玻璃?"

"我在看着天。"

"看天?灰蒙蒙的,天上有什么?"

"看什么也没有。"

"神经病,来茶亭的尽是些脑子缺一点的人!"

"我就是来求缺的。"

"求缺?!我这里是茶亭!"

"是的,求缺亭。"

她鄙夷地走过去了,不再理你。你终于说出了你来求缺的话,你似乎是满足了;但你得到的满足,你不想再说出来,你心里在感激她,感激她的茶亭。

一阵嬉笑声闯进来了,是一个男的,还有一个女的。坐在了你的面前,你有了桌友了。女的,很俊,将一个同她一样俊美的冰雕头像放在桌上。男的在夸赞头像的可爱,又遗憾眉宇间没有那颗黑痣。你看见了那女的眉宇间果然有一颗黑痣,而且鼻根部位还有好些雀斑。那男的没有说,你也不说,你又看着窗子上的天了。

头像很快融消起来,不但没有那一颗黑痣,眼睛又开始浅了,模糊了,鼻子塌下去,末了,脸成了平面,五官没有了。男的几乎在急哭起来,女的却哈哈大笑,然后转笑成怒,举手将头像击成三大块,又将一块狠劲地向窗外掷去。她也看见了窗外的天,也感觉到了窗子玻璃的不存在。"当"的一声,冰块掉在墙根。那窗上的天裂了五条缝。裂的是玻璃,原来玻璃是存在着。

亭里的人都惊呆了。嗑瓜子的服务员就跑了过来。接着双方争吵,不可开交。讨价还价。

你站起来,要走了。你是该去的,晚上的电大课你是不肯耽误的。

崆峒山笔记

一、路记

　　崆峒是一座极雄伟豪华的建筑,进入它,前山有路,后山也有路。前山路是砭道,近,细瘦如绳,所有的平民在这里攀援。后山是车路,远而弯曲迂回不能通行大车,只有坐小车的人走。山对于人都是自然,路于人却有层次,这是佛道也管不了的。

　　但不论前路后路,路面都不平坦,美好的境界是不可轻易而得的,所以一满石头,花白滚圆,思想得出这又是雨天的水道。到了八月,萧萧落叶,又一起集中在路上,深余四指,埋没一切凹凸,灿灿辉煌,如进圣殿的地毯。到了山中,看四个井字形峰头,路更不可捉摸,几乎是随脚而生,拐弯,便以树根环绕,到崖嘴就有楼阁,路又穿过楼阁下门洞,青石铺成,起津津清凉。直到悬崖陡壁前了,路一变而成石凿台级,直端端如梯,梯甚至向外凸,弓一样的惊险。有一"黄帝问道处",黄帝且不知路该何处走了,游客更觉前途不测,回首路又不复再见,一层群木波涌,满世界的杂色。一步一景,步步深入,每每百步之处,其景则异变,令人不知身在何处,惊奇良久,方醒悟到人间、仙境果有不同啊!

行至最高峰,谁也不知是从哪里来,又要从哪儿归去,路全然消失,唯见山下泾河长流乃及远,身旁古塔直上而成高。这个时候,崆峒的自然同一了人的自然;佛道若真有神灵,神灵视人是一类的:人从不同的路来,路将人引到共同的高点,是人皆享到了极乐。

二、树记

以松为主,兼生杂木。

皆不主张直立,肆意横行,不需要修剪,用不着矫饰。八月是深秋之季,枝条僵硬,预示着冬临里的一年一度的干枯,叶子都变色了,为红,为黄,为灰,色彩鲜艳原来并不是好事,而是要脱落前的变态的得意和显耀。愈是这般鲜艳,近看却感觉晕起的色团很轻很淡,树桩、树杈,甚至指粗的枝条就愈黑得浓重,这浓重的黑才似乎使这些色晕不至于是云是雾而飘然离去。

每一棵树上都生苔藓,有的如裹了绿栽绒,有的生白斑,白中透青,如贴了无数的生锈古铜钱,有的则丛生木耳,其实并不是木耳,是一种极薄极软的菌片,如骤然飞落的黑蝴蝶。更有一种白色苔瓣,恰似海边贝壳,齐齐地立嵌树身,几乎要化作冲天的玉鳞巨龙扶摇而去,使人叹为观止。

有老松,其松塔与叶同等,那是年年不曾落脱的,年年又新生而死的积累,记录着它们传种接代而未能及的遗憾,或是行将暮年,对往事所作的历历在目般的回忆。

俯视远处那一面上下贯通的石壁前,有一树,叶子全然早落了,只有由粗及细而为权的枝,初看是铁的铸造,久看就疑心那已不是树了,是石壁的裂缝。而仰观面前的石崖上,无坎无草,却突兀兀生就一树,凝黑的根为了寻找吸趴的方位,在石崖上来回上下盘绕,形如肿瘤,最后斜长而去,实在是一面绝妙的腾飞的龙的浮雕。

谁也想象不到,在山顶之上的高塔之巅,竟有两树,高数丈,粗几握,扎根的土在哪里,吸收的水又在何处,是哲人也百思不得一解。

间或就有一种枫,已经十分之老,不图高长,一味粗壮,样子幼稚笨拙,但枝条却分散得万般柔细,如女子秀发。叶子未落,密不密的,疏不疏的,有五角,色赤黄,风里摇曳,简直是一片闪烁的金星。

一棵树是一个构造。

除了庙堂前有两棵四棵象征神威的蛇皮松,高大无比,端直成栋梁材,别的任何地位的松、柏、栲、檞、楝及杂荆杂木,皆根咬石崖,身凌空而去。崆峒的树是以丑为美的,不苦为应用,一任自由自在,这就是这个世界丰富的原因,也正是崆峒之所以是崆峒的所在。

急草于 1985 年 10 月 10 日早

陋　　室

推开一扇黑门,就进入一个世界了。一墙之外的阳光挺好,却也有风,是从旁边的高楼下过来的,压缩了的,无形而尖硬;这门就随身紧关,一切复沉沦于黑暗了。

主人是玩墨的,这黑屋大致也和谐。"爱乌及屋"嘛,眼睛看墨的颜色多了,便从门缝里斜射进来的三根五根的光线,光线的一切的生动里,也能欣赏出这一处墨用得匀,用得活,有其亮色和韵味。

屋的开间是三米,入深也是三米,三三得九,如果再有一点纵横,一切就好了,是一个囫囵数字的平方。再如果主人是一个无所为的人,一张桌子上置一个花瓶,插几枝假花,玻璃下压几张影星美人图,一个书架上放几排油瓶、醋瓶、酒瓶,那也就满足了,偏主人玩墨是玩在纸上的,这桌上桌下,书架里书架外,全堆放了纸卷,一屋子易燃之品。那么,锅盆碗盏,衣物用什就寸土必争,竟然能巧妙地放下三个沙发:一个大沙发,白日迎宾待客,夜里供儿子安眠,鬼知道儿子却能在沙发上长就那么高个子!两个小沙发,永远是夫妇享受的地方了,而且恰到好处,沙发前可以放一个永不熄灭的火炉。人以食为本,火炉上的水壶日夜是醒着的。醒着的是难受的,所以总唠唠叨叨。

主人常常在沙发上坐了,取笑水壶不旷达。

当然,始终不醒的是另一个房子,长沙发紧边的地方,有一个门洞。门洞没有帘子,好了,这正是黑帘子,永远于所有来客是一种神秘。如果有一只猫进去,放大了瞳孔,就知道这是主人的卧屋,七平方米的,妙在安一张双人床,不松不紧。而又是从床上到床下,是书是报是纸卷。一个黑封了的窟,最宜于入静,因此主人一直未失眠过。

蜈蚣有一百条腿,但并不嫌弃过腿多,云鹤有两条腿,但也并不抱怨过腿少,甚至它落下来,还喜欢一腿独立!实在没有地方让家具立脚,因为人腿太多了。唯高高的乱纸堆上,明亮亮是一台小小的座钟,座钟里有一猫头鹰,怪眉怪眼。猫头鹰是夜之魂,能在这里最好,满屋有了一种庄严感。

脸一日洗几遍,脸还是不干净,眼一生不洗,眼永远是亮的。空余的地方发挥不了拖把和扫帚的功能,也就不去花那份钱,反正人是活动的,是天生的避尘珠。奇怪的是空气没有因空间狭小而稀薄,为了看清人之呼吸,就以香烟为有形的空气,吸进一口,吐出三口,袅袅扶摇到屋顶,祥云笼罩,大可在俯察品类之盛后,再可仰观宇宙之大了。

主人的不修边幅,是典型环境中的典型人物也。

但卧屋里挂有一把胡琴,外室里悬有一长剑;胡琴被尘土封住,又没弹,但它响动的是一首无声的音乐,长剑被尘土封住,但它舞动的是一副无形的英姿。当屋垂吊的一颗电灯,视认为一轮太阳,门后挂着的一片圆镜,视认为一轮月亮,太阳永不落,月亮永不缺。儿子说:还有八颗星星,两颗在他脸上,两颗在妈妈脸上,四颗在爸爸脸上,因为老子有一副眼镜。夜里或许断电了,炉火光亮,人之初是善的,人之影却诡变,在四面墙上忽大忽小,忽长忽短,自己常常为自己吃惊和感动。

　　工作了一天,身心都十分疲倦了,进入这个世界,窄小却温暖,昏暗而安妥,无害人之熬煎,亦无被害之惶恐。男的有妻,女的有夫,夫妻有子,有酒且饮,无酒清谈,随形适意,其乐无穷。夫妇又坐在两个小沙发上,看芦苇顶棚上老鼠打架,打得那么激烈,结果就一只掉下来,不免说一声"有什么过不去的"!然后观起西墙上的裂缝,裂缝好宽,斜斜下来,有分有合的图案,看做是一棵秃树,也看做是一个枯笔字,更多的看做是抽象的画,常看常新。最得意的,也最欣赏不够的是东南墙角上的蜘蛛网,大若雨帽,经纬高超,尘烟熏迷,丝粗如绳,那是人工所不能及的艺术品啊!

　　主人是搞艺术的人,人亦成了艺术。这艺术真美。

　　主人是谁,说出来我知道,你知道,而且在这个唐都石城里的差不多的有职有位的更知道。因为在他们宽敞明亮豪华的住宅里,挂满了通过各种渠道得来的行、草、隶、篆字幅,且常对来访者介绍说:"瞧,这字绝吧,我们这儿杰才济济,这便是著名的书法艺术家薛铸写的呀!"

草于1986年1月9日夜

宿州涉故台龙柘树记

淮北平原少树。数百之地,所见参天巨木者绝无,细枝弱冠虽有生长,变不成林,又多为泡桐,质地松软,数尺之高便枝桠横生。所以人家住户多以水泥杆代椽,苦其茅草,仅仅檐头覆瓦,称之"瓦镶面"。门窗最贵,框窄如细条,新婚嫁娶,扇面上双喜大若小斗,框上对联则笔画了了,字小似大杏。唯有太阳和铁轨,黎明里从地平线上同时出发,一个经天运行,一个地间划一,是最为壮观的景物。

宿州文友耿春海常来信邀我去游。信上谈及少树一事,他说:淮北古时多有森林,地壳变化,木入地衍变为炭,如今淮北大煤矿便是其证。当时想:此似应有理,又似乎无理,笑笑置之,终未去。

甲子年三月,往东南行,途经宿州拜会耿友,又提及此事,他终不服,同我骑车信游乡间,所到之处仍是无粗木古树。日近黄昏,行至州南四十余里,一老翁说:有,在涉故台。涉故台为何物?回答是陈涉演武练兵之处。

陈涉的故事,少时在《史记》里读过,是我国历史上第一个农民起义者,天地间的堂堂英雄。大泽乡竟在宿州,令我十分惊喜,想如此故迹,必是殿阁巍峨,楼榭壮丽,林荫覆盖,鸣鸟上下。耿友连连遗憾身在宿州竟一直未来造访。我更暗暗后悔,不该妄下断言,认定淮北无巨木。遂驱车前往，果然有一土台，台上有一阁楼，楼前有一树木。

树则粗四拃，长三丈，根扎台坡，顺坡而曲，上有十二爪枝。这树若在字里，是个小字，若在官里，是个七品，若在人里，是个侏儒。如此无粗无长无直无用之材料，何以称作古木，更何以配站英雄陈涉起义之地呢？两人都觉失望，耿友更是脸面无光，叹淮北确实少苍古之木啊！

上得台去，一片乱石破瓦，中有一楼，两层高的模样，檐同墙齐，檐角欲坠，壁裂纵横。下有一门，上圆下方，门上三窗，亦上圆下方，怕是人入内有生命危险，全然用泥巴糊了。绕楼一匝，荒草埋了屋基三层砖石，湿湿虫乱如蚂蚁。楼上有顶无脊，瓦一半酥散，土石壅平，长满茅草，全枯干了，秀着白穗。砖墙面上，缀满了苔藓，春草浅发，苔斑白里泛绿。再往后，忽见荒草乱石之中，有几块断碑，字迹剥脱，勉强辨认，无一字记载陈涉这功绩，唯有"创之者不知何时，成之者不知何人"字样。不觉添了几分凄凉，几分疑惑。

遥问田头耕种人："这是涉故台吗？"

回答："是涉故台，你们不见有那树吗？"

再问："这树是什么树，能证明是涉故台？"再回答："怎么不能证明？这是龙柘树，千百年的古物了。"

又问："你怎么知道是千百年的古物？"

又回答："世世代代百姓都这么说的。"

耿友立即手舞足蹈起来，说：树不在高粗，古老才是真树，拉我重又看那树。树还是那么矮小,但毕竟看出它不是一般树了。百姓称为龙柘,为何等木种,自不可知,但它不像泡桐那么松软,比松柏更要坚硬,浑身疙疙瘩瘩,又尽是小坑,通身灰白,因人常爬上踏磨踏磨,外则呈赤红颜色,摸之,光腻如玻璃,用石敲敲,叮叮价响,石头已经敲碎,虎口震麻,树上竟不留一点痕迹。两人大奇,盘脚树下久久观看,猜测这原是荆条一类的品种长大的,又看出其形酷似一条拔地欲飞的龙。于是,写文章的人幻想就产生了,断定这是一棵巨木古树,是一棵好树,一棵有价值的树。耿友自然得意,我也为之欢呼,声明这树纠正了我的偏见。

耿友说:"这棵龙柘树,是不是陈涉当时种植的呢?"

我说:"我想,应该是陈涉植的。俗言讲:民于官是水,官于民是舟,水可以浮舟,水亦可以覆舟。当年陈涉起兵于此,兵败于此,他在农民的眼里是英雄,在官府的眼里是贼寇,中国封建王朝自然不会在此为他筑庙立碑。但这演武练兵土台,天地却为其保留。这龙柘之木,原本或许是土台上一棵荆条,它生为小草,却不甘心为草,长成木本。试想,鲤鱼可化蛟龙,草为何不可成木?但这种草变为木,又是何等艰难,它长成一指,不可能以年来计算,而十年、百年单位。又正因为以十年、百年为年,它必是长得坚硬。陈涉是要做天子的,但他却失败了,这树或许要长成参天栋梁的,但它却在风里雨里摧残得遍身疤痕,形似秃桩。你不是看见这树像一条龙吗?它不是一直在要拔地欲飞吗?但它毕竟未拔地飞去,它还长在这里,变成了龙的化身,变成了树的化石,变成了化石般的树吗?请相信,农民是记着农民的英雄,他们说这树证明了这土台是涉故台,这涉故台也就证明这树是陈涉手植的了。"

耿友说是。

我突然又记起《史记》上的记载,说是陈涉当年起义,派人在附近庙里夜夜装狐狸声叫"陈涉要当王了!"而鼓动民心。举目四望,如今远远却无一处庙宇。此时落日已在西边地平线上,同时在那一个大圆的地方,一辆列车又直奔东边而去。这淮北平原是一块古老的土地,最为壮观的是天上的太阳,是地上的铁轨,也是在天在地之间的这一棵陈涉化身的、中国农民化身的不飞不罢、欲飞不能的龙柘树啊!

在 桂 林

一九八七年的六月,我来到桂林。这是我第一次到西南。如今想起,当时怎么就一口应邀了呢? 神差鬼使,令我也几多迷惑、梦境般的,突然就身在桂林了! 人生有许多说不透的事体,但冥冥的世界里,肯定是有着招魂的神秘,我不知道我已经等待着来桂林有多少个年年月月,而桂林等待我又已经是多少个长长久久呢?

走到任何地方,我都有记录感受的习惯,但是面对桂林每一山一水,我却毫无笔下的才能,周身的细胞都在活动,千思万虑的好词却都不确切。我不知道是大美者不言呢,还是桂林的山水不是为文学而存在,任何文人在它面前都要变成白丁呢?

它不是先有了城后有山水,它不是人类追求自然的工作,街随着山转,屋沿着水筑,天地的造化来得真真实实。纵观满城的山,全然没底没基,没脉没向,但却绝不是土丘,也绝不是石堆,它是耸耸的山,独立自主,拔地而起。既是拔地竖出,结构却又如组装的家具一样,一层一层组合,每一块又如偌大的焦炭,欲黑作白,极尽裂变,苔痕随意点染。你是不知道它是怎么形成的呢?

据说山皆是石灰岩质,而它应该是一座火山,但是有山就有树,树皆浅嫩。且大都缘壁而生,根系裸露,随岩赋形,成束,成网,那斜斜的枝条只要贴着崖,浑身就要生出根。这生根的枝条远望你以为是那石崖上的裂缝,而石崖上的裂缝你又往往疑心为斜出的枝条。你是不知道这些树是吸收什么生长的呢?

北方人仰观象于天,是那些星辰、日月和云朵,桂林则是山和水的变化莫测的符号。登临任何一座山,从这块石头上跳跃到那块石头上,一石一景,一景一新,你弄不清那是一个游览的活人还是一块清影的静石,恍惚间你也怀疑你是否身上的衣服已幻化为石上的苔藓而身子又已衍变为什么一种符号?从仄仄的石径上折行下山,危崖处有石雕栏杆,似乎那栏杆已经年长日久,裂纹丛生,酥酥烂烂,使你不敢攀扶。其实它完整无缺,光腻如肌,凑近细瞧才看清那石头中夹有无数黑色的线条,呈现出现代派艺术的意味。你不知道这里的石头就是这样能俯察式于群形的一种本色呢,还是山上树的根系已经浸渗入石中而形成的结果呢?

每一条巷巷道道,凡有土的地方都长有桂树。桂树高大,枝冠呈圆,虽然还不是开花时节,但你能闻到一股幽幽的淡香。据介绍,九十月碧树繁花,香袭全城。你不知道这地方哪来的这么多的香气让桂树释放的呢?

差不多都在下着雨,并不大的,淅淅沥沥,那山就渐渐地淡了去,虚了去,幻化成一个影。那树那花,秀丽朦胧,如美人之羞色。但雨还是在下,太阳即使出来,也是水汪汪的软乎乎的一团蛋黄,你似乎醒悟北方的黄土地是太阳太强烈的缘故,而这里的太阳逊色,则是红土地的红质太多了,太盛了。但你却陷入另一层糊涂:桂林的天上哪儿来的这么多的柔情?于是,你似乎又明白了桂林是东方的味,是中国的味,它的存在才使中国有了水墨的画,也之所以走遍桂林的大街小巷,游遍桂林的远郊近县,随处有画店,画店一满字画。但你又疑惑,不知道这真山真水又是谁画的,画这山这水该用去了多少的晕染的墨汁呢?

最是那到了晚上,一街的商店一齐洞开,灯火通明如昼,但公园里却一片漆黑,唯湖心岛上数点彩灯明灭,如美人调情之眼,平添许多浪漫。小小心心地从蛇行的折桥上走过,身下的水黑绸也似的抖,斜旁伸过来的棕叶,摩摩袅袅擦拂肩头,你可看见湖心岛上尽是三三两两的幽会男女,他们的脸乍暗还亮,在朦胧中正美。你立即要吟出这样的爱情诗:"到鬼才去的树下,说半明半暗的话,天明了,那柘树长出新叶,相对的心形由浅到深,由小到大。"穿过一对一对的情人,越过水上的石磴,已经走到岸头上了,回头看那临街的一岸,五彩灯火倒映湖中,形成立体,变成另一个世界,这时候,你是不知道了那湖到底是多么个深呢?

畅游漓江,恰恰的又是一个雨天,万点雨脚,一河溅珠,两岸凤尾竹湿漉漉的沉重,打鱼的人四根长竹便是船,放鱼鹰,垂钓钩。成群的水牛在沙滩下游动,那不是沙滩,全然被绿茵覆盖,浅浅的,嫩嫩的,如毡如毯。突然间,你会闻到一种气味,犹如在北方的山林里闻到一只飞跃而过的麝的幽香。你伏在船边,努力地掬一把水来,你的手也似乎绿得可人,你终不知道这满河满沿的水是什么染就的呢?

在北方,人以食五谷为主,在桂林却什么都可吃了,那囫囫囵囵的金龟,那沉沉浮浮的螺蛳,蛇、蛙、麻雀、老鼠……天上飞的,除了飞机不吃,都吃,地上走的,除了草鞋不吃,都吃。你才知道北方人活得太寡味了,人活到世上就是什么都要吃的,什么动物活到世上,又都是供人吃的。吃各种半生半熟的肉,喝"三花"、"瑞露"美酒,荡俗气,除愁闷,你生熟无间,坐卧无序,掐指计算桂林的食谱,可怎么也不知道还该去吃些什么,喝些什么,该怎么个吃喝法呢?

在街头听罢三个两个的盲人叩渔鼓而歌的小曲,到剧院看过桂林彩调,你是明白了桂林天地和谐的旋律,但由此而不知道了漓水咬噬岩岸又是如何微微?风前的水鸟又是如何啁啁?竹林的雨滴滑下又是如何泛泛?你不明白灵渠上大小天平的设计是怎样从头脑中产生的?你不知道兴安的一株古杨怎么就会吞掉一块石碑?你不知道那古榕树上的附生草怎样生出了象形的文字?你不知道那灵渠上的"飞来石"是真的从峨眉飞来的呢,还是那石上的一株鸳鸯桂树才是真的飞了来?你不知道那如象如虎如骆驼如净瓶的山山峰峰是上天造设于地启示人的呢,还是人以动物器皿而赋形?如果说上天将许多秘密泄露给人间,你却不知道那龟斗蛇行是表示了什么意图?如果是人以生存经验来赋形取名,你却不知道桂林的人是怎样感应着这苍茫的宇宙呢?你不知道连世界上最沉重的山都如此小巧玲珑,那风又有几两,云又有几钱,蚊心有多大,蝉翼有多薄了?你不知道别的山有洞穴而临风鸣响,那整座芦笛岩山竟是一个大溶洞,风拍起薄薄的洞壳会发出怎样的一种音律呢?

来桂林之前,有人说:那儿什么都长毛。果然如此,树是山之毛,苔是石之毛,雾是天之毛,雨脚是水之毛,而人之毛就该是那无穷无尽的惊异和疑惑了。白天里,行不停,看不停,听不停,闻不停,吃不停,到夜里则是没完没了的梦。梦全是在飞动,树飞动,山飞动,水飞动,虫鱼人物飞动,黎明醒来,我也不知道我已做了仙呢,还是仙做了我呢?

1987年6月16日桂林急草

太 阳 城

南宁似乎离太阳过近,又似乎太阳升到天空了停止着不动,于是,有了红土地,有了从五月到十月的漫漫长夏。若南来小住数日,正逢炎季,白天里全然呆在房子里,隔一会儿就泡到浴盆去。再就张着口从窗棂往外看,看到的并不是北方的丝丝缕缕的热气;光脚一片,又似乎光已不存在的难受却是烤炙一般。街上行人并不多,肤黑形瘦,动作迅速如当地的一种蚂蚁,不是在爬,是飞,倏忽闪逝,不可捉摸;脚底下的影子却浓得沉沉重重。出奇的竟没有听到蝉叫。鸟鸣山更空;南宁少了蝉声,反倒使人更烦躁,怀疑要发生地震。

太阳真是南宁的。

这个多民族居住的城市,在远古的时代就于花山石崖上绘制了图形,多少个年年月月过去。图形依然清晰可辨,是一片红光,如霞如炎。至今谁也弄不清那是什么颜料涂抹的,谁又能否认那就是用太阳的光染成的呢?围绕着南宁而重重叠叠的高山峻岭上,是生活着别一种语言,别一种风俗的人们,在他们的山寨里一代传一代地有着铜鼓的崇拜。铜鼓之所以为铜,铜是太阳的光泽,鼓之所以为圆,圆是太阳的形状,且每一面铜鼓的中央,莫不浇铸有一个八角或十二角的光齿的太阳啊。三五一群的少女从桄榔树下钻出来了,她们的嘴唇上差不多都要涂着极重极艳的口红,那么一撇,挺像一颗红果,更像一颗太阳呢。那手指上的指甲全然涂红,脚趾甲也涂上了,美丽而神圣,是披了一身红的小的太阳吗?可以断言了,羿射九日的神话这里绝无流传,也可以重新断言,羿一定是南宁人氏。人对于无法征服的东西而转入无限崇拜,这就是具体的南宁吧。

  令人喜爱的是满城的树木,这么红天红地的,竟绿翠鲜活。是有了太阳而使树木变形了呢,还是天地造化的神秘达到和谐?

  南宁的树木品类繁杂,许许多多的在北方是为草的,养于盆内,置于案几,这里却高大成株,列于街头。它们的目标似乎是直指太阳,攀缘光路上长,所以桄榔最多,端直无横枝,而墙头的迎春花蔓则垂落墙根,细拉数丈,以探深求测高。树木尽量结果,芭蕉生于顶尖,菠萝蜜挂在枝干,全要将一颗颗一嘟噜有糖的汁水凝固在红日之下,这就是南宁人长夏中的清泉。

  太阳遗憾是晒不死生命的。

  在邕江岸边的一块草地上,一群孩子赤头赤脚踢着足球,对抗激烈,形势紧张,观战人大呼小叫,却就有诗人大动诗兴,脱口吟出:一个光的刺猬,从东天滚过西天,蜇痛了整个宇宙;人集合起来,捉住它,踢起了足球。

  哦,你终于要离开这太阳城了,你永远要留下最强烈的印象,你害怕回到了北方而面颊上那太阳的红痕会消失,你便到那相思树下去,捡那高大乔木上落下的红豆。这是生长太阳的树。你捡一把,又捡一把,从此南宁的太阳的记忆就长生陪伴你了。夫人!

守 顽 地

圆通是昆明的一个公园,我最喜欢的是西南角的那片乱石岗子。时值岗上有风,风的形象正表现在树叶上,活活泼泼看得清楚;又不可恶,需眨着眼睛看;恰到好处地吹干身上的一层薄薄的热汗。树不繁杂,是细碎叶子那一种,枝干就看出黑色,皆斜着求伸。疏疏朗朗的随便,苍苍老老的神态,正是画家们常喜欢画的一类。无数的、并不艳丽的鸟儿在枝头跳跃,对应鸣和,虽然听不懂内容,但平和和谐使人愉悦,直盯着一个,看它突然离去,心里充满一丝恋情。林子里的石头,尤为可人,一块与一块,根基是一起的,所以它不小巧,但出了地面,各独自表现,树又间隔其中,所以又不沉重。石头的秉性本是顽的,又都是南方常见的石灰岩质,不能凿成方正的用材,焦炭般的,又用不着雕饰,便自带了抽象艺术的意味,故它自自然然坐卧,以致使铜钱般的白色的苔斑弄得自己一身,也弄得树干一身。这原来并不是人工作为的,老早的一个岗子,被人看中了,才繁衍成一处大园子的吧。这么好的一片林子,一片石头,正中午的,却没有几个游人。游人都集中到东边和南边的地方去,那里有许多假山、盆景和亭楼。这实在是委屈了这个岗子。初这么想,心中怨怪人在城市里,整日愤愤失去了自然,辟地作园,却都热衷那假山假水,人是这般的虚伪和可笑?但转念又想:正是众多市民如此冷落这个岗子,岗子才这么野树野石的率真吗?这冷落着好,少了几分关心,多了更多的灵性,我称这岗子是守顽地,是圆通公园的,也是全国所有公园唯一的守顽地啊!我在岗子上静坐了差不多一个中午,我决意了晚上再来,月夜里的岗子一定会更好的。

1987 年 6 月 26 日

灵　渠

　　灵渠在广西,为秦统一南方时运输粮草而接通湘漓二江的水利工程。在渠岸边,有一座隆起颇高的坟茔,有一株吞食石碑的古杨,一段故事就千百年地流传了下来。

　　说是始皇下令修建灵渠时,先派了一位将军负责开掘渠道。因战事紧迫,他率领兵士日夜劳作,但兵士不服水土,害痢疾病倒了三分之一。死死活活,终在限定的时间里完工,可是在通水时渠道却塌了。始皇怒,将军于渠岸当众被斩,派另一将军接替施工。第二位将军自然不敢怠慢,清除泥土,继续修筑。又是连绵阴雨,将军身生湿疮,下体溃烂,不能行动,让人抬到现场监工。但新修的渠道通水时又遭塌陷。始皇闻知更怒,又斩将军于渠边,再委任第三位将军。这位将军吸取了前二位的经验教训,认为塌陷的原因是渠址土质太差,便重新改道,结果大获成功,遭到始皇嘉奖。这位将军受到嘉奖后,却一句话也未讲,跪倒在前二位将军殉难处,拔剑自刎。

　　士兵们将三个将军分别埋葬于灵渠岸上,但是,在第三位将军埋葬后的第三天,人们发现墓地里并没有三座坟丘,三者合一,极高极大。兵士们就重新修建墓碑,凿出"三将军墓"。

　　千百年来,秦朝的宫殿已荡然无存,三将军墓却一直完好,代代有人修葺。不知什么年代,距三将军墓不远处,则有了一古杨,古杨下原有一高大石碑,但古杨却慢慢长大,身子将石碑包住,又慢慢以树身吞食,石碑已没有了十分之九,看不清石碑上的任何字迹了,而古杨则郁郁葱葱,枝叶繁茂。于是,对于这一奇观,在灵渠两岸,人们又在谈讲着各种说法。

一则说,灵渠工程完毕,始皇果然统一南方,为了庆贺武功,在灵渠边竖立了一块石碑,企望始皇的赫威万古长驻。但就在碑竖起后,一天夜里,有人看见石碑前立有三个无头之人,消息传开,人们去看,却见一株树长在那里。这树愈长愈大,慢慢就将石碑吞食掉了。

一则说,那竖石碑地是三位将军殉难处,人们为了纪念他们,为他们而竖的。后从咸阳赶来了三位将军的夫人,她们合持一根哭丧棒,于碑前痛哭一场,又一起投灵渠而死。那哭丧棒插在碑前,竟生根发芽,蔚然成材,就将石碑吞入树心中去。

一则说,为始皇的赫威竖下石碑后,不久,碑的背面出现了悼念三将军和三夫人的奠文。朝廷追查奠文的作者和勒石的工匠,却杳无音信。派人洗去了奠文,但另一面的赫威颂辞也随之消失了。这奇异之事传到咸阳,始皇怒不可遏,欲差人鸡血涂碑,以火焚裂,但当来人赶到,碑前一古杨却将那无字碑吞食收藏了。

至今,人们看不到了石碑上的文字,而古杨身上遍生附生苔,苔呈白色,竖横交错,如龙飞凤舞,人们肯定那是碑文的衍化。

1987 年 6 月 29 日

游　西　山

　　沿着山头最峭处往上登,身子一直往前倾,看见的尽是前人的脚。后视则是一溜儿的脑袋,在之字形处的楼阁出口,犹如一口热水锅,咕嘟嘟的,滚冒不已。站定在那席大的一方亭里,八角亭扇,只能洞视三面,身下的滇池浩浩渺渺,晒一湖珍珠,犹如天之倒铺。行到龙门,一条石凿的甬道,恰恰盈一人。身子极尽地缩扁,如贴饼一样靠在壁上,让避上去的或者下去的人,鬓发厮磨,吸入对方之呼,呼出对方复吸。进入石窟,人与神又拥挤,各类神像是掏凿出来的,那手,脚趾,衣袂和香炉,正作了攀柱,以致黑光油亮。终于寻得那尊文曲星神,观者更多,但皆出奇地是神尊,不是白面书生,相貌强悍,亦不完全为文,一手执兵器,一手执笔,而手中的笔只有半截笔杆。人多近神拍照。我却为之悲凉。汤世杰问:"昆明的西山怎么样?"我说:"神会拣险地方。神越超俗,人越寻神。"汤世杰说:"人都是来看文神的。"我说:"感念这么多喜文的人!天下文神这还是第一,但却让他亦武,看来无武亦不可能为文了。人趋之拜文神,专是来看那手中的半截笔杆吗?"旁有人卖油印册,上记载着一则传说:西山神窟为一户石匠所凿,父子历经六十年。最后凿建文神坐像,一切皆完毕,石匠修整那手中的笔时,一锤下去不慎,敲断了笔头。石匠悔恨不已,舍身从窟前崖头跳入填池去了。

看了册子,两人都一时无语。旁边有人为石匠的不慎而怨,也有为石匠之死而惋,我则笑了,说:"或许这是石匠故意为之,他是知文的,也或许他本人就是弃文从石的吧。后人为了慰藉,编造出这么个谎话,如今这个模样,倒更像文神呢!"说罢,两人急钻山洞爬上山顶,到了山的另一侧。山侧平缓,却遍地耸石,似小石林。每一石皆蓝灰色,上有黑色斑块,如披了军人的迷彩服,更如石碑,书写象形的文字,直疑心这是文神所作。故两人面对一石读了长久,汤世杰是云南的作家,他未读懂,我亦未读懂,却同感那一定是很为悲怆的内容。他便捡起一块石头给我,说:"拿一块作留念吧。"西山神像是原石掏凿的,西山的石便有神灵,我揣了一块有文字的石,惴惴下山,回头看山上游人依然如蚁。

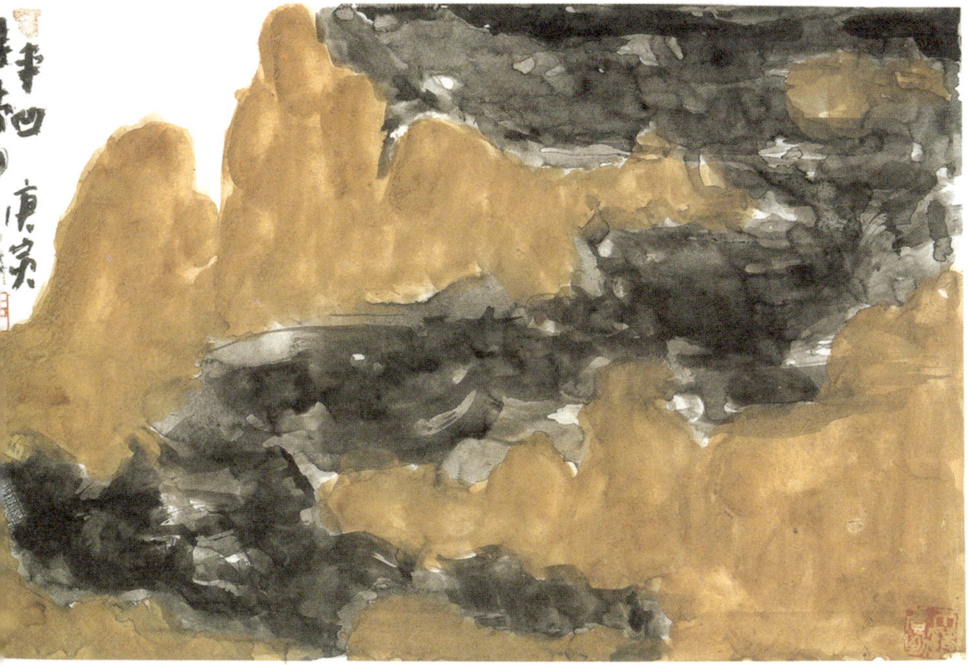

平凹携妇人游石林

平凹同妇人游昆明石林,歇坐于观峰亭上,时落日西坠,半天火云。妇人问:"你说这石林像什么?"平凹说:"林石。"妇人笑了:"没有别的比喻吗?"平凹说:"是墓碑。北方有碑林,多为帝王竖,雕龙盘绕,古龟驮负;南方无故都,百姓食龟蛇,碑子便无雕饰。天下有雄才奇志者,不独皆成帝王,民间何不有如此大碑?此碑虽成林,当然不是人人都有一块,但凡来观看的,任意从一处数起,数至自己生年岁数止,那碑就是你的,因此这碑子无字,各自去读各自的一生了。你不见林中那一钟石,叩之洪响,令人萧森庄严吗?"妇人说:"你好发奇想!既是墓碑,都是死后所竖,碑子怎么好是游人自己所见的?"平凹说:"人长睡名为死,短睡名为梦;那是人的慰藉巧词。短睡是梦,醒来能记前事,长睡是死,醒来可以是所见的虫鱼花鸟,一草一石,这又何尝不就是生前之事或死后之事呢?生生死死,回转不休,墓碑上的苔藓文字也不是常换常新吗?"妇人说:"对于你这种谬说,我实在难以接受,何必那么沉重,你不会说些轻松的比喻吗?"平凹微笑,突然说:"那好,它是上帝的一块盆景。上帝或许认为这黔地山都负土,单调一片,它就造设了盆景把玩。"妇人说:"这好,上帝的盆景给人多少享受!游了半日,导游员指点'双鸟渡石'、'母子偕游'、'象居台'、'鹰回头'、'唐僧坐禅'、'观音背石'……愈看愈像,惟妙惟肖。"平凹长吁一声。妇人问:"为何长叹?难道我说得不对吗?"平凹说:"上帝造设的一切,不能如此庸俗赏玩。之所以人到石林由上而下,由下而上,忽左忽右,忽前忽后,印象应该是强烈的,感觉应该是整体的,启示应该是庄严的,体验应该是惊恐的。人要有大志,志要在四方,蹈大方处才是。如果千里迢迢来到此地,只是看那些象形之处,这无异于一只蚂蚁爬上一尊佛像,那又何必受跋涉之苦,在家里的斑驳墙皮上不是也可以看出更惟妙惟肖的玩意儿吗?"妇人颜面飞红,哽噎长久,却反诘问:"那你把石林喻盆景,不也是太小巧吗?"平凹说:"看石林是盆景,又看到了造盆景的上帝啊!"妇人说:"我终于明白了。如此说来,石林一游,并不虚行,你回去可以有一篇文章写了。"平凹说:"对于石林,一个字也不写,也无法写出来,天下无聊的文人几乎把石林每一块小石子都写了,可他们哪里知道大美者不能言啊!"言毕,两人从观峰亭下,又游至苍茫之时,各自以自己年岁之数找到一棵石树读其碑文。

假若千年之后,石林还在,管理石林的人还记得这次游玩之对话,他们一定会编派一个故事作为广告:某某石是当年平凹同妇人读过,平凹果然以后功成名就。其妇人者,平凹之妻,亦从此学业大进,寿高八旬,所生二子皆为官×品。

佤族少女

十年前读沈从文先生的小说,他喜欢写某族的少女是天神和魔鬼共同商量后的造物,我常惑不解,以为是作家的奇异之想。在昆明大观楼前的草坪地上,我见到了一位佤族的少女,才知道"神妖"二字了。

这天,我正在大观楼上读天下第一长联,忽闻一串笑声,尖锐清脆,音调异常,低头看时,窗外波光浩渺,画船往复,未见什么情影。又读长联,旋即再有人语:"唱一段吧!"随之"哎"的一声,如长空鹤鸣:"五百里滇池奔来眼底……"唱的正是长联上句。忙又凭窗探望,水上众舟一齐停棹,人皆向左岸注目,果然那小小一片芳草地上,一女子在清歌。她背向楼台,亭亭站立,一双白嫩小巧的赤脚半埋在浅草中,穿一件红黄间杂的短裙。裙刚及膝弯,双腿合并如两根立锥,而脚脖与脚背处呈现出一种曲线,美不可言。她的腰极细极细,紧勒着一条彩带,似乎要勒断了去,那一大束红色白色的串珠就那么松松地系挂着,衬出上衣和短裙间的二指宽的腰际的肤肌。上衣是一件无袖小褂,作用完全在于隆起胸脯。头顶上扎一条白带,将蓬蓬勃勃的一片黑发披落在后背,沈先生曾说这是绞搓了黑夜而成的头发,比喻也只能如此了。待唱至联尾,红日在滇池欲坠,水鸟同彩云共飞,水上的画船全悠悠地在打转。正不知那女子还要唱出些什么,突然翩翩起舞,那动作如旋风扫过竹林,如急雨骤落到水面,乌发飘曳,将一团粉白小脸一闪即过,逮不住那眼光,也逮不住那白月牙间的一点红舌,欢动了一泓颜色,一窝线条。

我从未到过佤族的山寨子去,从未领略过西双版纳的棕林,从未品尝过竹楼上的菌子,但我知道了那里一定有着火中的凤凰,有着美丽的孔雀,有着诱人的沉渊潭水和浸着香汁的鲜花。

我伏在窗台上,望着那渐渐远去的女子的背影,心里一遍一遍地说,一定得到西双版纳去,明日就去。

倏忽间,水面的画船都划动了,头尾相接地往滇池的前方去。芳草地上已经消失了那女子,她沿着岸走去,穿过了樱树,闪过了一簇美人蕉,她在奔跑着,风抛着头发如黑色火焰,四肢迅跑,真像一头林中的小兽。水上的画船全撵着她行,男的忘记了持重,女的失却了嫉妒,桨划着水,那一层一层的旋涡就悠悠地留满了地面,软软地停灭在楼下的水草丛里了。

大观楼上果然大观,它使我同所有游览的人皆同那神同那妖一起消耗了精力,又新生了精力。

南 宁 夜 市

确切地说,南宁是属于夜市的,夜市又是属于女孩子的。当她们同落日一起安睡过一个时辰后,又几乎同新月一起苏醒,悠悠往夜市上去了。被烤炙了一天的城市,热气已经消退,沉静的邕江将凉意浸润过来,风变成了佛手,同时闻到了花的香味,新熟的荔枝的香味。每一个市民望着那半规的清月,差不多都作长久的呼吸,女孩子们就散下头上的长发,在镜子前也为那黑色的瀑布而惊讶美丽。用不着问娘,娘在说:换一件什么什么的裙子吧。女儿最大的最显本色的梳妆镜永远是娘的眼睛。

女孩子到十八岁,活得如风中的旗子一样欢,又恰是一生最富有的时候:挣下钱并不供养父母,且更有一个父母还不可知的能供应钱的人物。月亮美好,夜凉爽,她们会以美丽的打扮来安置自己在这好时光里,因为白天的高温,能量消耗巨大,这个城市的居民要以每顿大量食肉来滋补身子,肉食的用量曾经令别个地区的来人瞠目惊舌,但他们不用担心身子的臃肿,这又恰是女孩子最为称心如意之处。现在她们三五成群手拉手从街上横过,街上已经很少有车辆,她们在唱着,棕榈树下的草丛里昆虫也在唱着,满城里是一部很繁响的音乐。那街的中间,时装小贩极整齐地摆出了衣架,街有多长,衣架就有多长,街灯在时装上闪耀,五光十色,如一街灿烂祥云,如一街锦花簇放。穿着宽大的暗花短裤的老太太,或许在屋前纳凉用茶,或许凑近桌子在搓麻将,但她们似乎并不专心,间或要看看穿梭在时装衣架下的女孩子,评论着哪一位妞儿的俏样。

在时装衣架下差不多消磨了久久的时间,说够了,美够了,又肚子里也够饿了,她们就拐进另一条街去。这条街十分拥挤,又不规则整齐,一家挨一家的饭铺,冒着腾腾的蒸气和香味,在勾引她们。但煎鱼、炸乳鸽、煮面和瓦煲饭并不中她们意,她们不愿坐在那高凳子上同浑身汗味烟味的男人们进餐,就到了螺蛳摊去。卖螺蛳的妇人专门是来服侍这些可爱的小兽,早将一身衣着清洁,早将一个温和的面孔微笑。她们就分坐在那小小的矮凳上,互相挤着,拿星子一般的眼睛盯锅里螺蛳的颜色,皱着鼻子品闻各种香味。螺蛳分三锅煮着,一锅是石螺,一锅是田螺,一锅是福寿螺,拳大的生姜上亮亮地扎满了银针。拔一枚出来,买得一碗石螺,石螺是拇指般大,旋五个六个圆,她们十个长长的手指一齐活动,针尖挑出那一点嫩嫩的白肉,就放进已经迎接出来的香酥舌尖上了。肉并不能立即满足胃的要求,却为了长久的满足偏细嚼烂咽,那吃兴就十分馋,吃相又十分雅。吃完石螺,再吃一碗田螺吧,福寿螺是引进的洋物,那么就再吃一碗。于是,她们的鼻尖上就沁出细小的汗珠,巧巧的小口,被油腻所染,动人得连卖主妇人也看呆了。这时候,夜色更浓,花的香味,新熟的荔枝的香味,肉味,还有一种薄荷的什么味,使她们极度舒服,小脚的十个指头在桌下兴奋活动,而那每一根的睫毛更黑更长。

夜爱护着这些世上的宠物,使品茶和玩麻将的老太太们也打起了酸酸的嗝儿,终于收拾了桌椅,回屋睡觉去了。

子时悄然来到,街上突然没有了大量的女孩子,路灯显得明亮,街面却失却了光彩。而几乎同时,那幽幽的公园里,那黝黝的棕榈树下,却走动了无数的影子,有了精力的她们却饥饿了一颗小小的心,便分手了各自到各自约定的地点与另一个会说别一种言语的人物相会,差不多很浓的夜色就被咔咔嚓嚓的细碎之声稀释了。有言说鬼是喜欢黑暗的,但女孩子的胆子比鬼更大,她们在这个时候不要太阳,甚至也嫉恨月亮。他们在黑暗里各自又闻到了对方的气味,听得着对方的脉搏,看得见对方的眼睛和跳动的心。时装可以裹身,螺蛳可以饱肚,恋情却可以供心饱餐,甚至那时装和螺蛳都是为着心的饱餐的必不可少的准备工作。

当露水打湿了她们的裤腿、裤腰和脸上那茸茸的汗毛,她们带着满足的心和一副疲倦的身子回家去。当在纷乱的头上取下一叶沾上去的花树叶子,轻轻含在口里吹着,她们看见时装街上荡然无存,而卖螺蛳的妇人已经涮洗了碗,独自地在那里吮吸剩下的半碗螺蛳,吮吸声挺大,挺长。

风　景

　　我说的风景是在我家那一方小小的窗上。我常坐在窗前,无聊地向外张望。数年前,天上的星子很稠,后来渐渐归稀,待到高大的建筑撵过来,建筑上的窗便装扮了我的风景,我的窗也即或装扮了人家的风景吧?这么想着,很有些卞之琳先生的诗味,我就将头偏过去,久久地看建筑物下的那块生长着五谷的空地。见有一个老头,好高的个子,细细瘦瘦,从地埂的这边走到地埂的那边,再从地埂的那边走到地埂的这边,来回均一百一十步,一步也不差的,就像一把活动着的人尺。

　　"老伯,在练功吗?"我终于一日走出屋去,想找他说个解闷儿的话。

　　"气功。"

　　"噢,人老了要健身的。这是哪家气功?"

　　"生气的功!"

　　他站住了,虎虎地拿眼睛瞪我。这是一双有着血丝的眼睛。瞪我瞪得久了,他便松下劲来,一扑沓放僵坐在了地上。我认出这是一位农夫,有一双硬壳的手,虽然是穿了一件呢子中山短装,但没有紧扣子,里边的衬领很油腻。我知道这里的农村已陆续划归城市,土地被征用,村子里不时要噼噼啪啪鸣放鞭炮,农民获得一

笔巨款,又焕然新做市民,那些年轻人兴高采烈了。我就投其所好,说:

"听说你们都可住高楼了?"

"人是雀儿吗?"

"你们好幸运,没文凭也'农转非'了!"

"有地气吗?"

"住小土屋有地气,却得关节炎的。"

"亲戚来了就不患水土病吗?"

"都吃自来水了,闹不了肚子的。"

"开电梯还行?"

"让你去厂里开电梯?那是好工作啊!"

"好,好,上去下来上上去下下来上上上去下下下来。"

"这操什么心?!"

"小时候,夏天在院子里乘凉,爹睡在席左边,娘睡在席右边,我睡在中间,为的是怕狼叼了去。天一黑,常看见田埂上有狗,叫'哟哟哟',它就来了,一看见一条大尾巴扫帚一样扫在地上,便猛叫一声'狼!'狼就吓跑了,我也吓得回家害一场摆子。现在倒想见一见狼哩。"

"动物园不是有吗?"

老头是不慈祥的,话难投机,我便觉无聊了。又回坐到我的窗前,想所谓的两代人的鸿沟,想所谓的观念陈旧,想所谓的农民意识,觉得这老头可笑,该是我作品中的一个什么典型。再不愿看到他人尺似的走动。老东西,他哪里会明白这个世界是越来越小的道理?

　　一天,窗外突然有狗叫声,很凄惨。我朝外望去,那人尺还在那里丈量着,而空地的那头,一群年轻人在杀一条狗。多半是为着一张完整的皮,狗就被绳索勒住,但勒一次,一放到地上就又活了,一个就说:"狗是土命,吊起来勒,不要放到地上!"果然狗彻底死了。我瞧见年轻人大呼大叫,而人尺再没有丈量,呆立了许久,就走掉了。

　　这一走,老头就再没有出现。

　　两年过去了,我的窗外再没了那块生长五谷的空地,我的风景愈发的平淡。但在这个城市里新出现了一位说独角戏的绝好的演员,他在台上台下,出言都极幽默,反话正说,正话反说,你永远无法摸清他的真实。我看过他的演出,有人告诉说,他就是两年前由农村户口转为城市户口的,是那个人尺的儿子。演出后,我向他打问他爹。

　　"你爹好吧?"

　　"瞧我腿肿吗? 辛苦呀,昨儿晚端端靠着床板立了一夜。"

　　"好久未见他老人家了!"

　　"太累了,累昏迷了,一夜都没苏醒。"

　　"他去开电梯了吗?"

　　"今早起来,端个刷牙缸子,哇哇直吐啊! 走到厕所,看见啥不想吃啥啊!"

1988 年 1 月 20 日午

羊 城 呓 语

到了本命年,自知要不惑,但什事还是困惑,心情便很不安宁。恰遇几位气功师往羊城去,邀我同行,这些气功师都是些天目洞开人物,看这个世界是另一样的结构;就想,或许这于我有益,能改变另一样的思维,该是我的另一番人生了。遂欣然南下。竟下榻于"天河宾馆",好一个合心境的名字,我庆幸来的是时候。

四月的羊城,终日欲雨无雨,无雨衣潮,混混沌沌的,它不像北方有雨就倾盆,无雨则炎日。这是南方的温柔呢,还是气功师到来的缘故?因为与气功师相处数日,我的手表就无法定时,所带的摄像机磁化,摄出的图像色彩变异。看城无城墙,人皆着浅色衣,些许乏之凝重,但满城楼多且高,势在空中拥挤,而一街随处见花木,又令人放松了那种古板。北方的大树底下不长草,这里是各有各的位置,各是各的活法。倒感慨北方人是中国活得最累的人,一道城墙圈起来,城里就是城里,城外就是城外。城里的想出城,城外的想入城。钟鼓楼占尽了黄颜色,一切四合院又低又矮,一律灰白。大人孩子仰头热羡那空中一只两只风筝,大人孩子又都喜欢挑动土瓷罐里两头好斗的蟋蟀。以往只知广州人喜欢体育,又往往不解广州人怎么会喜欢体育?如今明白了广州的体育大有一种各自表现的意味。随着几十层高的电梯上来下去上来,偶尔看见一只胖胖的蚊子也在电梯上,一时倒觉得这蚊子的可爱。羊城真是个五羊而无头羊的城,一个随便的城,一个适意的城。

街上的木棉在开了,觉得惊奇,又觉得疑惑,说一句"塑料做的花",周围人皆笑了。长安的市花确定了数年,先是有人定为牡丹,企图个天生丽质,雍容富贵,但听说牡丹归了洛阳,后又定为石榴。石榴其实不为花,讲究的是结实,而将众多颗粒聚集一起限制得都有棱角又被一层苦涩厚皮包裹,这恰恰合于长安人的心态吧?于长安城里待得久了,我真不知道那里的农民在田间做活谈论天下是一种正经还是一种荒唐?我们做文学活计的遵"文以载道"是一种大智呢还是一种大愚?

从长安来,已不必看文物古迹,可我还是特意去看了南越王墓。看来南越王当年并不豪华。那有着金印的三个夫人,一个左,一个右,一个佚名又佚姓的口夫人,着实令人以玄想,却又想不出个什么。可北方当然有千年古木,直破云天,可怜北方那些终日服侍的盆景花草则在羊城街上皆都是高大乔木啊。从南越王墓馆出来,瞧一些旧时的建筑墙壁昏黑,这是阴雨所致,但却绘成奇异的图画和文字,我到底未读出它的涵义。

夜里坐于高楼窗前,默念气功师所授的口诀:

神意流

流呀流

流向星座

流向银河

在神阙中转

经络脏腑梭

天人相应啊

生命奥秘破

便觉得身在楼上,已在空中,羽化登仙。随便俯身下望,街上灯光通明,人多如蚁,想世上这么多忙忙之人,有多少是广州土著,有多少是南来的北人?与气功师座谈,气功师说:"人要自审,便生幽默。你是弄文之人,知道老庄哲学是人生之哲学吗?老庄的精神是中国的艺术的精神吗?你要崇高博大,但须弹起无弦曲,坐听天外歌,逍遥太空游,忘我成大我。可惜你天目未开,为杂俗迷惘,感情琐碎,鸡肠小肚。"

我大惊,忙求道:"大师能不能为我打开天目穴呢?"

气功师笑而不答,却说:"南方属火,你是金形人。炉中火,沙中金,功夫到,丹鼎成。"

我说:"这么说,去年我浮躁,去柳州谒柳宗元,今年心烦,应该是来拜琼州苏东坡了?"

气功师则说:"无火不成器,火大器却销,你说呢?"

草于1988年4月3日

关 于 树

　　树默默地长着,长得很高。打开窗户,枝条上就会栖有一只美丽的小鸟,鸣啭着,可人极了。逢上细雨濛濛,在栅栏前独立,湿气里,那雨正沿了叶尖往下迟迟久久滑动,似无若有的一声坠金。想天地之广大,念人生好匆忙,捡一片飘落下来的枯叶,一根根数着心形般的那些纤纤细脉,几许淡愁,天分明是十分的黑了。

　　教科书上讲:在这个地球上,有着人,也同样有着兽有着草木。草木似乎是地球的奢侈品了。那么,占一席阴凉,祛那暑热,砍几枝作薪,煮饭烧茶,伐解了,做许许多多家具,倒欣赏那泉状的纹路。这一切皆如此的理所当然,树就是这么个树而已了。

　　偶尔在一个雪天,心情挺好,望着那黑硬的奇形怪样的枝柯,要突发玄想,树是一个什么样的妖魔从地下冒出?这晚上定会做出许多的噩梦。

　　圆圆的地球在太空中滚动得太久了,严严实实地封闭了它的精光元气;树为释放地气而存在着,她的每一片叶子就是内气外行的手掌。正正经经的气功师啊!被人爱是树的企望,爱人更是树的幸福,爱欲的博大精深,竟使她归于了无言乃大愚,沉静而寂寞。

　　×君,我是你窗前的每日所见的一棵树啊,可你知道我是哪一日长出了地面,又是怎样一日一日地高大吗?

1988 年 4 月 5 日于羊城

人　病

我突然患了肝病,立即像当年的四类分子一样遭到歧视。我的朋友已经很少来串门了,偶尔有不知我患病消息的来,一来又嚷着要吃要喝,行立坐卧狼藉无序,我说,我是患肝炎了,他们那么一呆,接着说:"没事的,能传染给我吗?!"但饭却不吃了,茶也不喝,抽自己口袋的劣烟,立即拍着脑门叫道:"哎哟,瞧我这记性,我还要去××处办一件事的!"我隔窗看见他们下了楼,去公共水龙头下冲洗,一遍又一遍,似乎那双手已成了狼爪,恨不能剁断了去。末了还凑近鼻子闻闻。肝炎病毒是能闻出来的吗？蠢东西！有一位爱请客的熟人,十天半月就要请一次有地位的人,每一次还要拉我去作陪,说是"寒舍生辉"。这丈夫就又邀了我去,妇人当然热情,但我看出了她眉宇间的忧愁,我也知道她的为难了,说,多给我一个碟子一双筷子吧。

我用一双筷子把大盆的菜夹到我的小碟里,再用另一双筷子从小碟夹菜送到我口中。我笑着对被请的那位领导:"我现在和你一样了,你平日是一副眼镜,看戏是一副眼镜,批文件又是另一副眼镜。"吃罢了,我叮咛妇人要将我的碗筷蒸煮消毒,妇人说:哪里,哪里。我才出门,却听见一阵瓷的破碎声,接着是撵猫的声,我明白我用过的碗筷全摔破在垃圾筐,那猫在贪吃我的剩菜,为了那猫的安全,猫挨了一脚。这样的刺激使我实在受不了,我开始不大出门,不参加任何集会,不去影院,不乘坐公共车。从此,我倒活得极为清静,左邻右舍再不因我家的敲门声而难以午休,遇着那些可见可不见的人数米外抱拳一下就敷衍了事了,领导再不让我为未请假的事一次又一次交检讨了,那些长舌妇和长舌男也不用嘴凑在我的耳朵上是是非非了。我遇到任何难缠的人和难缠的事,一句"我患了肝炎",便是最好的遁词。妻子说:"你总是宣讲你的病,让满世界都知道了歧视你吗?"我的理由是,世界上的事,若不让别人尴尬,也不让自己尴尬,最好的办法就是自我作践。比如我长得丑,就从不在女性面前装腔作势,且将五分的丑说到十分的丑,那么丑中倒有它的另一可爱处了。相声艺术里不就是大量运用这种办法吗?见人我说我有肝病,他们防备着我的接触而不伤和气,我被他们防备着接触亦不感到难下台,皆大欢喜,自贱难道不是一种维护自己尊严的妙着良方吗?再者,别人问起:你这些年是怎么混的,怎么没有更多的作品出版,怎么没有当个××长,怎么没能出国一趟,怎么阳台上没植花鸟笼里没养鸟,怎么只生个女孩,怎么不会跳舞,没个情人,没一封读者来信是姑娘写的?"我是患了肝炎呀!"一句话就回答了。

　　但是,人毕竟是群居动物,当我一个人独处的时候,不禁无限的孤独和寂寞。

　　唯有父亲和母亲、妻子和女儿亲近我,他们没有开除我的家籍。他们越是待我亲近,我越是害怕病毒传染给他们。我与他们分餐,我有我的脸盆、毛巾、碗筷、茶缸,且各有固定的存放处。我只坐我的坐椅,我用脚开门关门,我瞄准着马桶的下泄口小便。他们不忍心我这样,我说:这不是个感情问题!我恼怒着要求妻子女儿只能向我做飞吻的动作,每夜烧两盘蚊香,使叮了我血的蚊子不能再去叮我的父母,我却被蚊香熏得头疼。我这样做的时候,我的心在悄悄滴泪,当他们用滚开的热水烫泡我的衣物,用高压锅蒸熏我的餐具,我似乎觉得那烫泡的、蒸熏的是我的一颗灵魂。我成了一个废人了,一个可怕的魔鬼了。

我盼望我的病能很快好起来,可惜几年间吃过了几篓中药、西药,全然无济于事。我笑我自己一生的命运就是写作挣钱,挣了钱就生病吃药,现在真正成了什么都没有就是有病,什么都有就是没钱。我平日是不吃荤的,总是喜食素菜,如今数年里吃药草,倒怀疑有一日要变成牛和羊。说不定前世就是牛羊所变的吧。

我终于要求住进了传染病院。

病院里,我们像囚犯一样要穿病服,要限制行动于一个极小的院子里,虽然那院墙是铁制的栅栏,可以看见外边的人。但看见了外边行人穿着花花绿绿行走,就顿生列入另册的凄凉。我们渴望自由,每天打过吊针之后,就在院子里看红红的太阳,看涌动的云,弄着嘴唇逗引栅栏外树上的小鸟。小鸟却飞走了,落下那一根或两根的羽毛,我们皆如年节的小孩抢拾炮仗一样去争捡个不亦乐乎。这行动被栅栏外的一个孩子瞧着,那小小的眼睛里充满了在动物园看笼中动物的神气,他竟大胆地走近了几步。他的母亲,一个肥胖的女人就喊:"走远点,那是传染病!"这话使我潸然泪下,我只有背过身去,默默地注视着院中的一片玫瑰花和花坛台上的一群黑色的蚂蚁。啊,美丽而善良的玫瑰不怕传染,依旧花红如血,勇敢的蚂蚁不怕传染,依旧在为我们表演负重的远距离的运动。这一个夜晚我们皆要等到很晚方回去睡觉,迎接那依旧洁亮的月亮,它随我们到了栅栏里,它不嫌弃。

我们最不喜欢看到的是栅栏角上的那一个蜘蛛网,它好大,状若一个笸篮,为我平生之少见。我们傍晚用竿子挑破它,第二天,它又完好无缺,像一个通了电的铁网,又像是监视我们行动的雷达。我们无可奈何。开始产生了一个恶毒的念头,后悔我们为什么要声张自己是肝炎患者?为什么要来住传染病院?人们在歧视我们,我们何不到人群广众中去,要吃大桌饭、要挤公共车、要进影剧院,甚至对着那些歧视者偏去摸他们的手脸,对着他们打哈欠、吐唾沫。那么,我们就是他们中的一员,他们就和我们是一样的人了!

病院中的人都是面色青黄,目光空洞,步履虚弱。看着他们的形象我也知道自己的模样。我们是忌讳用镜子的,但我们对黄色并不反感,黄在中国是皇权的象征,于世界也是流行色。于是我们都显得亲热,在过道上、院子里,谁和谁见了都要点头,微笑也随之绽开,似乎我们有缘分,数十年前就认识似的,互相询问名姓和单位。医生和护士是从不唤我们名姓的,直呼床号。世界上叫号的只有监狱和病院。我先是"+235",后一个病号出院了,我正式成了"235"。"235!235!"这是在卖饭了,饭勺不挨着我的碗,热汤几次就淋到我的手上。"235!235!"这是护士在送体温表了,她们查看了温度便去我们看得见的地方洗手。我先是极不习惯这种代号,但后来想通了,"贾平凹"也不是一个代号吗?虽然235不是爹妈为我起的名字,可现在满社会不是都在叫"张书记"、"李主任"、"刘主席"吗?我在打吊针的时候,目光一直是看着天花板的,天花板很洁净,而我还是看出了上边的细小的纹路,并且从这纹路上看出了众多的鱼虫山水人物。有人说,天花板是病人的一部看不完的书,这话真对。然后我在琢磨"+235",想,有个"+"号,这是不吉利的,因为乙肝之所以是乙肝,就是各项指标是阳性,阳性表示出来就是"+"号。待到正式为"235"了,我思索235三位数相加是10,这还好不是个13,但10也是不好,应该是9恰好,围棋的最高段位不就是9吗?中国人是好爱3、6、9的,幸喜有个3字。

在医院的西楼角,也即在厕所的旁边,是有一株古槐的,古槐的树杈上白天常见到卧一个猫头鹰。每到夜里,它就叫了,它一叫,我们都惊慌起来,肯定在第二日、最迟不超过第三日,定要抬出去一个的。这不是迷信,一定是猫头鹰闻着了欲亡人的气味在鸣叫。大家都走出来,默默地目注着一个裹着床单的躯体去太平间。他永远太平无烦恼苦痛了。他的毛巾、牙具被拿出来放在窗台,他的母亲或他的妻子在地上滚着哭。那条床单也折价永远归了他。他或许不忍心家属的啼哭,或许满意这床单的便宜,或许在向我们作别,这时候,有许多苍蝇在嗡嗡飞,哪一只是他的灵魂所变呢?我们无声地祈祷他灵魂安妥,却不愿有苍蝇落在我们身上。从此,我们皆害怕猫头鹰,但我们没有一个人敢诅咒它,更没有人动手去打杀它,甚至连这么个念头都不曾有。当一日数次去厕所经过古槐下,都不自觉地往树杈上看看,那是惊慌的一看,也是盼望的一看,我们在心中默默地向它祈祷,企望它能饶恕了自己。我至此方明白了人人恨阎王却还要给他修庙塑像称他是阎王爷的原因,而猫头鹰也该是称作爷的,也该是有庙和塑像的。人怕什么,又奈何不了,人就想着法儿去讨好、去供奉,这就是世上神的产生。猫头鹰就是一个神的。

在这个监狱似的天地里,我们这些病人是互不歧视的,它同监狱的区别正在这里。犯人是要互相监督互相打小报告而争取减刑,这是因为他们以前曾经"犯"过人,以犯人入狱,又以犯人减刑出狱。我们患了病,并不是企图犯人,入院的一半是为了自己,一半也是为了不犯别人,所以我们互相关心、体贴。每有一个出院,我们欢欣庆贺他们的康复。也为了自己能治好而增加自信。一个病人进来,我们少半为又要认识一个朋友而高兴,多半却为他也染了病又悲伤。我们欢迎他的仪式虽不是握手和拥抱,却提醒他怎样买饭票,怎样服药,怎样不必悲观。病友和学友的感情一样珍贵,有待我们统统治愈出院后,我们在社会上仍可以形成一个关系网,这个关系网是受歧视之下,在生与死的分界线上建立的天长地久的友谊,它比那些互为利用的官网、商网、情网、乌七八糟的网纯净高尚得多。

我们失却了社会上所谓的人的意义,我们却获得了崭新的人的真情,我们有了宝贵的同情心和怜悯心,理解了宽容和体谅,热爱了所有的动物和植物,体会到了太阳的温暖和空气的清新。说老实话,这里的档案袋只有我们的病史而没有政史,所以这里没有猜忌,没有幸灾乐祸,没有勾心斗角,没有落井下石,没有势利和背弃，我们共同的敌人只是乙肝病毒。男女没有私欲，老少没有代沟。不酗酒，不赌博，按时作休，遵守纪律，单人单床，不纳妓宿娼，贵贱都同样吃药，从没人像官倒爷那样贪婪而嗜药成性。医护是我们的菩萨，我们给他们发出的笑是真正从心底来的，没有虚伪。猫头鹰是我们的上帝，我们畏惧而崇拜，没有丝毫的敷衍。我们为花坛中的那一片玫瑰浇水除草，数得清那共有多少花瓣，也记载了多少片落花被我们安葬。那洞穴的蚂蚁和檐下的壁虎，我们差不多认得了谁是谁的父母和儿女。我们虽然是坏了肝的人，但我们的心脏异常的好。

据说，在我们中国，患乙肝的是十个人中就有一个或两个的，我们这些人差不多都是在偶然的查体时发现病的。所以，当我站在铁栅栏内向外张望那些歧视我们的人群时，总作想：别神气十足以为你们干净吧，或许，你们是没有查出乙肝的病人，我们是查出了乙肝的健康人！中国人这么多，如果逐个查检一下，这里就是一个多大的世界了，那么，都能来这里呆呆，人际的感情恐怕要比铁栅栏之外好得多呢。

我们是病人，人却都病了，我的猫头鹰上帝！

1988 年 9 月 11 日

荒　野　地

　　这原本是庄稼地,却生长了一片荒草。荒草一人余高,繁荣得蓬勃健美。月夜下没有风,亦不到潮露水的时分,草的枝叶及成熟的穗实萧萧而立,但一种声息在响,似乎是草籽在裂壳坠落,似乎是昆虫在咬嚙,静伫良久,跳动的是体内的心一颗。扮演着的是《聊斋》里的人物,时间更进入亘古的洪荒,遥遥地听见了神对命运的招引。

　　月亮在天上明亮着一轮,看得清其中的一抹黑影,真疑心是荒野地的投影,而地上三尺之外便一片迷蒙。夜是保密的,于是产生迟到的爱情。躲过那远远的如炮楼一般的守护庄稼的庵架,一只饥渴的手握住了一只饥渴的手,一瞬间十指被胶合,同时感受到了热,却冷得簌簌而抖。

　　一溜黑地过趟,松软如过草滩,又分明是脚上穿了宽松的鞋。可怜的农人种下了这一溜洋芋,四周的荒草却终使它们未能健长,挖掘过的地上没有收获到拳大的洋芋,肥沃的土地上明日的清晨却能看到两行交织的脚印。

　　已经是草地的中央了,失却的则是东南西北的方向。境界幽幽。心身在启示着坐下来,恰好有两块石头,等待这石头是多少个年月,石头也差不多等待得发凉了。天地之间,塞涌的是这荒草,人也是荒草的一棵,再有一棵。说话的是眼睛,说尽着唐诗宋词的篇章。头顶上的月亮丰丰满满。需要有点风,风果然而至,草把月划成了有条纹的物件,且在晃动不已。不知名的昆虫在呻吟着,散发着那特有的气味。待到死过去几次又活过来几次,一切安静了,望月亮又如深下去的一眼井水,来分辨那里面的身影了。

佛殿一样的地方,得到的是心身的和谐,方明白那一溜松软的黑地是通往而来的甬道,铺着毡毯。

生长庄稼的土地却长满了这么多荒草,这是失职的农人的过错吗?但荒草同样在结饱满的果子,这便是土地的功能。失职的农人或许要咒诅的.而娇弱无能的庄稼没有荒草这么并不需要节令、耕作、肥料而顽强健壮啊!

因为草、人归复了原来的形态,这个月下夜晚是这么苍茫壮阔。

生之苦难与悲愤,造就着无尽的残缺与遗憾,超越了便是幽默的角色,再不寄希望于梦境和来世,就这么在荒野地中坐下,坐下如两块石头。或许坐上百年上千年,或许很短的一刻,但已够了。

走出了荒野地,另一处草浅的地方,仍发现了曾是长过瓜果的,是南瓜或是西瓜,肯定的也是未收获到要收获的东西,瓜田早废了,瓜叶腐败为泥,而绳一样纵横的瓜蔓却还发白地将也为泥地印缀在地上。踏着这白绳的空格走,像是游戏。突然就会想起月亮上的那一株桂树,还有那一位勇敢的却砍不断树身的吴刚。

而毕竟有这么一块荒野地。

1988 年 10 月 11 日

礐　石　岩

礐石岩是汕头的一座山。

山并不高,但在海边,却全是一堆乱石的堆起;旁边没有更大的山,疑心不了地震后的一场崩塌,便想象是外星人海滩玩过石子的游戏。

游礐石岩的人好多,而爬坡的几乎没有,那平仄纵横的巨石就很野,缀满了许多苔斑,挺象形,作想这是宇宙语,但无人看懂。石与石的夹缝里有细树,寡寡的样子,没有一株是南国的阔叶,都细碎椭圆,叶背乱翻如是耳朵,就能听见在山的腹部嗡嗡一满人语。

游人是在山腹。别的山都要爬,这里却真正是登,觅着山根处两石斜倚的洞穴进去,一股森气就吸身深入,沿一条通道便能引上山顶。这不是人工的斧凿,是乱石堆砌的自然空隙。盘过来,又转过去,旋转而上,常常就走迷失。迷失不打紧,可以在一张石桌下坐歇,目注着一处猜想着它是什么虫鸟人物,多看多新,也可以看着石缝的某一处透射下来的阳光,吊一条黄金绳索。山腹里阴冷,不能久坐,久坐又最易于不识我是哪石,哪石是我。在山腹中钻行,会有军事家的感觉,想到八卦阵,也想到游击战。若有一声笑,笑就酝酿不绝,甚至有金属的音韵,会惊得发笑人一脸的呆。终于从山腹出头,出口却是一块大得骇人的仄石,似乎那是个盖石才被揭开,又有随时要盖上的危险。

　　站在了山顶,人犹如初生,风吹得温柔,空气能握出水来,渐渐地睁开眼,能看到天的最空处,也看到了海的最阔处。于是想,石岩不是山,是来镇海的一座塔。

　　从老深处突然到老高处,探探索索到自由自在,觅寻到了大的境界,又觅寻到了自己,游人于是就大呼小叫。

　　大呼小叫,人正是成了塔上的风铃。

西大三年

——十五年后的记忆

一九七二年四月二十八日,汽车将一个十九岁的孩子拉进西大校内,这孩子和他的那只绿皮破箱就被搁置在了陌生的地方。

这是一个十分孱弱的生命,梦幻般的机遇并没有使他发狂,巨大的忧郁和孤独,他只能小心翼翼地睁眼看世界。他数过,从宿舍到教室是五二四步,从教室到图书馆是三〇三步。因为他老是低着头,他发现学校的蚂蚁很多。当眼前有了好些各类鞋脚时,他就踽踽地走了,他走的样子很滑稽,一只极大的书包,沉重使他的一个肩膀低下去,一个肩膀高上来。

他唯有一次上台参加过集体歌咏,其实嘴张着并没有发声。所以,谁也未注意过他,这正合他的心境。他是一个没有上过高中的乡下人,知识的自卑使他敬畏一切人,悄无声息地坐在阅览室的一角,用一个指头敲老师的家门,默默地听同窗的高谈阔论。但是,旁人的议论和嘲笑并没有使他惶恐和消沉,一次政治考试分数过低,他将试卷贴于床头,早晚让耻辱盯着自己。

他当过宿舍的舍长,当然尽职尽责,遗憾的是他没有蚊帐,夏夜的蚊子轮番向他进攻。实在烦躁到极致,他反倒冷静了,想:小小的蚊子能吃完我吗?这蚊子或许是叮过什么更有知识的人的,那么,这蚊子也是知识化了的蚊子,它传染给我的也一定是知识吧。冬天里,他的被子太薄,长长的夜里他的膝盖以下总是凉的,他一直蜷着睡,这虽然影响了他以后继续长高,但这样却练就了他善于聚集内力的功夫。

他无意于将来要当作家,只是什么书都看,看了就做笔记,什么话也不讲。当黄昏一人独行于校内树林子里,面对了所有杨树上那长疤的地方,认定那是人之眼,天地神灵之大眼,便充裕而坚定,长久高望树上的云朵,总要发现那云活活的是一群腾龙跃虎。

他的身体先还较好,虽然打篮球别人因个子小不给传球而从此兴趣殆尽,虽然他跳不过鞍马,虽然打乒乓球尽败于女生,但是,当一次献血活动,被抽去300CC之后又将血费购买书了。不久就患了一场大病,再未恢复过来。这好,他却住了单间,有了不上操、不十点熄灯的方便了,但创作活动也于此开始。当今有人批评他的文章多少有病态意味,其实根由也正在此。

最不幸的是肚子常饥,一下课就去站长长的买饭队,叮叮当当敲自己的碗筷,而一块玉米面发糕和一勺大荟菜,总是不品滋味地胡乱扒下。他有他的改善生活日,一首诗或一篇文章写出,四角五分钱的价格,他可以去边家村食堂买一碗米饭和一碗鸡蛋汤。因为饭菜的诱惑,所以他那时写作极勤。但他的诗只能在班壁报上发表。

他忘不了的是授过他知识的每一位老师,年长的,年轻的。他热爱每一个同学,男性的,女性的。他梦里还常梦到图书馆二楼阅览室的那把木椅,那树林子中的一块怪模怪样石头,那宿舍窗外的一棵粗桩和细枝组合的杨树,以及那树叶上一只裂背的仅是空壳了的蝉。

　　整整十五年后,他才敢说,他曾经撕过阅览室一张报纸上的一块文章,而且是预谋了一个上午。他掏三倍价为图书馆赔偿的那本书,说丢了那是谎言,其实现在还保藏在他的书柜里。他是在学校偷偷吸烟。他是远远看见一个留辫子的女学生而曾做过一首自己也吃惊的情诗。

　　一九七五年的九月,他毕业了,离开校门,他依旧提着那只绿皮破箱,又走向了另一个陌生的地方。

四月廿三日游太湖

原来是一摊水而已!

当我千里迢迢地站在了太湖堤岸,没有滚滚的波浪,没有穿空的危崖,十多年来的热盼和想象等待来的,就如这柳下仄仄卧卧的圆石一样呆痴和冰凉吗?天地间聚这样的一洼清水,别的地方也易见到,似乎更大,水更清,除了水鸟翻飞便无游人,而水鸟翻飞愈是水天一色的空阔浩渺。

我久久地不愿坐上泛湖的小舟。

时近黄昏,水面光亮如镜,无数的游舟在那里滑行,尖声锐语,嬉戏无常,已分不来是游人的得意忘形还是湖中显现了水族的活跃。全是些妙龄女子,衣饰使太湖浸染了各种颜色。忽有音乐骤起,从水的某一处潮湿湿过来。我茫然四顾,水汽蒙蒙中不见奏乐的人,却似乎在遥远的水面,一只彩舟凌波而去,无数的舟激动追逐,追在前头渐渐船如一线人若芥子,一层一层极厚极柔的水纹推至岸头。有几只终于返回了,满脸热汗的女子十分疲劳,却遗憾苦叫未能追上那西施。这怨恨使我惊讶,难道西施还在太湖?随之我也笑起我自己了,那倾国倾城的一代名姬是不会至今还泛舟在太湖,但夕阳辉映里出现幻景是太湖的奇观吗?想那英雄的范蠡在金雕玉琢的船上,置一点酒茶,抚一把檀扇,有美人在旁,衣若飞云,眉如远山,清妙似踏波仙子,那是何等适意。而如今的女子都来湖上是想往那美人神采而产生了幻景还是她们以自身的美丽和幸福不能自持,看别人是西施别人又看自己是西施而真似假时假亦真?我多少有些明白了,太湖毕竟是美人的湖。这一摊水是有了美人,有美人而成就了这一摊水。

微风中我幽幽地叹息了。

有一年,我去西北的某地,在一处细若小儿尿的泉溪前看见了数百人为舀水发生的械斗,结果瓷盆瓦罐遍地碎片,有人流出的血竟比所得的水多。在所经过的三天四夜的路途中,干渴的人家宁给我一个馒头也不肯让半碗凉水,偶尔的那个下午天下起雨,村中的老的少的,垂奶子的妇人和少女,赤了上身在水地上打滚,那张开的口舌鼻翼的十二分的受活表情,惊心动魄地震撼了我。可这有着太湖的吴越,到处是水,似乎那高楼大厦的城市中若随便在水泥路面上抠抠就咕嘟嘟要涌出一个泉来。乡下的村居,更是屋在水上建筑,淘米费去那么多水,洗菜费去那么多水,衣服二日三日就搓,澡一日一冲,连每日早上年轻的媳妇提了马桶在门前咣咣敲着刷涤也要费那么多水。

知道了吴越的水多,你总算明白了之所以感觉这里的女人多的原因。遥想古有楚王爱细腰之说,楚虽不是吴越,恐怕同属一个流域,那么,西施也一定是个细腰妇了。细腰当然立之亭亭,行之曳曳,但细腰远瞧美好近察则不如北方的那胖妇杨玉环吧。看湖汊上的小船上临风立几个细腰女,真令人担心在船的波晃中那腰要闪断,一握之躯,能受用得了几碗饭呢?听她们细言颤语,舌尖缠绕,柔若蚊鸣,这多是腰太细的缘故。临走时邻居嘱我代购一件上衣,他熊腰虎背,我一到这里就打消进商店的念头,因为所行之处见哪一个是粗壮形象!我准备回去时买撮白菜和捎一页灰砖,我要让他瞧瞧:吴越的白菜就这么苗条如蒜苗,吴越的灰砖就这么秀气如瓷片!西北的大吼大叫的秦腔使吴越之人震耳欲聋,但我在吴越的几个晚上失眠而特意去看锡剧和评弹,竟使我沉睡如泥而昼夜不分。

我明白了吴越之地为什么多出文人,因为有水生纹,纹者文也。明白了吴越人为什么脚腿不健,因为以船代步,那船正是仿了北方人的鞋形而制。明白了吴越之地为什么人善乐,连一个瞎子也能奏出"二泉映月",月偏偏在这里最清最白。

这里确实是配作有月亮的地方,即使太阳,也雌化得清丽,雄性的太阳在西北,阳亢得如一只火刺猬,那粗硬尖锐的光刺直扎着烤炙,便有了沙漠的灰烬和焦骨的石山。西北和东南如此不同,这真是上古神话中的共工与颛顼混战的结果吗?天柱折,西北倾,日月就移之吗?天柱折,东南陷,流水便聚之吗?如若不是,那么羿射的一定就是东南的太阳,禹疏的一定是西北的流水!羿,可恶的持弓鬼,把太阳撵到了西北,而大愚的禹怎么能将西北的水一尽儿全疏走呢!被世世代代传颂的补天的女娲原来工作得并不完满和彻底!

天色愈来愈晚,湖雾愈发绚艳,太湖一时之间像要起火燃烧。太湖到了此时,才真正地感动我了,它是在等待着我的这一刻,更是我等待着它的这一刻,这一刻如此的辉煌灿烂!我踏步登上了湖边的岩山,我瞧见了岩壁上书写的三个大字:鼋头渚。哦哦,这千万年来静卧在这里的原来是一只水鼋!这水鼋几时从水里爬出,又几时被游人误为山岩而一直委委屈屈地忍受着在等待着我的会见呢?有龟便有蛇,蛇在哪里,是化幻了往昔那个妖冶的西施还是退化了如今湖中小小的银鱼?我终于认出了,这个水鼋不正是支撑天柱的那个水鼋吗?现在盖房筑厅只仅用凿成鼋形的石块,而真正能支撑苍天的真正的水鼋却冷落寂寞了。大材不可小用,这便是水鼋被误解和寂寞生存的伟大处。我默念起古书上对神龟的记载了:背脊像天一般圆,腹像地一般方,背上有盘像山丘,黑纹交错构成许多星宿之状,五彩斑斓像锦缎的花纹,行走与四季相应。我随之在鼋头渚上来回跑动着寻找着那可以占卜的纹相,可惜我不识那如星宿之状的交错的黑纹,坐下来,遥望那远处的据说有"潜鱼"之景的蠡园。是了是了,潜者为鱼,跃者为龙,鱼者阴,龙者阳,阴者清,阳者浊,失了天柱,空留神鼋,天地是东南倾了。我临风苍凉而悲,我不知道天地是不是还要再倾下去,我简直分不来我是那个未死的杞人呢还是杞人终又转生了我?!湖面的霞光水汽更红了,起火燃烧到正旺处。西北的沙漠上有海市蜃楼,东南的湖面上有山火燎原,这一切奇境又是神灵在暗示我天地要同此凉热的玄妙吗?难道我虽看不懂神鼋背上的占卜的纹相而以别一样的景色泄机吗?我恍恍惚惚之中意识到天地虽倾但并不会继续倾斜而要复正,不是说米是男性生殖器的象征麦是女性生殖器的象征而西北人缺阴故喜食麦东南人缺阳故喜食米吗?神意如此,真是千声万声的阿弥陀佛了,阿弥陀佛!

白藤湖梦忆

一、庭院

一片草地上不期然而然地裸露了一块石头。石头后是三株竹。草地原本是移植的,长得极嫩,极繁,从彩色的鹅卵石小径上慢慢走来,一踏上草,脚背便埋没了,甚至拐了一下,立站不稳,很容易产生一种异想。早晨的空气挺好,微明一个人起身,思想人皆昏睡唯我独醒,高望着有限天空中几点残留的星子,暂将懒懒的身子安顿下,就看见这石竹了。石头不大,玄黑色的,且质地坚固而浑圆,可想到这是从河之上流一直冲滚到下游的物件,石头里一定有了什么宝贝,憨憨的外表却透一派灵气,在夜与昼的分界光里,像油煮过一样闪亮。三株竹子,是罗汉种,左一株离石较远,中一株稍有偏后,右一株恰在石的紧边,皆一尺至一尺三寸余高。初眼的印象,这三株竹小而老成,人形里该是个大矮的老者。定定地看了一会,看出真正的幼稚,那胖胖的竹节犹如是藕节,又犹如是小儿的腿肚,忍不住要呼唤了。

这一切明明白白都是人工的造就,但既然是灵性之物,就表现得自然活泼。一所庭院,建设得已相当现代,这黎明里,草地,石头和竹却几多的凄美啊。

安怡的小姐和夫人们已经站在了楼栏杆上了,她们忘却了出外的日期,正听到枝头上歇栖的一只小鸟的朦胧叫声。

二、小池

楼梯下的一方,修造出一口小小的池。池中有一枚假山,玲珑剔透。山中暗藏着水管,水上来,又漫流下去,正符合山高水高的道理,淅淅淋淋的样子,但无声。山下的水极浅,却生有十三条鱼。一条红色,一条黑色,十一条是灰色,灰得透亮,犹如那是一个个油纸做的,其中插有灰色光的烛。十三条鱼很会生活。作并头齐游,或一字儿连贯。白天的太阳不会照着它们,夜来的灯光虽然分散,但池底是一个灯泡的一点圆光,鱼便围绕了不动,给人宗教感。

鱼永远是十三条,捉一尾去厨房烹了,添一尾又在池中,它们识其类而不辨其个,依然乐哉生活。但终不明白为什么有一条红鱼、一条黑鱼?仔细瞧池底嵌有一块玻璃,红鱼和黑鱼喜欢静浮于其上,判断这两条该是母性,那玻璃恰作了它们爱美的镜子。

假山上有了绿绿的苔藓,生出无数的金黄小花。花不能采,采来一抪便化为水,竟不是黄的颜色。

一只白猫胖胖的媚人,现代化的楼上没有老鼠,这猫唯一的在夜里叫春。白日里就卧在楼梯处下望小池,样子很精灵,有几分狐相。猫最能嗅见腥味,是一位玄学家,推算出了哪一条鱼的寿命。

三、窗外

原是疏通了湖到每一幢楼下的,河沟就随便得很,绕来绕去,水意脉脉,风情盈盈。现在排除淤泥,水退去许多,河沟便失了体态,暴露狼藉内部了。忽然作雨,已下得有半日之久,默默地斜在窗前看,雨落在沟泥上是一个一个小窝儿,听不见一丝声响,残缺的水面不停地眨眼,两脚正软软踏过。

不知道该怎么评价这一天？读几首唐宋诗词,体会得最深最切。房门打开着,听楼道上有噔噔的碎步,该是那些小姐和夫人雨中读山读湖读他归来？默默地出来,A君也站在栏杆前望天,一朵柳絮竟出奇没有打湿,仍从楼檐下飘来,接在手里,又放它飞去,再接在手里。两人无话可聊。又分别坐回窗前,捱守那一声蝙蝠叫了。

四、荡湖

荡湖那日正下着雨。其实不应算下雨,是水汽,脸上头上湿淋淋的,衣服上并不见水。湖颇大,东西南北不明了方位,天地贴在一起,似乎汽艇的前进才使其剥离,看得久久,弄清楚天是青中略白,地是白中略青。前边有了一艘汽艇,驾艇者是位少女,风将白衣和黑发鼓起,可可的是一个水中的小兽。加足了马力去追,如林中打猎一样易于产生疯狂。女儿艇将水面犁开波痕,波痕扩散,竟有车辙般坚硬,使追艇颠颠震震了。终于看见了远处的一抹长堤,二三人物晃动,如石上苔点。长堤的左侧,有一片杉木和芦草,迷迷丽丽的美。该是返回的时候了,忽见那白衣少女又在归途前头,是刚才隐于湖底呢还是芦草之后?现时则悠闲停泊在一方,艇横过来,那一张亲亲的脸扭过来,湖面晴朗许多,湖水温柔许多。涟漪细腻起来,两艘汽艇头尾相接了。

"水平线是圆的吗?"少女说。

"是圆的,教科书上讲,地球是圆的。"

"教科书上讲地球还在旋转的?"

"是这么讲的。"

"那这水和我们是倒吊在地球上了?!"

少女的话立即使人感到了心悸,追艇在涟漪里摇摇浮浮出去,驶近了岸头,回首后望,湖心一点白,倒疑心那少女是凌波仙子,生无限的崇敬。

笑 口 常 开

著作得以出版,殷切切送某人一册,扉页上恭正题写:"赠×××先生存正。"一月过罢,偶尔去废旧书报收购店见到此册,遂折价买回,于扉页上那条题款下又恭正题写:"再赠×××先生存正。"写毕邮走,踅进一家酒馆坐喝,不禁乐而开笑。

大学毕业,年届三十,婚姻难就,累得三朋四友八方搭线,但一次一次介绍终未能成就。忽一日,又有人送来游园票,郑重讲明已物色着一位姑娘,同意明日去公园××桥第三根栏杆下见面。黎明早起,赶去约会,等候的姑娘竟是两年前曾经别人介绍见过面的。姑娘说:"怎么又是你?!"掉身而去。木木在桥上立了半晌,不禁乐而开笑。

好友×君,编辑十五年杂志,清苦贫困,英年早逝。保存下那一支笔和一副深度近视镜。租三轮车送亡友去火葬场火化,待化的队列冗长,忽见墙上张贴有"本场优待知识分子",立即返回取来编辑证书,果然火化提前,免受尸体臭烂,不禁乐而开笑。

入厕所大便完毕,发现未带手纸,见旁边有被揸过的一片脏纸,应急欲用,却进来一个人蹲坑,只好等着那人便后先走。但那人也是没手纸,为难半天,也发现那片脏纸,企图我走后应急。如此相持许久,均心照不宣,后同时欲先下手为强,偏又进来一个,背一篓,拄一铁条,为捡废纸者;铁条一点,扎去脏纸入篓走了。两人对视,不禁乐而开笑。

居住于A城的伯父,沉沦于二十年右派生涯,早妻离子散,平反后已垂垂暮老,多回忆早年英武及故友。我以他大学的一位女生名义去信慰藉,不想他立即复信,只好信来信往,谈当年的友情,谈数十年的思念,谈现在鳏寡人的处境,及至发展到黄昏恋。我半月一封,连续四年不断,且信中一再说要去见他,每次日期将至又以患病推延。伯父终老弱病倒,我去看他,临咽气说:"我等不及她来了。她来了,你把这个箱子交她。"又说一句"我总没白活"。安详瞑目。掩埋了伯父,打开箱子,竟是我写给他的近百封信,得意为他在爱的幸福中度过晚年,不禁乐而开笑。

陪领导去某地开会,讨论席上,领导突然脖子发痒,用手去摸,摸出一个肉肉的小东西,脸色微红旋又若无其事说:"我还以为是个虱子哩!"随手丢到地下。我低头往地上瞅,说:"噢,我还以为不是个虱子哩!"会后领导去风景区旅游,而我被命令返回,列车上买一个鸡爪边嚼边想,不禁乐而开笑。

有了妻子便有了孩子,仍住在那不足十平方米的单间里。出差马上就要走了,一走又是一月,夫妻想亲热一下,孩子偏死不离家。妻说:"小宝,爸爸要走了,你去商店打些酱油,给你爸爸做一顿好吃的吧!"孩子提了酱油瓶出门,我说:"拿这个去。"给了一个大口浅底盘子,"别洒了啊!"孩子走了,关门立即行动。毕,赶忙去车站,于巷口远远看见孩子双手捧盘,一步一小心地回来,不禁乐而开笑。

夜里正在床上半醒半睡,有人影推门闪进来,在立柜里翻,翻出一堆破衣服和书报,扔了;再往架板上翻,翻出各类米袋子、面袋子和书报,扔了;在桌斗里又翻,是一堆读书卡片,凑眼前看了看,扔了。咕囔了一句顺门便走,我在床上说:"朋友,把门拉上,夜里有风的。"小偷把门拉上了。天明起来整理房间,一地乱书乱报,竟发现找了好久未找着一份资料,不禁乐而开笑。

上大街回来,挤了一身臭汗,牢骚道:"用枪得在街十字路口扫一通!"回家一杯茶未喝尽,楼梯上步声杂乱,巷中有人呼:"大街上有人用枪打死几十人了!"遂也往街上跑,街上人山人海,弯腰往里挤,问:"尸体在哪儿?"一熟人说:"不是说是你讲的吗?"忽记得那一句顺口的牢骚,不禁乐而开笑。

剧场里巧和一位官太太邻座,太太把持不住放一屁,四周骚哗,骂问:"谁放的?不文明!"太太窘极不语,骂问声更甚。我站起说:"我放的!"众人骚哗即息,即以手作扇风状,太太也扇,畏我如臭物,回望她不禁乐而开笑。

出外突然有人迎面过来打招呼,立即停下,作疑惑状。"你不认识我了?""怎不认识!"于是握手,互问哪儿来,到哪儿去,互问老人康健孩子可乖,互说又胖了,又瘦了!半天的淡而无味的话。分手了,终想不起这是谁,不禁乐而开笑。

弄文学的穷朋友来家侃山,酒瘾发而酒瓶仅能控出一杯酒,取马鬃四根,各人蘸吮,却大声划拳:"三匹马,五魁手……你一盅(鬃)!我一盅(鬃)!"窗外卖茶蛋的老妪对老翁说:"怪不得咱出钱让人家写文章宣传咱不干,人家钱多酒量也大,喝了整晌也未醉!"听着不禁乐而开笑。

路过一条小巷,忽见有长队排出,以为又在出售紧俏物件了,急忙列入其中,排到跟前,方见是巷口唯一的厕所,居民等候出恭,不禁乐而开笑。

去给孩子买一双袜子,昨日看时价是一元,今日是一元二角,快快出店门,打响一个喷嚏,喷带出一口痰。正想是售货员在嘲笑我,我方有喷嚏打出,一位戴"卫管员"袖章的人却责斥我吐了痰要罚五角钱,掏出那一元钱,卫管员没零钱找,遂再当地吐一口,愤愤而走,走过十步,不禁乐而开笑。

出差去旅社住宿,服务员开发票,将"作协"写成"做鞋",不禁乐而开笑。

夏月偏停电,爬十二层楼梯去办公室,气喘吁吁到门口了,门钥匙却和自行车钥匙系在一起,遗忘在车子锁孔了,不禁乐而开笑。

路遇一女子,回望我嫣然一笑,极感幸福,即趋而前去搭话,女子闪进一家商店,尾随入店,玻璃上映出自己衣服纽扣错位,不禁乐而开笑。

名字是自己的,别人却用得最多,不禁乐而开笑。

写完《笑口常开》草稿,去吸一根烟,返身要誊写时,草稿不见了,妻说:"是不是一大页写过的纸,我上厕所用了。"惊呼:"那是一篇散文!"妻说:"白纸舍不得用,我只说写过的纸就没用了。"急奔厕所,幸而已臭但未全湿,捂鼻子抄出一份,不禁乐而开笑。

1989 年 2 月 27 日于病室

读书杂记摘抄

一、《川端康成小说选》

（一）

川端康成的身世决定了他以后文学的情绪和基调。孤苦凄凉的生活使他性格内向；受尽了人世的歧视，却又不肯屈服，便只有孤独、虚无、颓废，官能的压制。但只有这种人，其内心才最龙腾虎跃，才最敏感，才最神经质，才善于有瞬息间纤细的感觉和细致的微妙的心理活动。

这类气质的人，表面上是冷漠的，内心是热烈的，他永远使人看不透。以此引申入文学，必然有一股神秘色彩，变化莫测，有不可学得（模仿）的特点，他不善于打正面攻击战，却极会选择角度进入中心地带。因此，题材的选择对这一类作家尤其重要。拿手的是写日常生活中的微妙的感情的东西，靠的是感觉，靠的是体验，而不是靠横的即知识面广赢人。

对于画家，当都有了技巧，有了功底，但到最后就要比各人的格调，人的格调决定了画的格调。文学亦是这样，气质的发现、发展是极其重要的。

（二）

川端氏作品在主题和题材上，局限了他的范围，然后却发展到了极致。一般说来，优点愈是鲜明的，缺点亦愈是鲜明。

（三）

一个作家的哲学思想形成，一方面是因他的身世所致，另一方面是所处的社会的心理状态所致。川端正是如此。换句话说，作家要重视发现自己的气质，同时要研究社会，准确地抓社会情绪、社会心理。

（四）

玄妙的余韵，幻想的感觉，幽情的哀伤，将四季的山川草木、风花雪月的自然美同人的哀伤、灭亡联系起来，这就是川端了。

（五）

川端走的是把西方现代派文学同日本古典传统结合起来的创作之路。

没有民族特色的文学是站不起的文学，没有相通于世界的思想意识的文学同样是站不起的文学。用民族传统的美表现现代人的意识、心境、认识世界的见解，所以，川端成功了。

1982年9月20日记于日记

二、《吉檀迦利》

泰戈尔之诗文,天地鸿大,不可觅踪寻迹。始信大天才是天之生成,如中国的屈原、太白、东坡。他们天性自在,随物即赋形也。

故想起宗白华的话,多与自然和哲理接近而铸造诗格,多与名文习研而训练诗文结构,这是我今后的方向啊。

1982 年冬月记于扉页

三、《李商隐诗选》

"上以补察时政,下以泄导人情",这样便可雅俗共赏了。

1983 年 2 月 7 日记于扉页

四、《冯文炳选集》

冯氏之文与沈从文之文有同有异,同者皆坦荡,平泊,冷的幽默。异者冯多拘谨,沈则放野,有一股勃勃豪气。冯文技法有七:㈠行文多靠感觉,故细腻,形象新鲜,在感觉行笔时再加上意识流动,此意识有主人公的,有写书人的。㈡转折自然,多在上一段对话中暗交代,遂倏乎转入别处。这样不易露出痕迹。㈢对话时空白极大,初看不知晓,细读则入味,后味。⑭描写多闲笔,全是感觉,能摇曳开。⑮不交代来龙去脉,随到随写,有《史记》之法。⑯学六朝、唐人绝句,学李商隐、陶潜,句出意境。是以现代意识浸润意境。以色块写意境。这样意境阔大,无俗媚。⑰思想沉静,无浮躁气,自己保持自己一个世界。

严格地说,沈文是发展了冯文,扩大了视野,气盛。当今文坛,林斤澜、何立伟有冯之气,吾则要拉开距离,习之《史记》,强化秦汉风度。

1985 年 9 月 8 日记于扉页

五、《将军的头》

今日购施蛰存一书。吾喜施氏的心理层次的描写。心理描写要传神,一是变形,二是细腻,三是层次。吾数多年前便欲以现代意识写古事,但未成,读施氏大作,倒颇有启示。

1987 年夏日记扉页

浓重的背景,使一个很平淡的故事枝蔓起来,丰厚起来,而施氏叙之从容。

一个月又记扉页

六、《诗创作心理学》
——《诗品》臆解

畅广元先生从创作心理上言,颇有新意,也见功力。《诗品》只指向各类诗之意境,而意境以象示出,着人解悟。诗是最难明言的艺术,企图明示则妄也。

1989 年 7 月 10 日记扉页

七、《福克纳中短篇小说选》

一、小说的问题不是在写故事,而是充分地写"背景"下的故事过程,而又恰恰没有故事的结局。这便是写人与写故事的区别。

二、不停有伏笔,而写伏笔时又使故事摇曳开,以增加深厚度。

三、叙述时,动作性东西多,互相交替,显得容量。

1988 年 10 月 3 日记于《殉葬》题前

八、《李白》
——诗歌及其内在心象

对于唐诗,是最能体现中华民族精神的,截至今日,唐诗研究国内外大有人在,国人之研究,当然有古今区别,但洋人研究,则中西古今之异趣也。我喜欢外国人所写的中国古典研究书,此正是中西结合。日本松浦友久先生在此书中说:"感受客体化的意欲间的紧张关系"的产生,即为优秀之章。此话有理。作者重在写太白诗中的离别、行旅、月光、女性、风暴、怀古、饮酒、战乱、政治、游仙、赠寄,以内在心向着笔行文,循艺术之规律,读之合我心境也。

1983 年冬日记于扉页

九、《沈从文文集》

信手来写,放得开,收得合,而开合间的圆润之处,沈氏大知。此等文法,必得天资好的人用之,必得文笔补救,其没骨写意法。

文章做得随意如水,沈氏是大天才也。

1983 年 2 月 20 日记于第四卷

十、《实验诗选》

岛子之诗令人最大之感受是一种沉重之灵魂苦难,这是整体感觉性的、强大理性的诗。《易》的辞是中国人的最具象和最抽象的东西,而岛子研究《易》,却为什么不借鉴这种做法呢?岛子好像并不喜欢一些字、句的诗境,这应该是对的,但也不必一概拒绝。集中的那些诗剧是出色的,容量颇大。岛子之所以这样为诗,完全是人生之坎坷所致,却不一定陷入而不拔。中国诗坛上杜甫、李白、屈子、东坡皆一生不得意,但诗极豁达,这便是一种生命之超越。禅语讲,古镜未磨时光照天地,磨后则黑漆漆的,此意岛子应戒。学以魏晋诗人,学李贺,在黑纸上写白字,当然好,但若将生活为副业,以诗作生活,则会沦为贾岛气。

1989 年 7 月 28 日记于扉页

十一、《她就是那个梅》

梅女士之诗是从民间和生活中体验而得,其清新可人,与流行诗人的故作高深不同。但梅诗境界狭小,且并未放达。古陶渊明诗也写田园,所谈的哲学也不是何等新,但旷达飘逸气充盈,领略到自然的恬美和人生的道理,故人与自然契合矣。

1987 年 7 月记于扉页

十二、《闲情偶语》

有闲情者方有蕴藉文。
平常心。

1989 年 5 月于扉页

生活一种

——答友人书

院再小也要栽柳,柳必垂。晓起推窗如见仙人曳裙侍立,月升中天,又是仙人临镜梳发;蓬屋常伴仙人,不以门前未留小车辙印而憾。能明灭萤火,能观风行。三月生绒花,数朵过墙头,好静收过路女儿争捉之笑。

吃酒只备小盅,小盅浅醉,能推开人事、生计、狗咬、索账之恼。能行乐,吟东坡"吾上可陪玉皇大帝,下可以陪卑田院乞儿",以残墙补远山,以水盆盛太阳,敲之熟铜声。能嘿嘿笑,笑到无声时已袒胸睡卧柳下,小儿知趣,待半小时后以唾液蘸其双乳,凉透心臆即醒,自不误了上班。

出游踏无名山水,省却门票,不看人亦不被人看。脚往哪儿,路往哪儿,喜瞧巉岩勾心斗角,倾听风前鸟叫声硬。云在山头登上山头云却更远了。遂吸清新空气,意尽而归。归来自有文章做,不会与他人同,既可再次意游,又可赚几个稿费,补回那一双龙须草鞋钱。

读闲杂书,不必规矩,坐也可,站也可,卧也可。偶向墙根,水蚀斑驳,瞥一点而逮形象,即与书中人、物合,愈看愈肖。或听室外黄鹂,莺莺恰恰能辨鸟语。

与人交,淡,淡至无味,而观知极味人。可邀来者游华山"朽朽桥头",敢亡命过之将"××到此一游"书于桥那边崖上,不可近交。不爱惜自己性命焉能爱人?可暗示一女子寄求爱信,立即复函意欲去偷鸡摸狗者不交。接信不复冷若冰霜者亦不交,心没同情岂有真心?门前冷落,恰好,能植竹看风行,能养菊赏瘦,能识雀爪文。七月长夏睡翻身觉,醒来能知"知了"声了之时。

养生不养猫,猫狐媚。不养蛐蛐,蛐蛐斗殴残忍,可养蜘蛛,清晨见一丝斜挂檐前不必挑,明日便有纵横交错,复明日则网精美如妇人发罩。出门望天,天有经纬而自检行为,潮露落雨后出日,银珠满缀,齐放光芒,一个太阳生无数太阳。墙角有旧网亦不必扫,让灰尘蒙落,日久绳粗,如老树盘根,可作立体壁画,读传统,读现代,常读常新。

要日记,就记梦。梦醒夜半,不可睁目,慢慢坐起回忆静伏入睡,梦复续之。梦如前世生活,或行善,或凶杀,或作乐,或受苦,记其迹体验心境以察现实,以我观我而我自知,自知乃于嚣烦尘世则自立。

出门挂锁,锁宜旧,旧锁能避蟊贼破损门,屋中箱柜可在锁孔插上钥匙,贼来能保全箱柜完好。

鸡　蛋

鸡蛋是一个生命,生命的壳是又薄又脆的。

老鼠可以把它用牙敲开,蛇索性囫囵吞下,农夫挑了蛋笼上集,更是提心吊胆,怕别人撞了自己,也怕自己撞了别人。这生命的壳与其说是保护,准确应是一种收拢,于是那孵出的鸡胆怯小气,飞不起,又跑不快,长细小的尖嘴,即使站在谷米堆上也要刨着吃。

世上没有一颗蛋是方形的。

小小的山村里,人们都在饲养鸡。中午的太阳照过篱笆的时候,女人们都在院子里撵着鸡跑,逐一逮住,将粗糙的手指捅进鸡的屁眼里摸蛋。蛋原来是传种接代的东西,人们却残酷地拿它去换钱,以此评价某一个鸡的价值,一天需要一颗,直逼得它没有尿尿的机会。鸡也便退化了尿尿的设备,只是一颗接一颗地生下来。

文明的城市里的人,越来越懂得了营养学,他们将纸币扔给了山村农人,农人将鸡蛋——交给了他们。

当鸡红着脖脸鸣叫,妇人们立即去稻草窝里挑起一颗,就要将热蛋煨在眼上。热蛋煨眼可以治烂眼,妇人们的眼睛盼城里的人来已经盼烂了,城里的人还是迟迟不来。以至城里人最后将鸡蛋运走,蛋就有相当的颗数变坏了。

坏了的蛋是最臭的。

1989年9月18日午后
应英文命题速写

门

一位朋友跟我说:某庄有姓黄的人,其妻秃顶,自己也干脆不留发。见外人都经营生意,他便在家自制一种农药,宣扬毒性无比,见虫杀虫,畜沾畜死,画有骷髅图形的农药制出后,却无人肯买,又耗去许多积蓄。妻生怨恨,渐恶声败语,常言米面夫妻,既然少米无面,夜里就不同床卧枕。黄人被妻瞧不起,外人更不把他当人看了。恰一家报社拉赞助,他找到了记者。

"我可以赞助!"他说。记者瞧他形象猥琐,问:"你有企业?""我有农药厂。""你出多少钱?""五千。""那就只能写五千字了!"

自然黄人就有了厂长头衔,自然黄厂长就是企业家,制造了三〇农药,自然有一篇五千字的报道刊登在报纸上。黄厂长数了数字,并不是五千字。去寻记者,记者说你数数标点符号嘛。黄厂长再数,果然加标点一起不多不少五千。一个标点也是一元钱,他真想去办个报纸,专门刊登标点符号,但他没有那份天才,他只能制农药。社会对于广告已经失去信任,对报道却无限神秘,于是这农药销路挺好。销路好,收入就多,黄厂长真正成了厂长,穿起西服。现在不兴敲掉门牙镶金牙,但眼镜却是要戴的,而且见光就变色。他有些瞧不起其妻了。先是要她去把一头干涩的乱发烫卷,她死不肯,再是嫌她的两乳头干贴了胸膛,买海绵乳罩回来,她戴给了牛,以为是时兴的"牛暗眼"。他叹一口气,说是感情不和,夜里也不回来。她和他闹,闹毕了就哭一场。问:"你这药有毒吗?""当然有毒。"他这么说着,自己也真害怕起来,不敢赤手去动药水,要戴了口罩和皮手套。晚上,装了一沓钱出门就走了。她终在这夜舀三碗农药喝了,流泪道:"这是报应,这是报应!"穿了五件新衣睡下等死了。

这一夜,却睡得沉沉。天明听见楼门响,睁眼看见丈夫走了回来,知道自己还未死,说:"命里注定我会再见你一面的,让你知道我是为什么死的。"他说:"你要死了?"她说:"我喝了三碗农药!"他吓呆了,即叫左邻右舍帮他送她去医院。但她连肚子也不疼,只觉得饥。医生问:"什么时候喝的?"说:"昨天夜里。""喝了多少?""三大碗。"医生不信,否认是喝了农药。她不愿落个骗人的罪名,便回家拿农药来证实。医院化验,农药的毒性为零。

三○农药无毒。风声传播,黄厂长声名狼藉,无人再来购买了。黄厂长消沉下来,夫妻关系却好了。他说:"天造下咱俩要白头到老!"她也说:"天造下咱俩要白头到老。"但报社却收到群众批评信。那位记者怒冲冲再次来找黄厂长,却见黄厂长并没有关门倒闭,反倒又在积极制造他的产品,似乎销路又很好。

"这是怎么回事?"记者说,"他们难道还不了解你这是无毒的农药吗?"

"了解,"他说,"正是这样,有人才买的。""这是为什么?"

"你明白现在沙袋为什么销路大是兴拳击运动热吗?许多人一肚子牢骚,在外受许多闷气却不能发泄,回家就打老婆,可总不能老打老婆呀,只好买了沙袋挂在门后,这样既可消气,又和睦了家庭。你现在明白我这农药的用处了吗?"

记者说:"我明白了,你这是专为那些发了财而家庭发生分裂的人制造新型的夫妻乐?""是的。这也是信息。"

"可那些不想活的妇人真要死,或者要着实吓丈夫一次,而却知道你这三〇牌毒不死人,谁还肯要呢?"

"当然我只能使男人家知道这药的属性,我这药已不叫三〇牌,改名〇三牌。瞧,我又重新配了些原料,连颜色也变了。我再赞助你们五千元,你肯再写五千字的文章吗?"

"写是可以的,但这次一定要验证〇三牌的效果。"

"请你相信,当场可以给你试验。"

他取出一瓶来,当着记者的面喝下,他却中毒死了。

我的这位朋友正是那记者,说完这件事,很庆幸地说没有贸然先写出文章,却也遗憾失了一笔赞助。他毕竟与黄厂长熟了,要去参加他的丧事。我要求能同去看看,他同意了。我们走到黄厂长的家,他的家就是农药工厂,院门框上还用红漆写着"〇三农药厂"。两扇黑门上有人用粉笔写了一副对联,一边是为秃顶女主人写的:"聪明绝顶"。一边是为剃了光头的男主人写的:"自作聪明"。

那门在半开半掩着。

祭　父

父亲贾彦春,一生于乡间教书,退休在丹凤县棣花;年初胃癌复发,七个月后便卧床不起,饥饿疼痛,疼痛饥饿,受罪至第二十七天的傍晚,突然一个微笑而去世了。其时中秋将近,天降大雨,我还远在四百里之外,正预备着翌日赶回。

我并没有想到父亲的最后离去竟这么快。以往家里出什么事,我都有感应,就在他来西安检查病的那天,清早起来我的双目无缘无故地红肿,下午他一来,我立即感到有悲苦之灾了。经检查,癌已转移,半月后送走了父亲,天天心揪成一团,却不断地为他卜卦,卜辞颇吉祥,还疑心他会创造出奇迹,所以接到病危电报,以为这是父亲的意思,要与我交代许多事情。一下班车,看见戴着孝帽接我的堂兄,才知道我回来得太晚了,太晚了。父亲安睡在灵床上,双目紧闭,口里衔着一枚铜钱,他再也没有以往听见我的脚步便从内屋走出来喜欢地对母亲喊:"你平回来了!"也没有我递给他一支烟时,他总是摆摆手而拿起水烟锅的样子,父亲永远不与儿子亲热了。

守坐在灵堂的草铺里,陪父亲度过最后一个长夜。小妹告诉我,父亲饲养的那只猫也死了。父亲在水米不进的那天,猫也开始不吃,十一日中午猫悄然毙命,七个小时后父亲也倒了头。我感动着猫的忠诚,我和我的弟妹都在外工作,晚年的父亲清淡寂寞,猫给过他慰藉,猫也随他去到另一个世界。人生的短促和悲苦,大义上我全明白,面对着父亲我却无法超脱。满院的泥泞里人来往作乱,响器班在吹吹打打,透过灯光我呆呆地望着那一棵梨树,这是父亲亲手栽的,往年果实累累,今年竟独独一个梨子在树顶。

父亲的病是两年前做的手术,我一直对他瞒着病情,每次从云南买药寄给他,总是撕去药包上癌的字样。术后恢复得极好,他每顿已能吃两碗饭,凌晨要喝一壶茶水,坐不住,喜欢快步走路。常常到一些亲戚朋友家去,撩了衣服说:瞧刀口多平整,不要操心,我现在什么病也没有了。看着父亲的豁达样,我暗自为没告诉他病情而宽慰,但偶尔发现他独坐的时候,神色甚是悲苦,竟有一次我弄来一本算卦的书,兄妹们都嚷着要查各自的前途机遇,父亲走过来却说:"给我查一下,看我还能活多久?"我的心咯噔一下沉起来,父亲多半是知道了他得的什么病,他只是也不说出来罢了。卦辞的结果,意思是该操劳的都操劳了,待到一切都好。父亲叹息了一声:"我没好福。"我们都黯然无语,他就又笑了一下:"这类书怎能当真?人生谁不是这样呢!"可后来发生的事情,不幸都依这卦辞来了。

先是数年前母亲住院,父亲一个多月在医院伺候,做手术的那天,我和父亲守在手术室外,我紧张得肚子疼,父亲也紧张得肚子疼。母亲病好了,大妹出嫁,小妹高考却不中,原本依父亲的教龄可以将母亲和小妹的户口转为城镇户口,但因前几年一心想为小弟有个工作干,自己硬退休回来,现在小妹就只好窝在乡下了。为了小妹的前途,我写信申请,父亲四处寻人说情,他是干了几十年教师工作,不愿涎着脸给人说那类话,但事情逼着他得跑动,每次都十分为难。他给我说过,他曾鼓很大勇气去找人,但当得知所找的人不在时,竟如释重载,暗自庆幸,虽然明日还得再找,而今天却免去一次受罪了。整整两年有余,小妹的工作有了着落,父亲喜欢得来人就请喝酒,他感激所有帮过忙的人,不论年龄大小皆视为贾家的恩人。但就在这时候,他患了癌病。担惊受怕的半年过去了,手术后身体一天天好起来,这一年春节父亲一定要我和妻子女儿回老家过年,多买了烟酒,好好欢度一番,没想年前两天,我的大妹夫突然出事故亡去。病后的父亲老泪纵横,以前手颤的旧病又复发,三番五次划火柴点不着烟。大妹带着不满一岁的外甥重又回住到我家,沉重的包袱又一次压在父亲的肩上。为了大妹的生活和出路,父亲又开始了比小妹当年就业更艰难的奔波,一次次的碰壁,一夜夜的辗转不眠。我不忍心看着他的劳累,甚至对他发火,他就再一次赶来给我说情况时,故意做出很轻松的样子,又总要说明他还有别的事才进城的。大妹终于可以吃商品粮了,甚至还去外乡做临时工作,父亲实想领大妹一块去乡政府报到,但癌病复发了,终未去成。父亲之所以在动了手术后延续了两年多的生命,他全是为儿女要办完最后一件事,当他办完事了竟不肯多活一月就溘然长逝。

俗话讲,人生的光景几节过,前辈子好了后辈子坏,后辈子好了前辈子坏,可父亲的一生中却没有舒心的日月。在他的幼年,家贫如洗,又常常遭土匪的绑票,三个兄弟先后被绑票过三次,每次都是变卖家产赎回,而年仅七岁的他,也竟在一个傍晚被人背走到几百里外。贾家受尽了屈辱,发誓要供养出一个出头的人,便一心要他读书。父亲提起那段生活,总是感激着三个大伯,说他夜里读书,三个大伯从几十里外扛木头回来,为了第二天再扛到二十里外的集市上卖个好价,成半夜在院中用石槌砸木头的大小截面,那种"咣咣"的响声使他不敢懒散,硬是读完了中学,成为贾家第一个有文化的人。此后的四五十年间,他们兄弟四人亲密无间,二十二口的大家庭一直生活到六十年代,后来虽然分家另住,谁家做一顿好吃的,必是叫齐别的兄弟。我记得父亲在邻县的中学任教时期,一直把三个堂兄带在身边上学,他转到哪儿,就带在哪儿,堂兄在学生宿舍里搭合铺,一个堂兄尿床,父亲就把尿床的堂兄叫去和他一块睡,一夜几次叫醒小便,但常常堂兄还是尿湿了床,害得父亲这头湿了睡那头,那头暖干了睡这头。我那时和娘住在老家,每年里去父亲那儿一次,我的伯父就用箩筐一头挑着我,一头挑着粮食翻山越岭走两天,我至今记得我在摇摇晃晃的箩筐里看夜空的星星,星星总是在移动,让我无法数清。当我参加了工作第一次领到了工资,三十九元钱先给父亲寄去了十元,父亲买了酒便请了三个伯父痛饮,听母亲说那一次父亲是醉了。那年我回去,特意跑了半个城买下一根特大的铝盒装的雪茄,父亲拆开了闻了闻,却还要叫了三个伯父,点燃了一口一口轮流着吸。大伯年龄大,已经下世十多年了,按常理,父亲应该照看着二伯和三伯先走,可谁也没想到,料理父亲丧事的竟是二伯和三伯。在盛殓的那个中午,贾家大小一片哭声,二伯和三伯老泪纵横,瘫坐在椅子上不得起来。

"文化大革命"中,家乡连遭三年大旱,生活极度拮据,父亲却被诬陷为历史反革命关进了牛棚。正月十五的下午,母亲炒了家中仅有的一疙瘩肉盛在缸子里,伯父买了四包香烟,让我给父亲送去。我太阳落山时赶到他任教的学校,父亲已经遭人殴打过,造反派硬不让见,我哭着求情,终于在院子里拐角处见到了父亲,他黑瘦得厉害,才问了家里的一些情况,监管人就在一边催时间了。父亲送我走过拐角,却将缸子交给我,说:"肉你拿回去,我把烟留下就是了。"我出了院子的栅栏门,门很高,我只能隔着栅栏缝儿看父亲,我永远忘不了父亲呆呆站在那儿看我的神色。后来,父亲带着一身伤残被开除公职押送回家了,那是个中午,我正在山坡上拔草,听到消息扑回来,父亲已躺在床上,一见我抱了我就说:"我害了我娃了!"放声大哭。父亲是教了半辈子书的人,他胆小,又自尊,他受不了这种打击,回家后半年内不愿出门。但家庭从政治上、经济上一下子沉沦下来,我们常常吃了上顿没有下顿,自留地的包谷还是嫩的便掰了回来,包谷颗儿和穗儿一起在碾子上砸了做糊糊吃,麦子不等成熟,就收回用锅炒了上磨。全家唯一的指望的是那头猪,但猪总是长一身红绒,眼里出血似的盼它长大了,父亲领着我们兄弟将猪拉到十五里的镇上去交售,但猪瘦不够标准,收购站拒绝收。听说二十里外的邻县一个镇上标准低,我们决定重新去交,天不明起来,特意给猪喂了最好的食料,使猪肚撑得滚圆,我们却饿着,父亲说:"今日把猪交了,咱父子仁一定去饭馆美美吃一顿!"这话极大地刺激了我和弟弟,赤脚冒雨将猪拉到了镇上。交售猪的队排得很长,眼看着轮到我们了,收购员却喊了一声:"下班了!"关门去吃饭。我们迭声叫苦,没有钱去吃饭,又不能离开,而猪却开始排泄,先是一泡没完没了的尿,再是翘了尾巴要拉,弟弟急了,拿脚直踢猪屁股,但最后还是拉下来,望着那老大的一堆猪粪,我们明白那是多少钱的分量啊。骂猪,又骂收购员,最后就不骂了,因为我和弟弟已经毫无力气了。直等到下午上班,收购员过来在猪的脖子上捏捏,又在猪肚子上揣揣,头不抬地说:"不够等级,下一个——"父亲首先急了,忙求着说:"按最低等级收了吧。"收购员翻着眼训道:"白给我也不收哩!"已经去验下一头猪了。父亲在那里站了好大一会儿,又过来蹲在猪旁边,他再没有说,手抖着在口袋里掏烟,但没有掏出来,扭头对我们说:"回吧。"父子仨默默地拉猪回来。一路上再没有说肚子饥的话。

在那苦难的两年里,父亲耿耿于怀的是他蒙受的冤屈,几乎过三天五天就要我来写一份翻案材料寄出去。他那时手抖得厉害,小油灯下他讲他的历史,我逐字书写,寄出去的材料十分之九泥牛入海,而父亲总是自信十足。家贫买不起纸,到任何地方一发现纸就眼开,拿回来仔细裁剪,又常常纸色不同,以致后来父子俩谈起翻案材料只说"五色纸"就心照不宣。父亲幼年因家贫害过胃疼,后来愈过,但也在那数年间被野菜和稻糠重新伤了胃,这也便是他恶变胃癌的根因。当父亲终于冤案昭雪后,星期六的下午他总要在口袋装上学校的午餐,或许是一片烙饼,或是四个小素包子,我和弟弟便会分别拿了躲到某一处吃得最后连手也舔了,末了还要趴在泉里喝水涮口咽下去。我们不知道那是父亲饿着肚子带回来的,最最盼望每个星期六傍晚太阳落山的时候。有一次父亲看着我们吃完,问:"香不香?"弟弟说:"香,我将来也要当个教师!"父亲笑了笑,别过脸去。我那时稍大,说现在吃了父亲的馍馍,将来长大了一定买最好吃的东西孝敬父亲。父亲退休以后,孩子们都大了,我和弟弟都开始挣钱,父亲也不愁没有馍馍吃,在他六十四岁的生日我买了一盒寿糕,他却直怨我太浪费了。五月初他病加重,我回去看望,带了许多吃食,他却对什么也没了食欲,临走买了数盒蜂王浆,叮咛他服完后继续买,钱我会寄给他的,但在他去世后第五天,村上一个人和我谈起来,说是父亲服完了那些蜂王浆后曾去商店打问过蜂王浆的价钱,一听说一盒八元多,他手里捏着钱却又回来了。

父亲当然是普通的百姓,清清贫贫的乡间教师,不可能享那些大人物的富贵,但当我在城里每次住医院,看见老干楼上的那些人长期为小病疗养而坐上铺有红地毯的活动室中玩麻将,我就不由得想到我的父亲。

在贾家族里,父亲是文化人,德望很高,以至大家分为小家,小家再分为小家,甚至村里别姓人家,大到红白喜丧之事,小到婆媳兄妹纠纷,都要找父亲去解决。父亲乐意去主持公道,却脾气急躁,往往自己也要生许多闷气。时间长了,他有了一定的权威,多少也有了以"势"来压的味道,他可以说别人不敢说的话,竟还动手打过一个不孝其父的逆子的耳光,这少不得就得罪了一些人。为这事我曾埋怨他,为别人的事何必那么认真,父亲却火了,说道:"我半个眼窝也见不得那些龌龊事!"父亲忠厚而严厉,胆小却嫉恶如仇,他以此建立了他的人品和德行,也以此使他吃了许多苦头,受了许多难处。当他活着的时候,这个家庭和这个村子的百多户人家已习惯了父亲的好处,似乎并不觉得什么,而听到他去世的消息,猛然间都感到了他存在的重要。我守坐在灵堂里,看着多少人来放声大哭,听着他们哭诉"你走了,有什么事我给谁说呀?!"的话,我欣慰着我的父亲低微却崇高,平凡而伟大。

在我小小的时候,我是害怕父亲的,他对我的严厉使我产生惧怕,和他单独在一起,我说不出一句话,极力想赶快逃脱。我恋爱的那阵,我的意见与父亲不一致,那年月政治的味道特浓,他害怕女方的家庭成分影响了我,他骂我,打我,吼过我"滚"。在他的一生中,我什么都听从他,唯那件事使他伤透了心。但随着时代的变化,家庭出身已不再影响到个人的前途,但我妻子并未记恨他,像女儿一样孝敬他,他又反过来说我眼光比他准,逢人夸说儿媳的好处,在最后的几年里每年都喜欢来城中我的小家中住一个时期。但我在他面前,似乎一直长不大,直到我的孩子已经上小学了,一次他来城里,见面递给我一支烟来吸,我才知道我成熟了,有什么可以直接同他商量。父亲是一个普通的乡村教师,又受家庭生计所累,他没有高官显禄的三朋,也没有身缠万贯的四友,对于我成为作家,社会上开始有些虚名后,他曾是得意和自豪过。他交识的同行和相好免不了向他恭贺,当然少不了向他讨酒喝,父亲在这时候是极其的慷慨,身上有多少钱就掏多少钱,喝就喝个酩酊大醉。以致后来,有人在哪里看见我发表了文章,就拿着去见父亲索酒。他的酒量很大,原因一是"文革"中心情不好借酒消愁,二是后来为我的创作以酒得意,喝酒喝上了瘾,在很长的日子里天天都要喝的,但从不一人独喝,总是吆喝许多人聚家痛饮,又一定要母亲尽一切力量弄些好的饭菜招待。母亲曾经抱怨:家里的好吃好喝全让外人享用了!我也为此生过他的气,以我拒绝喝酒而抗议,父亲真有一段时间也不喝酒了。一九八二年的春天,我因一批小说受到报刊的批评,压力很大,但并未透露一丝消息给他。他听人说了,专程赶三十里到县城去翻报纸,熬煎得几个晚上睡不着。我母亲没文化,不懂得写文章的事,父亲给她说的时候,她困得不时打盹,父亲竟生气得骂母亲。第二天搭车到城里见我,我的一些朋友恰在我那儿谈论外界的批评文章,我怕父亲听见,让他在另一间房内休息,等来客一走,他竟过来说:"你不要瞒我,事情我全知道了。没事不要寻事,有了事就不要怕事。你还年轻,要吸取经验教训,路长着哩!"说着又返身去取了他带来的一瓶酒,说:"来,咱父子都喝喝酒。"他先倒了一杯喝了,对我笑笑,就把杯子给我。他笑得很苦,我忍不住眼睛红了。这一次我们父子都重新开戒,差不多喝了一瓶。

自那以后,父亲又喝开酒了,但他从没有喝过什么名酒。两年半前我用稿费为他买了一瓶茅台,正要托人捎回去,他却来检查病了,竟发现患的是胃癌。手术后,我说:"这酒你不能喝了,我留下来,等你将来病好了再喝。"我心里知道,父亲怕是再也喝不成了,如果到了最后不行的时候,一定让他喝一口。在父亲生命将息的第十天,我妻子陪送老人回老家,我让把酒带上。但当我回去后,父亲已经去世了,酒还原封未动。妻说:父亲回来后,汤水已经不能进,就是让喝酒,一定腹内烧得难受,为了减少没必要的痛苦,才没有给父亲喝。盛殓时,我流着泪把那瓶茅台放在棺内,让我的父亲在另一个世界上再喝吧。如今,我的文章还在不断地发表出版,我再也享受不到那一份特殊的祝贺了。

父亲只活了六十六岁,他把年老体弱的母亲留给我们,他把两个尚未成家的小妹留给我们,他把家庭的重担留给了从未担过沉的长子的我。对于父亲的离去,我们悲痛欲绝,对于离去我们,父亲更是不忍。当检查得知癌细胞已广泛转移毫无医治可能的结论时,我为了稳住父亲的情绪,还总是接二连三地请一些医生来给他治疗,事先给医生说好一定要表现出检查认真,多说宽心话。我知道他们所开的药全都是无济于事的,但父亲要服只得让他服,当然是症状不减,且一日不济一日,他说:"平呀,现在咋办呢?"我能有什么办法呀,父亲。眼泪从我肚子里流走了,脸上还得安静,说:"你年纪大了,只要心放宽静养,病会好的。"说罢就不敢看他,赶忙借故别的事走到另一个房间去抹眼泪。后来他预感到了自己不行了,却还是让扶起来将那苦涩的药面一大勺一大勺地吞在口里,强行咽下,但他躺下时已泪流满面,一边用手擦着一边说:"你妈一辈子太苦,为了养活你们,舍不得吃,舍不得穿,到现在还是这样。我只说她要比我先走了,我会把她照看得好好的……往后就靠你们了。还有你两个妹妹……"母亲第一个哭起来,接着全家大哭,这是我们唯有的一次当着父亲的面痛哭。我真担心这一哭会使父亲明白一切而加重他的负担,但父亲反倒劝慰我们,他照常要服药,说他还要等着早已订好的国庆节给小妹结婚的那一天,还叮咛他来城前已给菜地的红萝卜浇了水,菜苗一定长得茂密,需要间一间。就在他去世的前五天,他还要求母亲去抓了两服中草药熬着喝。父亲是极不甘心地离开了我们,他一直是在悲苦和疼痛中挣扎,我那时真希望他是个哲学家或是个基督教徒,能透悟人生,能将死自认为一种解脱,但父亲是位实实在在地为生活所累了一生的平民,他的清醒的痛苦的逝去使我心灵不得安宁。当得知他在最后一刻终于绽出一个微笑,我的心多多少少安妥了一些。可以告慰父亲的是,母亲在悲苦中总算挺了过来。我们兄妹都一下子更加成熟,什么事都处理得很好。小妹的婚事原准备推迟,但为了父亲灵魂的安息,如期举办,且办得十分圆满。这个家庭没有了父亲并没有散落,为了父亲,我们都努力地活着。

按照乡间风俗,在父亲下葬之后,我们兄妹接连数天的黄昏去坟上烧纸和燃火,名曰:"打怕怕",为的是不让父亲一人在山坡上孤单害怕。冥纸和麦草燃起,灰屑如黑色的蝴蝶满天飞舞,我们给父亲说着话,让他安息,说在这面黄土坡上有我的爷爷奶奶,有我的大伯,有我村更多的长辈,父亲是不会孤单的,也不必感到孤单;这面黄土坡离他修建的那一院房子并不远,他还是极容易来家中看看,而我们更是永远忘不了他,会时常来探望他的。

1989 年 10 月 13 日写毕

父亲去世后 33 天,"五七"之前

游了一回龙门

千里黄河，陡然紧束，前边就是龙门吗？多少个年年月月听说着鲤鱼化龙的传奇，多少个日日夜夜梦想着大禹疏通的险关，全没想到因事赴了韩城，在黄河岸上正百无聊赖地漫走，路人竟遥指龙门便在前头，觅寻是经历了艰辛苦难，到来却是这样的突然，不期然而然的惊喜粉碎了我的心身，我自信我们的会见是有神使和鬼差，是十二分的有缘。为了这一天的会见，我等待了三十七个春秋，龙门，也一定是在等待着我吧，等待得却是这么天长地久。

我是个呆痴而羞怯的人，我从不莽撞撞地走进任何名胜之地，在兰州和佳县我曾经多次远看过黄河，惊涛裂岸也裂过我的耳膜，但我只是远看，默默地缩伏在一块石头上无限悲哀。现在，我却热泪满面，跪倒在沙石起伏的黄河滩上，兴奋得身子抖动，如面前的一丛枯干的野蒿，我听得出我的身子同风里的野蒿一起颤响着冷泠的金属声。我从来没有这样的勇敢，吼叫着招喊河中的汽船，我说，我要到龙门去！

时已暮色苍茫，正是游龙门的气氛，汽船载着我逆流而上，汽船像是也载不动我巨大的兴奋，步履沉沉，微微摇闪，几乎要淹没了船舷。河水依然是铜汁般的黏滞，它虽在龙门之外的下游肆漫了成里的宽度而汹汹涌涌，在这峡谷中却异常地平静，大智到了大愚之状，看不到浪花，也看不到波涛，深沉得只是漠漠下移，呈现出纵横交织了的斜格条纹。这格纹如雕刻上去一般，似乎隔着船也能感觉到它的整齐的棱坎。间或，格纹某一处便衍化开来，是从下往上翻，但绝不扬波溅沫，只是像一朵铜黄的牡丹在缓缓地开绽。无数的牡丹开绽，却无论如何不能数清，希冀着要看那花心的模样，它却又衍化为格纹，唯有一溜一溜的酒盅般大的漩涡无声地向船头转来，又向船后转去，便疑心这是一排排铁打的铆钉在固守了这水面，黄河方没有暴戾起来。两岸的峡壁愈来愈窄，犹如要挤拢一般，且高不可视，恨不得将头背在脊上。那庞然的危石在摇摇欲坠，像巨兽在热辣辣地眈视你，又像是佛头在冷眼静观你。峡谷曲拐绕转，一曲一景，却不知换景在什么时候什么地方，我不禁想到了那打开的一幅古画长卷，更想到了农家麦场上的那一夜古今的闲聊。正这么思想，峡壁已失却了那刀切的光洁，乃一层一层断裂为方块，整齐如巨砖砌起。而逼我大呼小叫的是那砖砌的壁墙上怎么就生长了那么高大的一株古树，这是万年物事吗？能看清它的粗桩和细枝，却全然没有叶子，将船靠近去，再靠近，却原来是峡壁裂开了一条巨缝，那石缝的一块尖石上正坐着一头同样如石头的黑鸟。这奇景太使人惊恐，或许是因为吓唬了我，随之而来的则是数百米长的大小不一、错落有序的凹凸壁，惟妙惟肖的是佛龛群了。我去过敦煌，我也去过麦积山，但敦煌和麦积山哪里有这般的壮观和萧森？我完全将此认作佛的法界了，再不敢大声说笑，亦不敢轻佻张狂，佛的神圣与庄严使我沉静，同时感到了一种说不出的平和和亲近。船继续往上行，峡谷窄到了一百米、八十米、六十米，水面依然平静,自不知了是水在移还是船在移？峡峰多为锯齿形了,且差不多峰起双层,里层的峰与外层的峰错位互补,想,若站在外层峰上下视船行,一定是前峰见船首,后峰见船尾了。恰恰一柱夕阳腐蚀了外层峰顶,金光耀眼,分外灿烂,坐船头看外层金黄的峰头与里层的苍黑的峰头,一个向前窜一个向后遁,峡峰变成了活动体。如此大观,我看得如痴如醉,倏忽间有蓝色的雾从峡根涌出,先是一团一缕,后扯得匀匀细细充融满谷,顿时感到鼻口发呛,头发上脸面上湿漉漉地潮起水沫了。忽然峡谷阴暗起来,但同时仍在峡谷的另一处却泛起光亮,原来船正靠着一边的峡岸下通过,惊奇的是阴暗和光亮的界线是那么分明,它们是立体的几个大三角形,将峡谷的空间一一分割了。我明明知道这是光之所致,却不自觉地弯下了身子,担心被那巨大的黑白三角割伤,船工们却轰然告我:龙门已进了！

龙门,这就是龙门吗？!传说里黄河的鲤鱼一生下来就做着一个伟大的梦想往这里游,游到这里就可以化龙,那么,有多少游到了这里实现了抱负,又有多少牺牲了,半途而废了,完成了一个悲壮的形象？今日我也来到了龙门,龙在哪里呢？神话中有龙宫,龙宫有龙王也有龙女,不知洞庭湖的龙与黄河的龙是否一家,那让我做个传书的柳毅多好啊！不不,我进了龙门,我也要成龙了,我就是一条游龙,多自在,多得意啊,瞧高空上有云飞过,正驮着奇艳的落霞,这云便是翔凤了。有游龙与翔凤,天地将是多么丰富,一阴一阳,相得益彰,煌煌圆满,山为之而直上若塔,水为之乃远源长流,大美无言地存留在天地间了。

汽船终究是扭转了船头要顺流归返了,我的身子随船而下,我的心我的灵魂却永远驻恋在了龙门。试想过多少多少年,或许我已经垂垂暮老,或许我身躯早已不复存在,而更多更多的后来人到此,他们又是会看到夜空的星子静照河面,就知道那是我深情的永不疲倦的眼睛。风在峡谷回鸣,那也是我的心声,他们听得懂是我沉沉地抒发着三十七年里来得太晚的遗憾和寻见了我应寻见的企望的礼赞。那靠近水面的石壁上腐蚀斑驳的图案,他们也读得懂是我感念这次辉煌会见的画幅和诗篇,他们更以此明白,那汽船并不是船而是我踏水走来的巨鞋,或者醒悟进入龙门的十多里黄河之所以平稳,将波澜深藏,那格纹正是我来时走过的印有牡丹的绒毯。他们一定会记住一九八九年十月三十日有一个叫贾平凹的学子到此一游,从此他再不消沉,再不疲软,再不胆怯,新生了他生活和艺术的昭昭宏业。

1989 年 11 月 6 日夜

树　　佛

我称柿树为佛,柿树嫁接了结果,如女子成熟少妇乃渐入渐老之境。

这佛在北方的山峁存生,山峁不平,随势筑形。远看浑然椭圆,恍惚疑涌地而起若峁上之峁,又如天外飞来,浮聚了一堆浓云,这是佛的雍雍体态了。再远看黑粗的主干恰与细微的梢枝组合,叶脉的枝条辐射为扇面,枝梢分桠,这是佛的柔柔千面手了。再远看梢桠错综复杂,在天的衬景上如透雕又如剪纸,天成了撕碎的白纸虚幻衍化,这是佛之煌煌灵晕了。再远看,再远看,倏忽纳嚣风而使其寂然消声,骤然吸群鸟而又轰然释放,这是佛的浩浩法度了。

树而为佛,树毕竟有树的天性,它爱过风流,也极够浪漫,以有弹性的枝和柔长的叶取悦于世。但风的抚摸使它受尽了方向不定的轻薄,鸟的殷勤使它难熬了琐碎饶舌的嚣烦。北方旱水,北方不宜桃李。要经见日月运转四季替换,要向往高天听苍鹰鸣唤,长长的不被理解的孤独使柿树饱尝了苦难,苦难中终于成熟,成熟则为佛。佛是一种和涵,和涵是执著的极致,佛是一种平静,平静是激烈的大限,荒寂和冷漠使佛有了一双宽容温柔的慈眉善眼,微笑永远启动在嘴边。

佛以树而显身了,难道为着的是瘠贫的山峁?为着的是委琐了的农人?

有树佛存在,大美便在了世间。

阿×,你知道吗,在黄河龙门的东岸山塬上,我第一次觉悟到了柿树的佛,感受了从未有过的神圣和亲近啊!

1989 年 11 月 14 日

好 读 书

　　好读书就得受穷。心用在书上，便不投机将广东的服装贩到本市来赚个大价，也不取巧在市东买下肉鸡针注了盐水卖到市西；车架后不会带单位几根铁条几块木板回来做做沙发，饭盒里也不捎工地上的水泥来家修个浴池。钱就是那几张没奖金的工资，还得抠着买涨了价的新书，那就只好穿不悦人目的衣衫，吸让别人发呛的劣烟，吃大路菜，骑没铃的车。但小屋里有四架五架书，色彩之斑斓远胜过所有电器，读书读得了一点新知，几日不吃肉满口中仍是余香。手上何必戴那么重的金银，金银是矿，手铐也是矿嘛！老婆的脸上何必让涂那么厚的脂粉，狐狸正是太爱惜它的皮毛，世间才有了打猎的职业！都说当今贼多，贼却不偷书，贼便是好贼。他若要来，钥匙在门框上放着，要喝水喝水，要看书看书，抽屉的作家证中是夹有两张国库券。但贼不拿，说不定能送一条字条："你比我还穷？！"三百年后这字条还真成了高价文物。其实，说穷也不是穷到要饭，出门还是要带十元钱的，大丈夫嘛，视钱如粪土，它就只能装在鞋壳里头。

　　好读书就别当官。心谋着书，上厕所都尿不净，裤裆老是湿的，哪里还有时间串上级领导的家去联络感情？也没有钱，拿什么去走通关关卡卡？即使当官，有没有整日开会的坐功？签发的文件上能像在新书上写读后感一样随便？或许知道在顶头上司面前要如谦谦后生,但懒散惯了,能在拜会时屁股只搭个沙发沿儿？也懂得猪没架子都不长,却怎么戏要成性突然就严肃了脸面？谁个要整,要防谁整,能做到喜怒不露于色？何事得方,何事得圆,能控制感情用事？读书人不反对官,但读书人当不了好官,让猫拉车,车就会拉到床下。那么,住楼就住顶层吧,居高却能望远,看戏就坐后排吧,坐后排看不清戏却看得清看戏的人。不要指望有人来送东西,也不烦有人寻麻烦,出门没人见面笑,也免了有朝一日墙倒众人推。

好读书必然没个好身体。一是没钱买蜂王浆,用脑过度头发稀落,吃咸菜牙齿好肠胃虚寒;二是没权住大房间,和孩子争一张书桌,心绪浮躁易患肝炎;三是没时间,白日上班,晚上熬夜,免不了神经衰弱。但读书人上厕所时间长,那不是干肠,是在蹲坑读书;读书人最能忍受老婆的咕囔,也不是脾性好,是读书入了迷两耳如塞。吃饭读书,筷子常会把烟灰缸的烟头送到口里,但不易得脚气病,因为读书时最习惯抠脚丫子,可怜都是蜘蛛般的体形,都是金鱼似的肿眼,没个倾国倾城貌,只有多愁多病身。读书人的病有读书病的药,药不在《本草》而直接是书,一是得本性酷好之书,二是得急需之书,三是得未见之书。但这药医生常不用,有了病就让住院,住院也好,总算有了囵圄时间读书了。所以,约伙打架,不必寻读书人,那鸡爪似的手没四两力,要欺负也不必对读书人,老虎吃鸡不是山中王。读书人性缓,要急急不了他,心又大,要气气不着,要让读书人死,其实很简单,给他些樟脑丸,因为他们是书虫。

　　说了许多好读书的坏处,当然坏处还多,譬如好读书不是好丈夫,好读书没有好人缘,好读书性古钻。但是,能好读书必有读书的好,譬如能识天地之大,能晓人生之难,有自知之明,有预料之先,不为苦而悲,不受宠而欢,寂寞时不寂寞,孤单时不孤单,所以绝权欲,弃浮华,潇洒达观,于嚣烦尘世而自尊自重自强自立不卑不畏不俗不谄。说到这儿,有人在骂:瞧,这就是读书人的酸劲了,为什么不说"万般皆下品,唯有读书高"呢?真是阿Q精神喽!这骂得好,能骂出个阿Q来,便证明你在读书了,不读书怎么会知道鲁迅先生曾写过个阿Q呢?!因此还是好读书着好。

1989 年 12 月 23 日

关 于 女 人

如果做理性的分析,一个女人,既然是仅属于女性的人,其形象的美与丑是没有什么意义的,但实际的情况是,每一个男人,包括最理性者,见到一个具体的、活生生的、漂亮的女人,没有不产生异样感觉的。成语词典里,美女人被比作花,比作月,贾宝玉感慨女人是清水做的,我们或许嘲笑这是情种们的言论,但沈从文说过,女人是天使和魔鬼合作的产物,甚至胡适先生谈佛的戒色,主张见到美女就立即想她老了的形象,想她死后的一副骷髅,这岂不暴露了美女人仍对他们的强大的诱惑,只是无可奈何地逃避罢了。真正有点不注重了女人美丑的是那些偏僻乡间的贫困的老大不小的光棍汉,"尾巴一揭是个女的"。他们认为,只要能娶来在他的土炕上就行了。他们对于美的女人有不属于自己的潜层意识,如同我们身为机关科员,平日眼盯着科长、处长的位子,而从来没有要当国家主席的念头,即使去了一趟中南海,也不至于流连忘返,夜不成寐。可这些身子很饥渴的光棍汉毕竟还要说:"什么美的丑的,灯一拉还不都一样吗?"他们在婚后也就至死不点了灯行房事,可见女人之美的愉悦是男人共有的,对美女追求只阻于穷,穷不择妻的。

可以说,社会发展到今天,妇女解放的口号呐喊了几个世纪,但世界还根子里是男人的。任何男人,不管说与不说,还是以外表的好感首先对一个初识女人采取对待的态度,恋爱中的"一见钟情"被歌颂得十分美妙,一见钟情的当然是外貌。每个男人都希望自己的老婆长得漂亮,诚然漂亮的标准异人异样,且人人都是那么择着,最后没有剩下的,如挑到底卖到完的桃子。而女人呢,也习惯了拿自己的漂亮去取悦男人,"为知己者容",瞧,说得似乎高尚,其实一把辛酸,一个不引起男人注意的,不被男人围绕着殷勤的女人,这女人要么自杀,要么永不出户,要么发誓与命运抗争,刻苦磨练一种技艺而活着。哪个女人不企图提高街头上的回头率呢,即便遇上了太馋的目光,场面难堪,骂一句"流氓!"那骂声里也含几分得意。现在社会上的商店,几乎全是为女人开设,出售着大量的衣服和化妆品,百分之八十的杂志封面刊登的是女人的头像,好像这个世界是女人的,其实这正是男人世界的反映。男人们的观念里,女人到世上来就是贡献美的,这观念女人常常不说,女人却是这么做的。这个观念发展到极致,就是男人对于女人的美的享受出现异化,具体到一对夫妇,是男人尽力为女人服务,于是,一些蠢笨的男人就误认为现在是阴盛阳衰了。三十年代有个很有名的军人叫冯玉祥的,他在婚娶时问他的女人为什么嫁他,女人说:是上帝派我来管理你的。这话让许多人赞叹。但想一想,这话的背后又隐含了什么呢?说穿了,说得明白些,就是男人是征服世界而存在的,女人是征服男人而存在的,而征服男人的是女人的美,美是男人对女人的作用的限定而甘愿受征服的。懂得这层意思的,就是伟大的男人,若是武人就要演动"英雄难过美人关"的故事,若是文人就有"身死花架下,做鬼也风流"的诗句。而不懂这层意思,便有了流氓,有了挨枪子的强奸罪犯。

明白了这个世界仍是男人的,女人也明白了自己的美的作用,又不被美而被动了自己的人格,又是美能长长久久为自己产生效力,女人该怎样地去活呢?上帝创造万物原本公正平衡,古有杞人忧天,天是永远不会塌下来的,即使地球爆炸了,仍有供人生存的星球。过去我们以木取火,眼看着山上的树木被砍了回家烧饭,树砍光了,连树根也刨了,就害怕某一日用什么来烧饭呢,但后来就有了能燃烧的叫煤的石头,煤的石头挖尽了,又有了电,或许将来没有了电,烧饭的燃料就会出现别的。男女既为人类的两半,从来没有男为多半,女为少半,两半同中有异,异而相吸,谁也离不得谁的。相吸的是以性为磁的,性是人类同吃同喝一样重要的一种欲,性欲的刺激是以人之外貌美好为点,而欲是创造世界的原动力,这也正是上帝造人之所以分为男女的秘诀所在。对于性这种欲的冲动,人类在有了文明后带有两种说法,一是称作爱情,给以无以复加的歌颂,作为所有艺术的永恒专题,一是斥为色情,给以严厉的诋毁和鞭挞。可是,谁能说清爱情是什么呢,色情又是什么呢?它们都是精神的活动,由精神又转化为身体的行动,都一样有个"情"字,能说是爱情是色情的过滤,或者说,不及的性就是爱情,性的过之就是色情吗?不管怎么说,它们原是没区别的。女人大约有分为几个型的,如贤妻良母型和轻佻放荡型等等,又有以别的角度分为两大类的,即大家闺秀和小家碧玉。这种种类型,实质是男人的目光所见。好多男人喜欢的是轻佻放荡的女人,希望招之,女人就会来之,在一起说,笑,打情骂俏,但他们常常不愿这样的女人成为他们的妻子,对于妻子,却要求永远忠于他们,视丈夫以外的男人为石头木头,女人们到底将要全部作为妇人的,如果都对自己的妻子严格限制,天下哪儿又有供自己风流的女人呢,这就是男人最矛盾的地方,所以男人在某种意义上讲是最自私和丑恶的动物。女人之所以要做真正的女人,首先要懂得男人的秉性:男人是朝三暮四的,是喜新厌旧的,是吃了碗里看在锅里的,不胡思乱想的男人不是男人,所谓的在性上的高尚与卑下的男人之分是克制的力量强弱,是环境的允许与限制,是文化重负下的犹豫和果断。孔子说女子和小人难养,远之不行,近之不行,男人更是这样,常常有男人以占有过众多女人为荣耀,以至到最后,乐道的只是数字而无法记忆起某个女人的名姓和形象;也有男人家有美妻仍立于街头感慨美女如云,觉得每一个都胜过家中的那位,若他真的又娶了街头最美的一个,不久又会觉得此不如彼。爱是得不到的为爱,可望不可及,女人如果是一条总在手指间滑脱而去的泥鳅,男人就有了苍蝇一样的勇敢。于是,聪明的女人要使自己永远被男人看重,做了妻子永远要获得丈夫的宠爱,她应追求的不是让男人占有,也不占有男人,和让男人占有,也占有男人,转换这种关系的是一种平等,一种自我的独立。以自我而活,活有个性,活有热情,这就常活常新,正是这种常活常新,恰好符合了男人的那份易于疲倦的贱的秉性,使他们有了新鲜感,有了被吸引力。这结局虽然同讨好男人要企图达到的目的一样,但质发生了变异。可惜在这个男人的世界里,许多的女人不知道了怎样做女人,长得美固然是一份资本,但形象之美能从小保持到老吗？以美色之貌满足男人，美色之祸男人必然厌恶，且世上美貌有各式各样的美貌型，以其之一怎能囊括全部而统治男人的吃了五味想六味呢？以轻佻放荡取悦，轻看了自己，什么样的男人都要轻看你。太爱听赞美话，就易使男人阴谋得逞，顺竿而爬。太善良，对男人太好，又会使男人产生错觉，膨胀一份贼胆。漂亮是美的，端庄是美的质，我们敬奉菩萨，首先是我们喜欢菩萨的漂亮，而菩萨庄重，再淫荡的男人也没有产生过要强奸她的邪念，但任何男人谁没有跪倒在菩萨的脚下呢？

可以说现在有相当多的女人不满男人的世界，却错误地一心要做女强人。常常听到有做母亲的在培养女儿做撒切尔夫人，撒切尔夫人之所以被称为铁女人，那是指政治而言，她们的理解，女人就要风风火火，就要慷慨激昂，好争好斗，如猛虎狮子。男人在主导着这个世界，这已经是人类的不幸，如若某一日女人在主导了这个世界，那同样是人类的不幸。男人就是男人，女人就是女人，男人与女人两极发展，这才是真正的男人和女人，才是上帝造人的原意，男者不男，女者不女，反倒使阳阴世界看似合一实则不平衡了。

独立做女人的人格，热情地对待生活，对待自己，为自己而活着，活得美好，女人越会对男人产生永久的吸引，这就是平等的，与男人平等是真正地活出了女人味。有了这种与男人平等地生存于世上，平等地做夫妻的女人味，或许长得漂亮，或许长得不漂亮，但自然而然地就产生了你的态。态是古时用语，态无法言说，类似当今人所谈的气质和风度。女人的漂亮不会永驻，女人的态却长伴终生。李渔讲女人有态,三分漂亮可增加到七分,女人无态,七分漂亮可降落到三分,它如火之有焰,如灯之有光,如金银之宝气。态当然有天生具有的,但更多是后天可培养。古时候,有态的女人的是声名显赫的妓女,妓女在那时是以男人而活着的附属物,但往往成为棋琴书画俱佳的高等艺妓,却成了活得与男人平等活着的最自为的人。所以最有了态。现在当然没必要只有牺牲自己,渡过血与泪的深渊而再出生污泥成莲荷,已经是有气质和风度的女人越来越多,这是社会的进步,女人们这么活下去,活着的才真正是女人。

独　　白

　　艰艰难难地爬到十楼上去,想象着打开办公室的后门,没骨没筋的一堆身子的肉丢在沙发里,燃一支烟,深深地往腔中吸,再悠悠地吐出唇外,暖和的阳光从窗子半照了膀子,看一只幽灵似的蜜蜂在那盆仙人球新开的嫩花上盘旋,梦着这没有电梯的高空住宅,人应该有一双能装能卸能折叠于口袋的翅膀。但是,气喘吁吁地来到办公室门口了,方记得开门的钥匙还在楼下;当注目一个漂亮女子而大受她回视一笑的幸福,自行车忘记了锁。开门的钥匙同开车的钥匙拴在一起,正占据了车锁眼吧?

　　天生的不是倾国倾城的貌,却有多愁多病的身,多么想参加体育运动。但运动会是一种比赛,是畸形人对金牌的追逐,他们做残酷的训练;服用高效的刺激药剂。可怜的 D,风中旗子一样的人物,拎着一堆金牌回来了,他说他的同伴,有的高得一走三摆,有的青年了还是少年的发育,有的伤残在赛场,有的在赛场猝然长逝。他是最幸运的,安全归来,却终日煎起了药罐。于是这世上孱弱而长寿,他们的健身之道倒是:不参加任何体育运动。

　　累其身骨,劳其心志,终算挣出个"名人"。"名人"的家门一天到晚地被敲响着;自己不得安静,左邻右舍也鸡犬不宁。病倒了,探视的人挺多,说:"你要多休息!"一个人这么说了,另一个接踵而来的也这么说,"名人"哪有空余休息?"名人"想,今日来亲善的是这些人,某一日凶恶的也是这些人呢!遂在门上写了"出差在外,家中无人,请勿敲门",用的是反空城计,竟把千里之外的老爹也挡回了。正当收到老爹返回后寄来的信懊丧不已,匆匆去街上给老人复信,回来门却开了,屋里一片狼藉:贼偷了新领的工资,只好撕了门上字条。

于晚风习习的大街十字路口,与她分手了,一个往西,一个继续往北,只要在自行车上说一见"再见"即可,她即跳下车子,凄凄地立于那儿,还要说出许多话来,她说她的软弱,美丽本是女人的资本,她却受尽了同性的嫉恨和吃不到葡萄的狐狸人的迫害,她哀叹她的处境,预感说可能要遭到别人的诽谤打击,而她的勇气和力量几乎耗尽了。回答的是:"不用,危险时候我会保护你的!"这一句话,已使她眼睛明亮,寒夜里瑟瑟作抖的身子稳健起来。她感激着要再送一程,两辆车子在朦胧的街灯下前行,也就在这个时候,一头呼啸的卡车奔来。司机喝醉了,车也在醉,车轮压过来的一瞬,她呼叫着,一脚向外踹倒另一辆自行车,而她被车轮卷去,拖死了。

只知道这一个中国北方最古老的城市,只知道这个城市中一个最美丽的公园,公园的历史却绝少有人提及。尘封的城志上记载,二十年代的时候一位著名将军领导了一场卫城战争,八个月艰苦的坚守,伤亡了数万军民,城市保住了。生存的市民为了纪念这些烈士,将他们的遗骨集中埋葬在一块荒地中的大坑,清理了乱石,栽植了林木,铲除了杂草,培育了鲜花。一年一年地过去,一年一年营造着这块地方,这地方遂为公园,柳树成荫,鸟语花香,亭台楼阁处处,红男绿女不绝。又是一年一年过去,当新的市民又往公园悠闲之时,幽美的环境使他们惬意,唯一处却觉得刺眼,那楼亭花木中央的一个偌大如小丘的坟茔是那样与四周不和谐,几乎是破坏整个公园的情调了。于是,他们说,夷平这个土丘吧。夷平的黄土堆往哪儿?聪明的人就建议何不运些冥顽怪石就在土丘上造一座假山呢!假山造就了,完满了一个美丽公园最美丽的景致。

上帝啊,我这个由女娲用黄土捏成的人身子,不管怎样的按时洗澡,永远是搓不完的泥垢。三十六年的岁月,耗尽了燃升于头顶的近一半的光焰,我却是这样的困惑。完全的黑暗使我目不能视,完全的光明也使我目不能视。想得的得不到我是多可悲的角色,得到了想得到的我仍是可悲的角色。为什么让我贪图肉体的快感而来完成最繁累的生育劳作,为什么口腔的紧张不息的一呼一吸而人平时从未感觉?辛辛苦苦去种麦子,收获的是比麦粒多得多的麦草,一时在了解清楚了身子某一部位这一部位肯定是病了。雕虫者认作技,太诚者却为奸。我有负人忏悔,人有负我的报复。大智若愚,大言不美。人生给我的是这么多残缺,生活的艺术如此遗憾,这一切难道是教育我人不仅是一个洋葱头一样有无数层壳的复杂,也同时是满有皱纹的硬壳的核桃要砸开方能见到那如成熟大脑一样的果仁?要我接受着这一切孤独和折磨而来检验我的承受能力以至于在这种严酷的承受中让我获得人生的另一番快愉?!

幽幽的寺院里,我似乎听见了僧问法老:古镜如何打磨亮?法老说:古镜不打磨自亮。

关于父子

一个儿子酷像他的父亲,旁人看起来很滑稽,做父亲的就要得意了,世界上有了一个小小的自己的复制品,时时对着欣赏,如镜中的花水中的月,这无疑比仅仅是个儿子自豪得多。我们常遇到这样的事,一个朋友已经去世几十年了,忽一日早上又见着了他,忍不住就呼叫了他的名字,当然知道这是他的儿子,但能不由此而企羡起这一种生生不灭永存于世的境界吗?

做父亲的都希望自己的儿子像蛇在蜕皮一样地始终是自己,但儿子却相当多的愿意蝉在蜕壳的裂变。一个朋友跟我说,他的儿子小时候最高兴的是让他牵了逛大街,现在才读小学三年级,就不愿意同他一块出门了,因为嫌他胖得难看。如果父亲是一个官员或者名人,即就不是官员和名人却模样英俊,虽然不会发生像我的朋友那样的悲剧,但做儿子的绝不会爱自己的父亲,就是爱,爱里亲的成分则少,属的成分要多。

中国的传统里,有"严父慈母"之说,所以在初为人父可以对任何事情宽容放任,对儿子却一派严厉,少言语,多板脸,动辄就吼叫挥拳,我们在每一个家庭都能听到对儿子以"匪"字来下评语和"小心熟了你的皮"的警告。他们常要把在外边的怄气回家来发泄到儿子身上,如受了领导的压制,挨了同事的排挤,甚至丢了一把钥匙,输了一盘棋。儿子在那时没力气回打,又没多少词汇能骂,经济不独立逃出家去更得饿死,除了承接打骂外唯独是哭,但常常还是不准哭,也就不敢再哭。偶尔对儿子亲热了,原因又多是自己有了什么喜事,要把一个喜事让儿子酝酿扩大成两个喜事。在整个的少年,儿子能随便呼喊国家主席的小名,却不敢悄声说出父亲的大号的,我的邻居名叫"张有余",他的儿子就从不说出"鱼"来,饭桌上吃鱼就说"吃蛤蟆",于是小儿骂仗,只要说出对方父亲的名字就算是最恶毒的大骂了。可是,每一个人的经验里,却都在记忆的深处牢记着一次父亲严打的历史,耿耿于怀到晚年说出来,仍愤愤不平的。所以在乡下,甚至在目下的城市,儿子从来不愿同父亲待在一起,他们往往是相对无言。我们总是发现着父亲对儿子的评定不准,差不多是"呆"、"痴相",以至儿子成就了事业甚或是了名人,他还是惊疑不信。

儿子稍稍独立,儿子与父亲的意见就不统一了,愈是与父亲相悖,这儿子就愈是优秀人物。许多史书上已经记载了儿子为了皇位囚禁和弑杀了父亲的事实,即是一个最贫贱的乡里穷儿子,对父亲于某种利益上也"大逆不道"起来了。我曾在一个山村看见过一个儿子哭父亲丧的场面,他泪水汪洋地哭:"大(爸)呀,谁再和你娃争嘴呀?不吃饭咱们是父子,一吃饭咱们就是对头啊!"儿子这么痛哭当然也算个孝子,但他说的哪一句又不是实话呢?

可以说,儿子和父亲的矛盾是从儿子一出世就有了,他首先是父亲的妻子的爱心转移,再就是向你讨吃讨喝以至意见相悖惹你生气,最后又亲手将父亲埋葬。有这样个笑话,说是一个老父在哄孙子吃奶时竟把媳妇的奶头示范性地吮了一口,儿子大为不满,与老父论理,可见儿子是不让其父的,但老父呢,更有一腔积愤,说:"你吮了我老婆三年奶头,我还没寻你事哩,我吮你老婆一口奶头你就凶了?!"古语讲男当十二替父志,儿子从十二岁起父亲就慢慢衰退了,所以做父亲的从小严打儿子,这恐怕是冥冥之中的一种人之生命本源里的嫉妒意识。若以此推想,女人的伟大就在于从中调和父与子的矛盾了,世界上如果只有大男人和小男人,其实就是凶残的野兽,上帝将女人分为老女人和小女人派下来就是要掌管这些男人的。

只有在儿子开始做了父亲,这父亲才有觉悟对自己的父亲好起来,可以与父亲在一条凳子上坐下,可以跷二郎腿,共同地吸一锅烟,共同拔下巴上的胡须。但是,做父亲的在已经丧失了一个男人在家中的真正权势后,对于儿子的能促膝相谈的态度却很有了几分苦楚,或许明白这如同一个得胜的将军盛情款待一个败将只能显得人家的宽大为怀一样,儿子的恭敬即使出自真诚,父亲在本能的潜意识里仍觉得这是一种耻辱,于是他开始钟爱起孙子了。这种转变皆是不经意的,不易被清醒察觉的,这似乎像北方人阳气重而喜食状若阴器的麦子,南方人阴气盛而喜食形若阳具的大米一样。也不妨走访一下,家有美妻艳女的人家谁个善于经营花卉盆景吗?有养猫成癖的男人哪一个又是满意着他的家妻呢?父亲钟爱起了孙子,便与孙子没了辈分,嬉闹无序,孙子可以嘲笑他的爱吃爆豆却没牙咬动的嘴,在厕所比试谁尿得远,自然是爷爷尿湿了鞋而被孙子拔一根胡子来惩罚了。他们同辈人在一块,如同婆婆们在一块数说儿媳一样数说儿子的不是,完全变成了长舌男,只有孙子来,最喜欢的也最能表现亲近的是动手去摸孙子的"小雀雀"。这似乎成了一种习惯,且不说这里边有多少人生的深沉的感慨,失望和向往,但现在一见孩子就要去摸简直是唯一的逗乐了。有时手伸了过去时才发现是个女孩,手忙停住,又不能暴露尴尬窘相,手就从下面上划了一个弧,变成一种理头发的动作最后摸到了自己的后脑勺上,在这一瞬间喊叹自己老了,头发全稀落殆尽了。这样的场面,往往使做儿子的感到了悲凉,在孙子不成体统地与爷爷戏谑中就要打发自己的儿子,但父亲却在这一刻里凶如老狼,开始无以复加地骂儿子,把积聚于肚子的所所有有的不满全要骂出来,直骂个天昏地暗。

但爷爷对孙子无论怎么地好,孙子却是不记恩的。孙子在初在人儿时实在也是贱物,他放着是爷爷的心肝不领情而偏要做父亲的扁桃体,于父亲是多余的一丸肉,又替父亲抵抗着身上的病毒。孙子没有一个永远记着他的爷爷的,由此,有人强调要生男孩能延续家脉的学说就值得可笑了。试问,谁能记得他的先人是什么模样又叫什么名字呢,最了不得的是四世同堂能知道他的爷爷,老爷爷罢了,那么,既然后人连老老爷爷都不知何人,那老老爷爷的那一辈人一个有男孩传脉,一个没男孩传脉,价值不是一样的吗?话又说回来,要你传种接脉你明白这其中的玄秘吗?这正如吃饭是繁重的活计,不但要吃,吃的要耕要种要收要磨,吃时要咬要嚼消化要拉泄,要你完成这一系列任务就生一个食之欲给你,生育是繁苦的劳作,要性交要怀胎要生产要养活,要你完成这一系列任务就生一个性之欲给你,原来上帝在造人时玩的是让人占小利吃大亏的伎俩!而生育比吃饭更繁重辛劳,故有了一种欲之快乐后还要再加一种不能断香火的意识,于是,人就这么傻乎乎的自鸣其乐地繁衍着。唉唉,这话让我该怎么个说呀,还是只说关于父子的话吧。

我说,作为男人的一生,是儿子也是父亲,前半生儿子是父亲的影子,后半生父亲是儿子的影子。前半生儿子对父亲不满,后半生父亲对儿子不满,这如婆婆和媳妇的关系,一代一代的媳妇都在埋怨婆婆,你也是媳妇你也是婆婆你埋怨你自己。我有时想,为什么上帝不让父亲永远是父亲,儿子永远是儿子,人数永远是固定着,儿子那就甘为人儿的永远安分了呢?但上帝偏不这样,一定是认为这样一直不死的下去虽父子没了矛盾而父与父的矛盾就又太多了,所以就要重换一层人,可是人换一层还是不好又换,就反反复复换了下来。那么那么,换来换去还是这么些人了!可不是吗,如果不停生人死人,人死后灵魂据说又不灭,那这个世界里到处该是了幽魂,我们抬脚动手就要撞碰他们或者他们撞碰了我们。不是的,绝不是这样的,一定还是那些有数的人在换着而重新排列罢了。记得有一个理论是说世上的有些东西并不存在着什么优劣,而质量的秘诀全在于秩序排列,石墨和金刚石其构成的分子相同,而排列的秩序不一,质量绝然两样。聪明人和蠢笨人之所以聪明蠢笨也在于细胞排列的秩序不同。哦,不是有许多英雄和盗匪的被枪杀时大叫"二十年后又是一个×××"吗?这英雄和盗匪可能是看透了人的玄机的。所以我认为一代一代的人是上帝在一次次重新排列了推到世上来的,如果认为那怎么现在比过去人多,也一定是仅仅将原有的人分劈开来,各占性格的一个侧面一个特点罢了,那么你曾经是我的父亲,我的儿子何尝又不会是你,父亲和儿子原是没有什么区别的。明白了这一点多好呀,现时为人父的你还能再专制现时你的儿子吗？现时为人儿的你还能再怨恨现时你的父亲吗？不,不,还是民主、和平、仁爱地活着这一世人的为好,好！

1990 年 6 月 30 日夜

这座城的墙

靠南一点就太南了,靠北一点就太北了,恰到好处地建筑于中国的中心;又不傍山,又不临海,偏偏就占据着关中的皇天后土;再有一个南的大雁塔作印石,再有一个东的华清池作印泥,这不把中华文化古都永远镇守住了?西安人自豪他们这座城,而最夸耀的是这座城的四面固若金汤的城墙:城之所以为城,就是因为有城墙,西安是名符其实的城啊!

可是,为什么不恢复"长安"的古城名呢?这是西安人最感不解的。翻翻史书记载,别的地方闹地震,震得稀里哗啦的,西安的门环连晃都未晃。别的地方遭水淹,淹得清汤寡水的,西安的甜水井依旧长在地下,不枯不溢。军阀时期刘镇华的数万镇嵩军围攻西安八个月不能入,就是侵略了大半个中国的日本人,他也打不到这里来呀!长安、长安,这城名起得多好,长长安,安长长,这才是这座城的城魂儿。

这一切,说到底,靠的是什么呢?还不靠的是城墙。

虽然西安的规模已经铺展得很大了,但在西安人的心理上,城,还只能是在城墙之内的那一块方圆里。逢年过节,假日星期,说:"进城去啊!"就是穿过那长长的城河石桥,进入冷风飕飕的城门洞。到了晚上,城墙外的街上虽然灯火通明,夜行人唯有进入城墙内方心里坦然,放缓了车速。年轻人的恋爱是够勇敢的,到鬼才去的地方,说半明半暗的话,但却绝对不往城墙外的某一处幽会。听说大兴安岭森林发生火灾,把漠河吞没了;听说汉江洪水暴溢,把安康沉沦了,西安人立即想到,那全是没有好的城墙所导致的。在西安,能遭此灾祸吗?凭这城墙,别说水火无忌,就是扔下颗原子弹,它也只能是在城外开花罢了。

有了这四堵墙,西安人就有了安全感。西安人依赖的是这城墙,崇拜的当然也是这城墙。市民们要赌咒了:"我要昧了良心,让我一头撞死在城墙上!"要为难人了,就嚷:"你能,你能说出城墙是怎么修的吗?"城墙是怎么修的,鬼知道!但他们一定要认为是黏土浇了小米汤捶的,用大砖砌的。然后,这砖就成了西安人考问外来人的话题:你知道是多宽多厚吗?你知道人能背几块,驴能驮几块吗?夏天枕着能知道治哪种头痛?刻作砚台能知道墨几日不渗吗?西安人可以把你领到城墙上去看,让你用手触摸,有时大方,也可允许你将你小小的名字刻在某一块砖上,可你是不敢拿动那半块砖的。拉板车的老汉再老,能在那里插拴驴桩吗?捉蛐蛐的小儿再小,能在那里捣砖缝吗?老鼠也不能到城上来打洞,近城墙住的人家,家里放了鼠药,城墙上也要放的。现在,又花巨大的人力物力修复加固城墙,新砌了女墙,新盖了角楼,满城头数万只彩灯昼夜不灭,又要筹建一条城墙公园,这样的工作,世界上除了西安人干,还会有谁呢?

进入城墙之内,就像进了家院,人的意识、感觉就会变了。瞧瞧,井字形的街上,你悠悠地来,他悠悠地去,小贩的叫卖也拖长了声调。当然,最有名的食品是牛羊肉泡馍了,你可以消消停停坐一个小时、两个小时来掰馍。要不,到巷口的小酒馆去,要一杯酒、一盘鸡爪,可以慢慢去品。然后再到路灯杆下的棋摊上,两军对垒,虽是搏杀,但允许反悔,化武为文,长夜更作持久战。树上新驻了蝉,这挺好的飞虫,竟一声长鸣数分钟,声声不歇。时有风筝从广场起飞了,样子多坦荡,谁不会扭了脖子多看几眼呢?而钟鼓楼上的紫燕,飞着飞着似乎要停驻在那里,一定是在欣赏自己落在地上的身影吧。末了,寻剧院去,西安的地方戏剧团在全国最多,即使不看戏,也可以同那些老艺人叼一支长长的卷烟,沏一杯浓浓的酽茶,趿着拖鞋,在门口闲谈嘛。

城墙之内的生活是够安闲的了。

要安闲,以后更安闲,西安人又在筹建仿唐街、仿明街,说是要在这些街上,人一律穿古时服装,车一律行古时木车,不是已经禁止通行了东大街的车辆吗?规定为步行街好,瞎子也可以走来走去了。

西安人在西安居住久了,或许就有一部分人对西安的好处反倒不觉其好了,大多的西安人教育这部分居民的办法是让他出差,到北京去,到上海去,到广州去,让他们吃吃紧张的苦头,于是,那一部分人的睡梦中,常常就梦到了幸福的四堵城墙。

到了夏夜,西安人抱着凉席到城墙头上去享受清凉,不免也是要谈论天下的,他们也似乎有自己的牢骚,埋怨这个城比人家北京,比人家上海,比人家广州怎样怎样;也不免要说:"唉唉,咱西安有什么呀?还多亏有这么个城墙!"

闲　　人

不知从什么时候起,社会上有了闲人。

闲人总是笑笑的。"喂,哥们!"他一跳一跃地迈雀步过来了,还趿着鞋,光身子穿一件褂子,也不扣,或者是正儿八经的西服领带——总之,他们在着装上走极端,但却要表现一种风度。他们看不起黑呢中山服里的衬衣很脏的人,耻笑西服的纽扣紧扣却穿一双布鞋的人。但他们戴起了鸭舌帽,许多学者从此便不戴了,他们将墨镜挂在衣扣上,许多演员从此便不挂了——"几时不见哥们了,能请吃一顿吗?"喊着要吃,却没乞相,扔过来的是一颗高档的烟。弹一颗自个吸了,开始说某某熟人活得太累,脸始终是思考状,好像杞人忧天,又取笑某某熟人见面总是老人还好,孩子还乖?末了就谈论天气,那一颗烟在说话的嘴上左右移动,间或喷出一个极大的烟圈,而拖鞋里的小拇指头一开一合地动。

闲人的相貌不一定俊,其实他们嫉恨是小白脸,但体格却非常好,有一手握破鸡蛋之力。和你握手的时候,暗中使劲令你生痛,据说其父亲要教训,动手来打,做闲人的儿子会一下子将老子端起来,然后放在床上去,不说一句话,老子便知道儿子的存在了。他要请客,裹胁你去羊肉串摊,说一声吃吧,自己就先吃开,看见他一气吃下一百二十串羊肉,喝下十瓶啤酒,你目瞪口呆,"我有一个好胃!"他向你夸耀,还介绍他还能饿,常常一天到黑只吃一顿饭,却不减膘,仍有力气。他说:"你行吗?"你不行。

闲人的钱并不多,这如同时髦女子的精致的小提兜里总塞着卫生纸一样,可闲人不珍贵钱,所以显得总有钱。他们口袋里绝不会装两种不同质量的烟,从没有摸索半天才从口袋捏出一颗自个吸,嘶啦一声,一包高档烟盒横着就撕开了,分给所有在场的人。没有烟了,却蹴在屋角刨寻垃圾中的烟头。钱是人身上垢痂,这理论多达观,所以出门就招出租车,也往豪华宾馆里去住一夜两夜。逢着骑自行车,那几乎是表演杂技,于人窝里穿来拐去,快则飞快,慢则立定,姿势是头缩下去,腰弓着,腿圈成圆形,用脚跟不停地倒转脚踏板。

闲人的朋友最多,没有贵贱老幼之分,三句话能说得来,咱们就是朋友了,"为朋友两肋插刀",让我办事就是看得起我呀!闲人的有些朋友是在厕所撒尿时就交上了。当然,这些朋友有的交往时间长,有的交往时间短,但走了旧的来了新的,闲人没有"世上难逢一知己"之苦。若有什么紧俏东西买不到,寻闲人去。闲人很快就买来了,而且比一般价格还便宜。要搬家,寻闲人去,闲人一个人会扛件大衣柜上楼的。不幸的是家中失盗,你长吁短叹。闲人骂一顿娘就出去了,等回来,说:"我问过一个贼头了,他说你们家这一片不属于他管,我告诉了他,不属于他的地盘就查查是谁的地盘?!"闲人不偷人,但偷人的贼是不敢得罪闲人的。

闲人真瞧不起小偷、流氓,甚至那些嫖客、暗娼,和拦路强奸者,觉得没意思,恶心,也害怕艾滋病。但闲人谈女人的头发,鼻子,他们相信男人的成熟和人生的圆满是需要有一个醉心的女人,甚至公开讥笑自己的从事文艺工作的父亲之所以事业不辉煌是只守了一个自己的母亲。他们有意地留神看街上来往的女人,张口闭口阐述花朵是花草的生殖器什么,到后来,闲人们分别是有了姑娘,姑娘自然很漂亮,他们就会同骑一辆车子招摇过市,姑娘分腿骑在后座上,腿长而圆像两个大白萝卜。闲人待姑娘好时好得你吃饱了还要往你嘴里塞油饼,不好了,就吼一声:"滚!"但姑娘不滚,十分忠诚。

闲人爱姑娘,但最感痛快的并不是姑娘,因为闲人们都年轻,又都练过拳脚,至少家里有一把四十斤重的石锁。路过树下,忍不住要跳起来抓那树枝,抓住了要一把拉断下来,杀鸡就剁鸡头,偏再放开让没头的鸡瞎走一阵,将那桃花一般的血印在雪地上。街上有人打架了,闲人会立即前去围观,是几个男的为了一个女子在恶斗,女子娇嫩艳丽,他看着谁个有理,谁个弱者,便上去抱打不平了,混战中男的一尽逃散,人们都在说闲人是为了那个女子,闲人上前却要扇女子一个巴掌,骂一声"没志气"而去。艳丽的女子当然使闲人也感悦目,但女子在挨过巴掌之后嘴角淌下血来更使闲人觉得奇艳无比!在回家的路上乃至回家之后,闲人还在激动不已,眼前尽是女子嘴角的血道红蚯蚓般地顺下巴和脖子涎流而下的图像,甚至想象到乱交情人的女子如果被人剖开腔腹,倒地痉挛,样子又是何等壮观!但闲人这时候忽觉手疼,看时,右手的无名指却没有了,知道一定是混战中被男的刀砍了,他赶忙跑回现场,沙土地果然有一截手指,遗憾是没有见到手指初断时的蹦跳。

花樹下的女人 庚寅 平四

闲人是个直肠人,但闲人偏不自认,因为在一些年里,闲人最讨厌那些拍胸膛说"咱是粗人"的人,"粗人"本是自贱,却成了一种美饰。所以,谁家夫妇闹矛盾,闹得厉害,他不会"见婚姻说合";"过不成就换班子"!他总是这么说:"我给你物色一个!"闲人不食言,果然物色一个又一个。有的家庭后来是散了,有的家庭闹过又好了,又好的家庭少不得男方将闲人的话说知女方,闲人就恶下了这家的主妇,闲人见面仍叫"嫂子"!嫂子不理,不理了拉倒。

闲人的眼里才没有什么权威的,孔圣人不就是那个老孔吗?剧院里看戏,戏不好,"换节目!换节目!"领导作报告又是官话套话空话,闲人就头一歪睡着了。闲人顶熟悉的是体育明星,次之是通俗歌星,当然也有想一睹风采而去听一位外地来的大名人的专场报告,回来了就打开录音机模仿名人的声调也演说,但演说的内容就是:中华人民共和国××省××市伟大的政治家、杰出的哲学家、天才的艺术家××先生……这位先生的名字一定是他的名字。录毕就放,一边听一边哈哈大笑,随之也就将让名人签名的纸展示众人,然后让某一位去上厕所用。

闲人却并不是四肢发达头脑简单的角色,可以说,都极聪慧,他们都有文化,且喜欢买书,只是从不读完每一本书。但学问已经足够了,知道弗洛伊德,知道后羿,知道孟子、荷马、毕加索和阿Q。当穿着牛仔裤并让它拖在地上在夜街上转悠,闲人差不多会碰着闲人,他们就会一起走到某一个闲人家去,在狼藉不堪的小屋中拒绝筷子用手抓食着卤豆和鸡腿,就谈论天文、地理、玄学、哲学、经济,由女人说到了造人的女娲,由官倒说到了戈多,最多的说人生,说人生说到地球旋转,那么每一个人都是倒挂在地球上的,就不免说一句每次都说的"上帝死了"!然后有人出门就尿,有人将一口痰就吐在桌子下,咒骂"地球太小了"!有人推开了窗户看着城市的夜的风景,伤心了,有人庄严地去厕所,蹲下拉屎,有人抓过一本书想读,却又压在了屁股下。这一夜他们门窗洞开着让酒醉到天明,天明,洗脸、刷牙,弹掉衣服上的灰尘,道貌岸然地出去各干各的事了。

闲人不怕苦,不怕死,满世界里唯有两怕。一怕结婚,虽然不断地有姑娘相伴,但闲人已经是老大年龄了仍未结婚。他们总希望有一个美丽的,既温柔又风野,能吸烟能喝酒能跳舞能谈人生能打麻将的老婆,遗憾的是没条件总不能集中于一身的姑娘。二怕寂寞。寂寞如狼怕火,寂寞如鬼怕唾。他们预防着某一日任何人任何力量治不倒他们而要将他们寂寞独处的残酷,于是就幻想着真有那么一日,他们要爬上城中的报话大楼的顶尖上,然后用一条绳索一头系在楼顶尖一头套在脖子上纵身一跳,吊在半空了。因为吊在城中的最高点,全城的人都看得见,而且报话的大钟是每一小时要长鸣一次。

说闲人是一个阶级,这肯定有人要批评用词不准,那么,是一些人,是阶层,是……反正闲人在社会上多了。据闻在一次高级的会上,天文学家说,因为天上的太阳的黑子增多才有了这些闲人,地理学家说,因为地上的草木减少才有了这些闲人,人类学家却一口咬定是人太多的缘故,南瓜葫芦一条蔓上花开得太多必然是有谎花的。会议上的这些争论当然闲人不可能听到,听到的是平日周围的人喊其"闲人",闲人就甚是不悦,回一句:哼,我们才是忙人哩!

弈　　人

在中国,十有六七的人识得棋理,随便于何时何地,偷得一闲,就人列对方,汉楚分界,相士守城保帅,车马冲锋陷阵,小小棋盘之上,人皆成为符号,一场厮杀就开始了。

一般人下棋,下下也就罢了,而十有三四者为棋迷:一日不下瘾发,二日不下手痒,三日不下肉酒无味,四五日不下则坐卧不宁。所以以单位组织的比赛项目最多,以个人名义邀请的更多。还有最多更多的是以棋会友,夜半三更辗转不眠,提了棋袋去敲某某门的。于是被访者披衣而起,挑灯夜战。若那家妇人贤惠,便可怜得彻夜被当当棋子惊动,被腾腾香烟毒雾熏蒸;若是泼悍角色,弈者就到厨房去,或蹴或趴,一边落子一边点烟,有将胡子烧焦了的,有将烟拿反,火红的烟头塞入口里的。相传五十年代初,有一对弈者,因言论反动双双划为右派遣返原籍,自此沦落天涯。二十四年后甲平反回城,得悉乙也平反回城,甲便提了袋去乙家拜见,相见就对弈一个通宵。

对弈者也还罢了,最不可理解的是观弈的。在城市,如北京、上海、何等的大世界,或如偏远窄小的西宁、拉萨,夜一降临,街上行人稀少,那路灯杆下必有一摊一摊围观下棋的。他们是些有家不归之人,亲善妻子儿女不如亲善棋盘棋子,借公家的不掏电费的路灯,借夜晚不扣工资的时间,大摆擂台。围观的一律伸长脖子(所以中国长脖子的人多!),双目圆睁,嘶声叫嚷着自己的见解。弈者每走一步妙着,锐声叫好,若一步走坏,懊丧连天,都企图垂帘听政。但往往弈者仰头看看,看见的都是长脖颈上的大喉结,没有不上下活动的,大小红嘴白牙,皆在开合,唾沫就乱雨飞溅,于是笑笑,坚不听从。不听则骂:臭棋!骂臭棋,弈者不应,大将风范,应者则是别的观弈人,双方就各持己见,否定,否定之否定,最后变脸失色,口出秽言,大打出手。西安有一中年人,夜里孩子有病,妇人让去医院开药,路过棋摊,心里说:不看不看,脚却将至,不禁看了一眼,恰棋正走到难处,他就开始指点,但指点不被采纳反被观弈者所讥,双双打了起来,口鼻出血。结果,医院是去了,看病的不是儿子而是他。

在乡下,农人每每在田里劳作累了,赤脚出来,就于埂头对弈。那赫赫红日当顶,头上各覆荷叶,杀一盘,甲赢乙输,乙输了乙不服,甲赢了欲再赢,这棋就杀得一盘末了又复一盘。家中妇人儿女见爹不归,以为还在辛劳,提饭罐前去三声四声喊不动,妇人说:"吃!"男人说:"能吃个屁!有马在守着怎么吃?!"孩子们最怕爹下棋,赢了会搂在怀里用胡碴扎脸,输了则脸面黑封,动辄擂拳头。以致流传一个笑话,说是一孩子在家做作业,解释"孔子曰:……而已",遂去问爹:"而已是什么?"爹下棋正输了,一挥手说:"你娘的脚!"孩子就在作业本上写了:"孔子曰:……你娘的脚!"

不论城市乡村,常见有一职业性之人,腰带上吊一棋袋,白发长须,一脸刁钻古怪,在某处显眼地方,摆一残局。摆残局者,必是高手。来应战者,走一步两步若路数不对,设主便道:"小子,你走吧,别下不了台!"败走的,自然要在人家的一面白布上留下红指印,设主就抖着满是红指印的白布四处张扬,以显其威。若来者一步两步对着路数,设主则一手牵了对方到一旁,说:"师傅教我几手吧!"两人进酒铺坐喝,从此结为挚友。

能与这些设主成挚友的,大致有两种人,一类是小车司机。中国的小车坐的都是官员,官员又不开车,常常开会或会友,一出车门,将车留下,将司机也留下,或许这会开得没完没了,或许会友就在友人家用膳,酒醉半天不醒,这司机就一直在车上等着,也便就有了时间潜心读棋书,看棋局了。一类是退休的干部。在台上时日子万般红火,退休后冷落无比,就从此不饲奸贼猫咪,宠养走狗,喜欢棋道,这棋艺就出奇地长进。

中国号称礼仪之邦,人们做什么事都谦谦相让,你说他好,他偏说"不行",但偏有两处撕去虚伪,露了真相。一是喝酒,皆口言善饮,李太白的"唯有饮者留其名"没有不记得的,分明醉如烂泥,口里还说:"我没有醉……没醉……"倒在酒桌下了还是:"没……醉……醉!"另外就是下棋,从来没听过谁说自己棋艺不高,言论某某高手,必是:"他那臭棋篓子呗!"所以老者对少者输了,会说:"我怎么去赢小子?!"男的输了女的,是:"男不跟女斗嘛!"找上门的赢了,主人要说:"你是客人嗨!"年龄相仿,地位等同的,那又是:"好汉不赢头三盘呀!"

象棋属于国粹,但象棋远没围棋早,围棋渐渐成为高层次的人的雅事,象棋却贵贱咸宜,老幼咸宜,这似乎是个谜。围棋是不分名称的,棋子就是棋子,一子就是一人,人可左右占位,围住就行,象棋有帅有车,有相有卒,等级分明,各有限制。而中国的象棋代代不衰,恐怕是中国人太爱政治的缘故吧？他们喜欢自己做将做帅,调车调马,贵人者,以再一次施展自己治国治天下的策略,平民者则作一种精神上的享受,以致词典上有了"眼观全局,胸有韬略"之句。于是也就常有"××他能当官,让我去当,比他有强不差!"中国现在人皆浮躁,劣根全在于此。古时有清谈之士,现在也到处有不干实事、夸夸其谈之人,是否是那些古今存在的观弈人呢？所以善弈者有了经验:越是观者多,越不能听观者指点;一人是一套路数,或许一人是雕龙大略,三人则主见不一,互相抵消为雕虫小技了。

虽然人们在棋盘上变相过政治之瘾,但中国人毕竟是中国人,他们对实力不如自己的,其势凶猛,不可一世,故常有"我让出你两个马吧!""我用半边兵力杀你吧!"若对方不要施舍,则在胜时偏不一下子致死,故意玩弄,行猫对鼠的伎俩,又或以吃掉对方所有棋子为快,结果棋盘上仅剩下一个帅了,成孤家寡人。而一旦遇着强手,那便"心理压力太大",缩手缩脚,举棋不定,方寸大乱,失了水准。真怀疑中国足球队的教练和队员都是会走象棋的。

这样,弈坛上就经常出现怪异现象:大凡大小领导,在本单位棋艺均高。他们也往往产生错觉,以为真个"拳打少林,脚踢武当"了。当然便有一些初生牛犊以棋对话,警告顶头上司,他们的战法既不用车,也不架炮,专事小卒。小卒虽在本地受重重限制,但硬是冲过河界,勇敢前进,竟直捣对方城池擒了主帅老儿。

×地便有一单位,春天里开展棋赛,是一英武青年与几位领导下盲棋。一间厅子,青年坐其中,领导分四方,青年皓齿明眸,同时以进卒向四位对手攻击,四位领导皆十分艰难,面色由黑变红变白,搔首抓耳。青年却一会儿去上厕所,一会儿去倒水沏茶,自己端一杯,又给四位领导各端一杯。冷丁对方叫出一子,他就脱口接应走出一步。结果全胜。这青年这一年当选了单位的人大代表。

名　　人

　　世事真闹不明白,你忽然浪成了一个名人。起初间是你无意做了一件事,或偶然说了一席话,你的三朋和四友对某一位人说了,正投合某人的情怀,他又说给另一位人,也恰投合,再说给别人去,中国的长舌妇和长舌男并不仅仅热心身边的私事,他们在厕所里也常常争论联合国是一个国家还是一座大楼,于是一传十,十传百,都以自己的情怀加工修改,众口由此成碑。再循环过来,传到你的三朋和四友耳中,他们似乎觉得这出源于他们之口,但又不全是出源于他们,不信便觉得这么多人都信那就有信的道理,遂也就信。末了又反馈到你,"我真是这样吗?"你怀疑了,向崇尚你的人开始解释,可越解释你越"谦虚",谦虚恰好是名人的风度,你最后不得不考虑你是没有认识到你的价值吗?"哦,我还真行!"这样,你就完全是名人了。

　　你现在明白"造就"的厉害吧?你娘生你时她并没有给你起个响亮的名字,血辣辣的孩子堕在草炕,门后的鸡正下了蛋,红着冠嘎嘎直叫,你娘在这叫声中想起一个字作了你的名,这名儿连你在上学时老师一念点名册,你就脸红。三年前去游大雁塔,人都在塔身上刻字留名,你呢,一是塔身被刻写得没有地方,二是你也羞于将自己名字刻写上去遭人奚落,但你总得留个名吧,名字就刻写在那个狗熊形的垃圾桶上。可现在,你用不着请客送礼,用不着卧薪尝胆,也用不着脱光衣服跑上大街或拿一颗炸弹当众爆炸,你就出名了。

你成了名人,你的一切令人们都刮目相看,你本来是很丑的,但总有人在你的丑貌里寻出美的部分。比如你的眼睛没有双眼皮,缺乏光彩,总是灰浊,而"单眼皮是人类进化的特征呀",灰浊是你熬夜的结果呀!那些风流女子的眼睛漂亮吗?那么把它剜下来放在桌上谁还能分得清是人目还是猪眼?于是你又有了通宵工作的佳话,甚至还会有那长河中的轮船以你那长夜不熄的窗灯作航示灯的故事。你实在是邋遢,头发乱如茅草,胡子不刮,衣服发皱,但现在你是名人,名人的不修边幅是别一种的潇洒呀!最遗憾的是你个子太矮,若是别人,任何征婚启事都永远没有你二等残废的应征可能,但因为你是名人,相书上不是有破相者大相之说法吗?总之,名人怎么能用一般人的标准去套用呢?你丑而大象无形,你口拙而大象希声,你吝啬而大盈若盅。你不喜食肉,自称"草食动物",因而素食营养最高的理论产生致使许多人形如饿鬼,你在闷热的夏夜卷席到街道去睡,四周高楼的居民纷纷离楼,传出"要地震"的噩讯。

你的成名为你增加了灵光,且越来越发挥了社会的作用。住家附近常常闻到狗吠,居委会主任给公安局写信,要求居民签名,你是最后一个签的,但你的名字却排在了第一名。单位所在那条巷公共厕所坏了,单位起草给公用事业局的报告里,也是以你为第一事例,说你如此的名人,一日十次的大小解,每每手里都提一页砖垫那臭水肆流的地板。你已经有了许多头衔,尤其是名目繁多的学会的顾问,什么会也请你,在主持人提高了声调介绍后的一片掌声里你得慌乱地讲几句话。所以你的好友和你开玩笑,一页的来信里总要半页写满你的头衔,称作"名人先生"。更多的是有人生了儿子要你起名,有人丧父,要你题碑文,你的案头上得永远放一本《新华字典》。你的字恶劣不堪,但你的字被裱糊了高悬相当多的人家的正堂上。你根本不会写文章,却有写书的人求你作序(其实你常常只在写书人自写的序文后写上你的大名就罢了),远在千里的你的家乡人,闻讯而来缠你办事,大到来告状来买汽车来调动工作来要超生指标,小到来治鸡眼来要去结识某人来看戏来住旅社来配眼镜,以为你什么人都认识,你一句话值千金,顶一张公文,顶一枚政府图章,你说你不认识这些部门,"可你说出你的名来,天下谁人不识君呢?"

在多少多少人的眼里,你活得多荣光自在,有多少女子恨不能在你未结婚前结识你而长生相伴,也有多少女子希望能得到你婚后的一份青睐而终身不嫁相思到老。但是,你跟我说,你活得太累,你已经是名第一、人第二。我慢慢对你的话理解了。你曾经在公共车上听见旁边有人正谈论你,立即有一个人拍着腔子说你是他的好得没了反正的朋友,说你酒量如海,小腿腹有一片肉能大颗出汗,所以你大喝而不醉,说你下巴上有一个痣,痣上有三根毛。但你不认识他,他也不认识你,甚至还拍着你的肩头说:"你不相信?也难怪,名人的事情你怎么会理解呢?"你去医院看病,划价的是一个美艳的少妇,她看了你的处方单惊叫着你就是名人××

×?!你说是的。她把头从极小的窗口里探出来看你,看你的脚,看你的头,看得你不知所措。少妇说:"你真是名人×××?"你不好意思了,她却以为你心虚,"不可能,名人×××怎么会是你这样呢?他是多高大的块头,风度不凡,出口成章,怎么会是你呢?!"

你被怀疑是同名同姓或者是冒名顶替,你成了骗子,有了糟践名人形象的罪恶而被愤怒的人群殴打。你只好说:"我不是×××,再不敢了!"众人饶了你,吼一声"滚!"你滚了。当你在正式的场合被认定就是名人×××了,你总被许多人围住照相,照了一张又一张,换了一人又一人,你得始终站在那里,你成了风景、道具、装饰物。你记不清你到底照过多少照片,但寄给你的寥寥无几。当你去旅游点看见那些披了彩带的马被男男女女骑上去留影时,你说你先世就是这马变的,这马将来转世,也将会是名人。我亲身经历了一次与你同去一个集会场面,几百人围上去让你签名,你的面前树满了持日记本的手的森林,你的身子随着人的海潮而波动不已,你无法写字,而外边的人还在挤,结果人群大乱,胡抓一气,最后谁也分不清哪个是签名的人了,我急得大叫,害怕你被纸片一样的撕碎,幸亏你终于爬出来了,你是从人群的腿缝下爬出来的,一爬出没有再看一眼那一堆还在拥挤拼抢的人就逃去了厕所。也就在那一次,你的西服领口破了,眼镜丢了一条腿儿,扣子少了三颗。

你不止一次地向我抱怨,说你家的茶叶最费,因为来客不断,沏一壶茶喝不了几口,再来人再沏新茶,茶叶十分之八是糟蹋了。烟更是飘雪花似的发散,别人家的排气扇装在厨房,你家却装在会客室,但墙还是被熏黄,花还是被呛死。再敲门你想躲着不开,来客却要守在门口,估摸你总得回家吧,你只好在屋里不能走动,不能咳嗽,索性还是把门打开了。你的自行车很旧,你喜欢骑这样的车子,随地可放,不怕贼偷,可你经过十字路口时被交警挡住了,他朝你走来,你紧张了,分辩说你没有违犯交规,交警却夸地向你行礼,说:"×××先生,很荣幸你走我管理的路口!"你一场虚惊,甚至觉得他在恶作剧,但这张脸是那样真诚,他突然看见你的车子而惊叫:"你怎么骑这样的车子呢?"立即招手挡住一辆面包车,连人带车把你捎走了。甚至你突然收到法院的传票,不去吧,法律是严酷的,你害怕那警车到来;去吧,犯了什么罪吧? 你忐忑不安了。一进法院,接待你的人激动不已,视你为座上客,说:"我们想见见你,你是名人,平时我们是不容易见到的,只好用这种方法了,望你原谅!"你原谅了,你能不原谅吗? 外边开始在议论你的私事了,包括你的爱人,你的孩子,你的身体状况饮食嗜好作息时间,如此发展,就说到你有了情人,有了除现妻之外的前妻和预备的将来的后妻,这竟使十几年未见面的一位朋友来见到你的妻子说起你有多少风流韵事时,诚恳地安慰道:"其实这有什么呢,你不必伤心,名人都是这样嘛!"使你的妻子哭不得笑不得,无法对他说话。闲话让他说去吧。可闲话一多就成了事实,你托人去街道办事处为孩子办独生子女证,办事员看见了你的大名,为难了,说:"哦,是咱们名人的孩子,这孩子长得一定漂亮了! 我个人是完全愿意为名人办事的,但计划生育是国策,他和前妻有过孩子,这个虽是续妻生的,却不能算独生子女啊!"你天大的冤枉,只好让单位出证明,说你是名人,可还没有那么快就换了班子呀!

唉,你就这么受名人的荣誉,也就这么受名人的苦处。

可是,又该怎么说呢,你不顾别人以名人对待你,你又毕竟意识到自己是名人而又处处以名人来限制自己。在公众场合,你不敢顺口开河,在拥挤的小饭馆里,你不敢端了一碗面条蹴在墙角吃。你不能在买菜时与小贩高一声低一声地讨价还价,你不能在街上看见秀色可餐的女子骑车经过时而斜看一眼。社会要的是你的名,你也在为名活着!当你来到有人举办的关于搜集了你的签名和书法的展览馆门口而掏出和别人一样的价钱买门票时,我突然想象到如果有哪一天,有人写了你的传记电影在挑选演员,你如果也去应选,结果会怎样呢?或许导演会看中你的相貌与名人×××相似而选中,可一定会因你演不好名人×××而被导演臭骂一顿轰出摄影棚。

你说,你简直受不了了,"我不要这个名,我要活人!"你甚至想象到有一天你在人头攒涌的场合走着走着,突然身子发生质变,变成泥塑才雕,永远停在那里供人去观赏和礼拜,而你的真人逃走多好!或者更简单,你获得了一件古代传说中的隐身衣……但这毕竟是想象呀,你只有不断地向前来使你不能安静的人说:"别把我当名人,我其实一文不值!"

是的,你一文不值,在你和你的妻子的吵闹中她不止十次地这么对你吼过。她知道你是多么一个平凡的人,知道你哪枚牙上有着虫洞,哪只鞋子夹了趾头,还有痔疮,且三个外痔经常磨破,知道你有三天不刷牙的劣习,有吃饭时放屁的毛病。就是这样的一位妻子,你却是那样地感激她,热爱她,你在她的欢笑中耍娇,在她的叹息中计划米面油盐酱醋的开销,在她的唠唠不休的嘟囔中发怒。当每一个夜晚来临,你关了窗子,收了晾着的孩子的尿布,封了火炉,取了便盆,关门熄灯,将帽子大衣鞋子袜子和裤头一齐丢在沙发上然后溜进那个热烘烘的被窝去时,你说,我现在不是名人了,亲爱的……

谈 病

人吃五谷生活,谁就不敢说他头是铁箍了的,不会生病。病是人自我的一种制约,也是自然界对人类的一种调节。除了制度、法令、规矩和纪律外,冥冥之中总有东西在施行着平衡的掌握,我们不是骑着自行车从甲地去乙地常常在很畅通地骑过一段路程后就会出现市场或车辆什么的交通堵塞吗?自然界的节奏永远不会极快或者极慢的。

但是,几多人清醒这种调节啊?!他们什么都可以没有,就是害怕没钱,什么都可以有,就是害怕有病。求神问卦,磕头烧香,为的是保佑自己无病。熟人相见,问过了"吃了"?(中国人总是紧张吃的)就是"还好"?这好就是还没病吧?书信往来,落尾总是"大安",无病则大安。一旦听到某一朋友生病,立即脸作苦楚状,问几时病了,病得如何,叹一口气掉两颗泪,要破费买许多好吃的东西去探望了(又是吃,虽然得的是已不能吃的病)。病成了最大的灾难,所以看夫妇关系好不好就看对方在生病时的表现,看儿女孝不孝,就看父母久病后的待遇。若是东西丢了,安慰自己的常是"物去人安",心还不安,再咒一句"谁偷去权当他吃药了!"而家有药罐,再吝啬的人凡有来借没有不允的,但药罐用罢却不能退还,只能是别人再病了再来借取。人们如此恐惧病,以致对那些有成见的甚至仇恨满腔的人,一旦听到是病了,也不免悲悯心生,而最固执的狠毒的人,一在病中心底就归于良善。无病便是一切面对不到的成功、荣誉、地位、物质的求得心理安妥的遁词。所以,医生就成了人类中最崇高的职业,病人对医生的微笑在当今社会是最没有虚假和敷衍。

病何尝又不是好事呢?大桥理应要牢固,车行其上而觉闪动的,这是桥病,但桥面闪动桥则更耐用。摩天高楼理应稳定,居之楼顶而觉晃摆的,这是楼病,但楼顶晃摆,楼则更安全。试想人要是没病,那怎么去死呢?人若不死,又不停繁殖,那会是什么灾难呢?据民间的故事说,某人总是不死,阎王爷也觉奇怪,偶尔翻生死簿才发现其人名字被写在了装订线下,阎王爷就大叫失职了。不妨可以这么说,抛开一般人常说的这样病那样病,睡觉何尝不就是人之病呢?拉屎撒尿何尝不就是人之病呢?人活着,睡觉就占去了一半时间,要误多少工作呀!香的辣的吃喝到肚里却要拉撒还不是浪费了呀!既然这些称之为人之病了,而人谁不觉得睡觉是很重要的,谁又觉得拉撒是一种挥霍呢?

于是人开始利用了人之病。比如耳聋了,就不听闲言碎语,喑哑了,就免了说三道四,生活中便常有装聋卖哑的情景。俗语讲"当你知道了身体的某一部位,这部位就是病了",也有"久病成医"说,那么有了病不就多了人体结构的知识吗,不就极可能成为一名医生吗?同时说病是人类的一种调节,更是神秘:你虽然有空调器避开了夏天的酷热,但空调会给你带来空调病;别人都在步行或骑自行车上下班,你有条件坐小车,坐小车却患坐骨神经病;贫困型的糖尿病不是常常降临在最不愁吃喝而易被吃请的人身上吗,富贵型的肝炎病不是常常又给了那些终日辛劳不得休息营养很差的人吗?

利用人病上升为艺术的是我们的一些官员了。这些官员可能不大也不小,正因为这样,他们把一切都玩得精明。比如单位开始分房子了,开始评百分比的工资了,事情棘手,就推给指定的人,自己宣布有病住院了。班子里产生了矛盾,意见不能统一,权力又不能专制得了,明明是分管的工作偏丢手不理,生病了,住院了。工作中犯了错误,受到上级批评以至通报、处分,又去生病住了院。生病是最忌讳的事,却变成了最好的逃避地,中国的三十六计中走为上计,现在真要改为病为上计。

病一旦上升为一种艺术,真作假时假亦真,这些人真的就在病上垮掉了。我曾见过这样一位官人,因为权力分配闹情绪住了医院,医院里整日看到的是那些真的病人,隔三隔四还要抬几个去太平间,他的精神就有了那个了。而他的部下得知他住了院,就都拿了重礼去探望(这恰是贿和受贿的机会),但探望为了保持领导的深刻记忆,便不一块去,是一个去了一个再去。一见到领导,当然是询问病情,不管看脸不看脸都要说:你脸色真的不好,你要静心医养啊!一个人这么说了,心中还窃笑,两个人这么说了,还不往心里去,而七个人八个人都这么说了,心里犯了嘀咕:脸色真的不好吗?真的有病了吗?害怕起来,夜里就睡不稳,觉得这儿疼那儿也疼,惶惶不可终日。不长时间,他真的就病了,脸色真正的不好看了,他原本是最恐惧病的,如今病上身,愈是恐惧,病就一日沉重了一日,终是呜呼哀哉了。可怜这位官人把病变成了艺术,病也把他作为艺术品了。

1990年9月26日

牌　　玩

如果今日得空,就玩麻将牌去。

不用在怀里揣了攮子,都是熟人,吃喝花用不论你我,场面上闹不起黑脸白眼。也用不着带身份证,玩的是五分钱一角钱的注儿,公安局的摩托车不会突然地出现在门前。要带就带上愁苦烦恼和一揽子的百无聊赖,拿几个零钱去买个痛快吧。

茶泡好了,烟也叼上,哗啦,哗啦,哗哗啦啦,当兵的双手能打枪,咱十个指头一齐动,各摆九摞,砰地一合,随手又丢去一摞,这动作多风流潇洒,若要幽默,咱就称这是义务修长城吧,或者叫做学习164号文件吧。各人将各人的零票子已经点清了放在旁边,请注意这不是要赌而重在搏,"人生难得几回搏",运动场上这么说,牌场上为什么不能这么说? 运动场为国争光的之所以是金牌而不是铁牌或泥牌,牌场上当然要金钱论输赢了。钱是好东西,倘若少一分,你纵然在商店给售货员笑个没死没活,那货品你只能看,你不能拿。美国竞选总统,竞选者是不敢有情妇的,你对你的妻子都不忠诚,你会对国人忠诚吗? 法国人交朋友,绝不交铤而走险的,你连你的生命都不珍惜,你能珍惜朋友吗? 那么在中国的时下,你连钱都不爱,你还会爱什么? 爱钱不可耻。但不能唯此为大,那么,就宣布钱票子一律装在鞋里踩在脚下吧,踩,人永远主宰它,它永远不主宰人!

　　好了,好了,别耽搁时间,八只手在桌面上都急得抖起来了。瞧多激动的手,一个一个指头涨得通红,指头与指头相互是认得的,上次输了的,这次一心要东山再起,上次赢了的,风光了一次还要风光。有的开始在试验摸某一页牌了,上下反复搓,如赛前的运动员在做各种预备动作,有的慢慢地一次搓上去,一副哲学家的老谋深算,更多的手指头稳在那里,指甲像一面面盾牌,你能感觉到盾牌之后的眈眈视眼。反正,红布即将出现在斗牛面前,气氛紧张到极点,幸亏指头不长心,否则全犯心肌梗塞了。

　　抓牌开始,开始了反倒一切平静。玩牌人没有打过仗,但枪一响,老子今天就死在战场上了,能在战壕里掏出女人的照片亲一口,能在间隙中打个盹或是下一盘棋,这景况咱们是体验了,理解了。大家开始说戏谑的话,夸讲谁是"刀子手",刀子虽然曾剜过自己的肉,还大度地恭维;又作践谁是"老送",虽然人家输给了你,却仍竭尽嘲笑和鄙视。残酷的竞争在这种友好的气氛里悄悄进展,戏谑之语遂渐渐停止,因为有人一盘不和,又一盘还不和,虽然是"千刀万剐不和第一把",虽然是"好汉不赢前三盘",但已经一圈两圈下来了仍未有和,细细的汗珠就在鼻尖沁现了。高潮一旦产生,有的在虚张声势,连呼好牌,有的干脆暗倒了,挽起袖子大幅度做自摸的动作,胆小的浑身燥热,稳健的不动声色,有的将打出的牌偏要放在某一位面前让其和。突然有人自摸到手了,迅雷不及掩耳地两声爆响,一声是将夹张的二饼重重地砸磕在桌面上,但牌已断裂,看到的是一个一饼,另一声则是飞起的那半截到了水泥楼顶上,飞丢的是另一个一饼。这响声如广岛的原子弹爆炸,巨大的欢乐使一个人的心神粉碎到了半空,巨大的沮丧同时使三个人一下子推乱了牌摞,脸灰得如摔了土袋。

好吧,看下一盘吧,盯着自己的牌,更盯着桌上的牌,下家打出个六万,我也打六万,留着白板拆副儿打,我宁肯不和你也别和。做最精细的计算,捕捉突然的感觉,分析整个局势,这里需要的是浑身的解数;看他的眼神,尤其是眉宇间一闪即逝的东西,看他手的下意识的动向,别瞧他轻松地哼曲或者旁若无事地不停地调整牌的位置。声东击西,瞒天过海,明修栈道,暗度陈仓,三十六计全然使得。你盯我,他盯你,周而复始,恶性循环,四个人谁都是谁的坟墓。如此这般沉沉浮浮,牌技方得提高,似乎明白了官场上的一切奥秘,只是那种斗争上升到了一种艺术吧。遂作想,一个兵由班长到排长到连长营长团长直到军长那真正是在战场上的军人,而一个人由生产队长到村长到乡长到县长直到专员则必是踩着了多少人的肩膀上的政客,于是洋洋自得,凭咱这一套牌技也可以去当当什么领导了!但是,这想法玩牌人只是偶然闪动,最大是那么会心一笑而已,因为官场上仍还凭靠山后门,牌场上的机会却永远是人人平等。你的牌再好,有时却就是不和,你的牌有时糟到了极点,几乎完全丧失了信心,终了却是和了。世界是神秘的,麻将牌更神秘,有神使和鬼差,使每个人都诚惶诚恐了。牌再坏,不能骂牌,骂的是自己的手"臭",骂的是自己坐错了方位,骂的是自己尿憋了没有去"放毒水",如果想啥来啥,则要将牌放在嘴上亲一口了。当然也要自我宽慰,"牌场上失意,情场上得意"啊,这么说着,还是一个劲地输,则疑惑"我是摸了女子的×了"?!好也是女人,坏也是女人,牌场上女人总是被骂的对象,这如同农人耕地不休止地骂牛一样。为了能赢,最后的手法是自己作践自己了,打出了牌又摸回来,少不得自己打自己的脸,要上庄,希望能连坐,宁肯说要坐个"母猪庄"。运气,运气,人人都在这神秘面前无可奈何;玩牌是人生,人生即游戏,试试近期的凶吉顺逆,玩牌是最好的征兆,绝对地胜过了庙堂里的抽签打卦。

到了这个时候,我们玩牌人进入了又一个境界,输赢已不在乎,赢了说一声:"实在不好意思了",输了的更豁达,说:"拿去花吧,权当我赞助了!"狗皮袜子没反正,肉烂了在锅里,肥水没有外流,重要的不是输赢而是参与,友谊第一,痛快第一嘛,戏谑之声又甚嚣尘上。大家开始大讲玩牌之乐了,有的说牌场是观察人的好去处,谁个鸡肠小肚一输就喋喋不休,谁个轻佻浅薄,输了面如土色,赢了忘乎所以,谁个聪明反被聪明误,谁个输钱不输人,谁个大愚者其实大智。可笑诸葛亮知人善用凭的是出问题让下人回答,日本老板接收职员要查血型,如今组织部考察干部要翻档案,为什么不到牌场上一目即了然呢?!有的说玩牌能享乐到自由,十三张牌就是你的兵马,要留哪个留哪个,要开销哪个便开销,不考虑人际关系,不牵涉上下矛盾,不受外界影响,一切由我,我就是领导,我就是统帅,我就是拥有至高无上的权力。有的说玩牌是最好的心身放松,可以忘记单位领导的小鞋,可以忘记事业上的失败,可以忘记孩子的待业,可以忘记嘟嘟囔囔的老婆,工资调级,物价上涨,住房,税收,情人,性病,去他妈的全都忘了!

牌场终于结束了,痛快并未消退,接着的是吃。赢了的,反正是平白赢的,吃,输了的,能输起自己还吃不起?吃。数瓶的啤酒和一只烧鸡下肚了。饱嗝儿打过,吸一颗烟吧,深深地吸下肚,长长地又吐出来,突然间感到了一切都是空的,都是无聊,这一夜就这么过去了,新的太阳即将出来,烦恼的明日还得烦恼,愁苦的明日还得愁苦,即使在这天欲明未明之际回家去,那老婆会给开门吗?

来时带了愁苦烦恼和一揽子的百无聊赖要埋葬在牌场上,如今丢光了零钱又背上了愁苦烦恼和一揽子的百无聊赖该回走了。回走了,满地的是被嘴唇遗弃的烟头,心里想着这是人玩了牌还是牌玩了人,口里却说:喂,几时得空,再玩吧。

晚　　雨

　　来时,太阳依然照红,天与地平行着,呆呆地,可望不可即。现在是有云了。是的,呆望久了就生感应,云是地上的水追逐天上的太阳所致呢,还是天上的太阳爱恋了凹地却掩了脸面的羞赧和无奈的忧郁?云在涌动着,云在急急地酝酿。我知道,这酝酿得已经太久太久了,终没有交汇成雨落下来,如果云真是那一位洛神,伴着凤凰,乘着祥瑞,旋即又飘逸而去,这天地还要等待着一尽苍老吗?

　　不不,这一次雨下起来了,云沉重得不可忍耐,如龙门里的黄河水一样哗哗啦啦下来了!

　　多么感谢这一场雨,原本可以乘车而行,偏要徒步淋着,虽然夜黑如墨,到处有狼与鬼魅。远远有什么光亮倏忽闪过,却看见了无数的雨脚在身前脚后,是别一种的花放。两年前坐船过龙门,铜汁般的黄河水面翻涌着牡丹样的涡纹,我快活得说是踏上了华贵地毯,今晚的花放,是地毯的铺延而至的境界吗?应该歇一歇,近旁恰有一座小屋;屋檐下立定了,雨下得更大,看檐雨如帘,幽光里这正是如丝如玻璃的帷幔吗?爱这晚雨,也爱这晚雨中的屋檐,动了手去拾檐雨,湿软可人,悄声道一声好雨知时节,风即将雨散成珍珠,扑淋得满头满脸,发也乱了,衣也乱了,伸出舌接雨,接住一条了狠劲地吮,恨不得拔了两根。周身的细胞全膨胀了,瞬间里耳目全失,生命粉碎,唯感觉活着,感觉到世界原来是这么小,小到如一颗桃子!啊,桃子红软,夸父就并不会死去,那拐杖而生的邓林里,有桃子解渴解救了。瞬间里柔弱不起,听见了是伟大的一个静里的胸中的心,听见了屋檐上的呢呢颤吟。哦,屋檐上是有两只鸟的,一根绳索上相偎相依。这是一对夫妇在观晚雨的吗,是雨时而来才恰恰两个歌聚一起,它们在说什么,感觉着一种缘分在雨晚里实现吗?恍惚里我也觉得数百年前,在世界的另一个什么地方,这屋檐下与我有一笔冤债未还了。

雨下得又一阵紧了,黑暗里一切都在放肆开来,路旁的杨树鼓掌,一声儿啪啪啦啦,白日里泛着暗红的垂柳或高或低或宽或窄地变态,蚯蚓在鸣,蚂蚁在叫。望着黑际中还有着的两颗星子,竟然还有星子,是别的什么吗,并不大的,但美丽绝伦,忽隐忽现。这肯定是佛眼,喜悦如莲。那一年去韩城山塬,看见过枝桠交错丰腴温柔的柿树,我曾称之为树佛,企盼着自己有一日幻变小鸟落进去承受它的色容,今晚却第一次感受了佛眼与我这么近,这么地亲!

且听,高高的空中有雷在响了,有电在闪了。今晚,天地是交汇了,雨才下得这么大,才有它们欢乐的雷电。我活在这个天地里,多么祝福着这太长久的渴旱后这一晚。是感叹着这一场晚雨,是晚了,来得晚,但毕竟这雨是来了,咽下一切遗憾,就永远永远记住这一个雨晚。

天到底是天,地到底是地,雨又住了,天地又分开平行。替天地说一句蓝桥上的话:"且将这身子寄养着别处,让每一晚月亮出来做眼,你看着我吧,我看着你吧。"默默地在夜里去,我也想,古时的意念中,天是龙的世界,羊是地的象征,一个是神圣一个是美丽,合该是要连缀的,它们不结合,大自然就要干渴,雨是必下不可的。那就等再一场雨吧!或许有着长长久久的雨会下得没时没空没来没去没黑没白,天地再不平行而苍茫一片,那时我们不要盘古,永远不要盘古!

辛未7月7日记

哭 三 毛

三毛死了。我与三毛并不相识但在将要相识的时候三毛死了。三毛托人带来口信嘱我寄几本我的新书给她。我刚刚将书寄去的时候,三毛死了。我邀请她来西安,陪她随心所欲地在黄土地上逛逛,信函她还未收到,三毛死了。三毛的死,对我是太突然了,我想三毛对于她的死也一定是突然,但是,就这么突然地将三毛死了,死了。

人活着是多么的不容易,人死灯灭却这样快捷吗?

三毛不是美女,一个高挑着身子,披着长发,携了书和笔漫游世界的形象,年轻的坚强而又孤独的三毛对于大陆年轻人的魅力,任何局外人作任何想象来估价都是不过分的。许多年里,到处逢人说三毛,我就是那其中的读者,艺术靠征服而存在,我企羡着三毛这位真正的作家。夜半的孤灯下,我常常翻开她的书,瞧着那一张似乎很苦的脸,作想她毕竟是海峡那边的女子,远在天边,我是无缘等待到相识面谈的。可我怎么也没有想到,一九九〇年十二月十五日,我从乡下返回西安的当天,蓦然发现了《陕西日报》上署名孙聪先生的一篇《三毛谈陕西》的文章。三毛竟然来过陕西?我却一点不知道!将那文章读下去,文章的后半部分几乎全写到了我:三毛说,"我特别喜欢读陕西作家贾平凹的书。她还专门告我普通话念凹为(āo),但我听北方人都念凹(wā)这样亲切所以我一直也念平凹(wā)。她告诉我,在台湾只看到了平凹的两本书,一本是《天狗》,一本是《浮躁》,我看第一遍时就非常喜欢,连看了三遍,每个标点我都研究,太有意思了,他用词很怪可很有味,每次看完我都要流泪。眼睛都要看瞎了。他写的商州人很好。这两本书我都快看烂了。你转告他,他的作品很深沉,我非常喜欢,今后有新书就寄我一本。我很崇拜他,他是当代最好的作家,当然这只是我个人的看法。他的书写得很好,看许多书都没像看他的书这样连看几遍,有空就看,有时我就看平凹的照片,研究他,他脑子里的东西太多了……大陆除了平凹的作品外,还爱读张贤亮和钟阿城的作品……"读罢这篇文章,我并不敢以三毛的评价而洋洋得意,但对于她一个台湾人,对于她一个声名远震的作家,我感动着她的真诚直率和坦荡,为能得到她的理解而高兴。也就在第二天,孙聪先生打问到了我的住址赶来,我才知道他是省电台的记者,于九〇年的十月在杭州花家山宾馆开会,偶尔在那里见到了三毛,这篇文章就是那次见面的谈话记录。孙聪先生详细地给我说了三毛让他带给我的话,说三毛到西安时很想找我,但又没有找,认为"从他的作品来看他很有意思,隔着山去看,他更有神秘感,如果见了面就没意思了,但我一定要拜访他。"说是明年或者后年,她要以私人的名义来西安,问我愿不愿给她借一辆旧自行车,陪她到商州走动。又说她在大陆几个城市寻我的别的作品,但没寻到,希望我寄她几本,她一定将书钱邮来。并开玩笑地对孙聪说:"我去找平凹,他的太太不会吃醋吧?会烧菜吗?"还送我一张名片,上边用钢笔写了:"平凹先生,您的忠实读者三毛。"于是,送走了孙聪,我便包扎了四本书去邮局,且复了信,说盼望她明年来西安,只要她肯冒险,不怕苦,不怕狼,能吃下粗饭,敢不卫生,我们就一块骑旧车子去一般人不去的地方逛逛,吃地方小吃,看地方戏曲,参加婚丧嫁娶的活动,了解社会最基层的人事。这书和信是十二月十六日寄走的。我等待着三毛的回音,等了二十天,我看到了报纸上的消息:三毛在两天前自杀身亡了。

三毛死了,死于自杀。她为什么自杀?是她完全理解了人生,是她完成了她活着要贡献的那一份艺术,是太孤独,还是别的原因,我无法了解。作为一个热爱着她的读者,我无限悲痛。我遗憾的是我们刚刚要结识,她竟死了,我们之间相识的缘分只能是在这一种神秘的境界中吗?!

三毛死了,消息见报的当天下午,我收到了许多人给我的电话,第一句都是"你知道吗,三毛死了!"接着就沉默不语,然后差不多要说:"她是你的一位知音,她死了……"这些人都是看到了《陕西日报》上的那篇文章而向我打电话的。以后的这些天,但凡见到熟人,都这么给我说三毛,似乎三毛真是了我的什么亲戚关系而来安慰我。我真诚的感谢着这些热爱三毛的读者,我为他们来向我表达对三毛死的痛惜感到荣幸,但我,一个人静静地坐下来的时候就发呆,内心一片悲哀。我并没有见过三毛,几个晚上都似乎梦见到一个高高的披着长发的女人,醒来思忆着梦的境界,不禁就想到了那一幅《洛神图》古画。但有时硬是不相信三毛会死,或许一切都是讹传,说不定某一日三毛真的就再来到了西安。可是,可是,所有的报纸、广播都在报道三毛死了,在街上走,随时可听见有人在议论三毛的死,是的,她是真死了。我只好对着报纸上的消息思念这位天才的作家,默默地祝愿她的灵魂上天列入仙班。

三毛是死了,不死的是她的书,是她的魅力。她以她的作品和她的人生创造着一个强刺激的三毛,强刺激的三毛的自杀更丰富着一个使人永远不能忘记的作家。

1991年1月7日

再 哭 三 毛

我只说您永远也收不到我的那封信了,可怎么也没有想到您的信竟能邮来,就在您死后的第十一天里。今天的早晨,天格外冷,但太阳很红,我从医院看了病返回机关,同事们就叫着我叫喊:"三毛来信啦!三毛给你来信啦!"这是一批您的崇拜者,自您死后,他们一直浸沉于痛惜之中,这样的话我全然以为是一种幻想。但禁不住还在问:"是真的吗,你们怎么知道?"他们就告诉说俊芳十点钟收到的(俊芳是我的妻子,我们同在市文联工作),她一看到信来自台湾,地址最后署一个"陈"字,立即知道这是您的信就拆开了,她想看又不敢看,啊地叫了一下,眼泪先流下来了,大家全都双手抖动着读完了信,就让俊芳赶快去街上复印,以免将原件弄脏弄坏了。听了这话我就往俊芳的办公室跑,俊芳从街上还没有回来,我只急得在门口打转。十多分钟后她回来了,眼睛红红的,脸色铁青,一见我便哽咽起来:"她是收到你的信了……"

收到了,是收到了,三毛,您总算在临死之前接受了一个热爱着您的忠实读者的问候!可是,当我亲手捧着了您的信,我脑子里刹那间一片空白呀!清醒了过来,我感觉到是您来了您就站在我的面前,您就充满在所有的空气里。

这信是您一月一日夜里二点写的,您说您"后天将住院开刀去了",据报上登载,您是二日入院的,那么您是以九〇年最后的晚上算起的,四日的凌晨二点您就去世了。这封信您是什么时候发出的呢,是九一年的一月一日白天休息起来后,还是在三日的去医院的路上?这是您给我的第一封信,也是给我的最后一封信,更是您四十八年里最后的一次笔墨,您竟在临死的时候没有忘记给我回信,您一定是要惦念着这封信的,那亡魂会护送着这封信到西安来了吧!

前几天,我流着泪水写了《哭三毛》一文,后悔着我给您的信太迟,没能收到,我们只能是有一份在朦胧中结识的缘分。写好后停也没停就跑邮局,我把它寄给了上海的《文汇报》,因为我认识《文汇报》的肖宜先生,害怕投递别的报纸因不认识编辑而误了见报时间,不能及时将我对您的痛惜、思念和一份深深的挚爱献给您。可是昨日收到《文汇报》另一位朋友的谈及别的内容的信件,竟发现我寄肖宜先生的信址写错了,《文汇报》的新址是虎丘路,我写的是原址圆明园路。我好恨我自己呀,以为那悼文肖先生是收不到了,就是收到,也不知要转多少地方费多少天日,今日正考虑怎么个补救法,您的信竟来了,您并不是没有收到我的信,您是在收到了我的信后当晚就写回信来了!

读着您的信,我的心在痉挛着,一月一日那是怎样的长夜啊,万家灯火的台北,下着雨,您孤独地在您的房间,吃着止痛片给我写信,写那么长的信,我禁不住就又哭了。您是世界上最具真情的人,在您这封绝笔信里,一如您的那些要长存于世的作品一样至情至诚,令我揪心裂肠的感动。您虽然在谈着文学,谈着对我的作品的感觉,可我哪里敢受用了您的赞誉呢,我只能感激着您的理解,只能更以您的理解而来激励我今后的创作。一遍又一遍读着您的来信,在那字里行间,在那字面背后,我是读懂了您的心态,您的人格,您的文学的追求和您的精神的大境界,是的,您是孤独的,一个真正天才的孤独啊!

现在,人们到处都在说着您,书店里您的书被抢购着,热爱着您的读者在以各种方式悼念您,哀思您,为您的死作着种种推测。可我在您的信里,看不到您在入院门有什么自杀的迹象,您说您"这一年来,内心积压着一种苦闷,它不来自我个人生活,而是因为认识了您的书本",又说您住院是害了"不大好的病"。但是,您知道自己害了"不大好的病",又能去医院动手术,可见您并没有对病产生绝望,倒自信四五个月就能恢复过来,详细地给了我的通讯地址和电话号码,且说明五个月后来西安,一切都作了具体的安排,为什么偏偏在入院的当天夜里,敢就是四日的三点就死了呢?!三毛,我不明白,我到底是不明白啊!您的死,您是不情愿的,那么,是什么原因而死的呀,是如同写信时一样的疼痛在折磨您吗?是一时的感情所致吗?如果是这一切仅是一种孤独苦闷的精神基础上的刺激点,如果您的孤独苦闷在某种方面像您说的是"因为认识了您的书本",三毛,我完全理解作为一个天才的无法摆脱的孤独,可牵涉到我,我又该怎么对您说呢,我的那些书本能使您感动是您对我的偏爱而令我终生难忘,却更使我今生今世要怀上一份对您深深的内疚之痛啊!

这些天来,我一直处于恍惚之中,总觉得常常看到了您,又都形象模糊不清,走到什么地方凡是见到有女性的画片,不管是什么脸型的,似乎总觉得某一处像您,呆呆看一会儿,眼前就全是您的影子。昨日晚上,却偏偏没有做到什么离奇的梦,对您的来信没有丝毫预感,但您却来信了,信来了,您来了,您到西安来了!

现在,我的笔无法把我的心情写出,我把笔放下了,又关了门,不让任何人进来,让我静静地坐一坐。不,屋里不是我独坐,对着的是您和我了,虽然您在冥中,虽然一切无声,但我们在谈着话,我们在交流着文学,交流着灵魂。这一切多好啊,那么,三毛,就让我们在往后的长长久久的岁月里一直这么交流吧。三毛!

1991年1月15日下午收到三毛来信之后

附:三毛致贾平凹的信

平凹先生:

现在时刻是西元一九九一年一月一日清晨两点。下雨了。

今年开笔的头一封信,写给您:我心极喜爱的大师。恭恭敬敬的。

感谢您的这支笔,带给读者如我,许多个不睡的夜。虽然只看过两本您的大作,"天狗"与"浮躁",可是反反覆覆,也看了快二十遍以上,等于四十本书了。

在当代中国作家中,与您的文笔最有感应,看到后来,看成了某种孤寂。一生酷爱读书,是个读书的人,只可惜很少有朋友能够讲讲这方面的心得。读您的书,内心寂寞尤甚,没有功力的人看您的书,要看走样的。

在台湾,有一个女朋友,她拿了您的书去看,而且肯跟我讨论,但她看书不深入,能够抓捉一些味道,我也没有选择的只有跟这位朋友讲讲"天狗"。这一年来,内心积压着一种苦闷,它不来自我个人生活,而是因为认识了您的书本。在大陆,会有人搭我的话,说"贾平凹是好呀!"我盯住人看,追问"怎么好法?"人说不上来,我就再一次把自己闷死。看您书的人等闲看看,我不开心。

平凹先生,您是大师级的作家,看了您的小说之后,我胸口闷住已有很久,这种情形,在看"红楼梦",看张爱玲时也出现过,但他们仍不那么"对位",直到有一次在香港有人讲起大陆作家群,其中提到您的名字。一口气买了十数位的,一位一位拜读,到您的书出现,方才松了口气,想长啸起来。对了,是一位大师。一颗巨星的诞生,就是如此。我没有看走眼。以后就凭那两本手边的书,一天四五小时的读您。

要不是您的赠书来了,可能一辈子没有动机写出这样的信。就算现在写出来,想这份感觉——由您书中获得的,也是经过了我个人读书历程的"再创造",即使面对的是作者您本人,我的被封闭感仍然如旧,但有一点也许我们是可以沟通的,那就是:您的作品实在太深刻。不是背景取材问题;是您本身的灵魂。

今生阅读三个人的作品,在二十次以上,一位是曹霑,一位是张爱玲,一位是您。深深感谢。

没有说一句客套的话,您所赠给我的重礼,今生今世当好好保存,珍爱,是我极为看重的书籍。不寄我的书给您,原因很简单,相比之下,三毛的作品是写给一般人看的,贾平凹的著作,是写给三毛这种真正以一生的时光来阅读的人看的。我的书,不上您的书架,除非是友谊而不是文字。

台湾有位作家,叫做"七等生",他的书不销,但极为独特,如果您想看他,我很乐于介绍您这些书。

想我们都是书痴,昨日翻看您的"自选集",看到您的散文部分,一时里有些惊吓。原先看您的小说,作者是躲在幕后的,散文是生活的部分,作者没有窗帘可挡,我轻轻地翻了数页。合上了书,有些想退的感觉。散文是那么直接,更明显的真诚,令人不舍一下子进入作者的家园,那不是"黑氏"的生活告白,那是您的。今晨我再去读。以后会再读,再念,将来再将感想告诉您。先念了三遍"观察"(人道与文道杂说之二)。

四月(一九九〇年)底在西安下了飞机,站在外面那大广场上发呆,想,贾平凹就住在这个城市里,心里有着一份巨大的茫然,抽了几支烟,在冷空气中看烟慢慢散去,尔后我走了,若有所失的一种举步。

吃了止痛药才写这封信的,后天将住院开刀去了,一时里没法出远门,没法工作起码一年,有不太好的病。

如果身子不那么累了,也许四五个月可以来西安,看看您吗?到(倒。编者注)不必陪了游玩,只想跟您讲讲我心目中所知所感的当代大师——贾平凹。

用了最宝爱的毛边纸给您写信,此地信纸太白。这种纸台北不好买了,我存放着的。我地址在信封上。

您的故乡,成了我的"梦魅"。商州不存在的。

三毛敬上

平凹作画记(七则)

序

在年纪不老的作家里,我自诩我的毛笔字可入书品。但我确实没有临过帖,用钢笔写稿写得多了,随时又受读一些碑,别人要我在宣纸上写,就写出来了。原本是一场玩事,所以从不为难他人的求索,给他写字不正好是练我的书法吗?差不多是求我一幅字的总事先拿数张纸来,剩下的便白落,竟落下了几大捆的便宜。有一日突发奇想:有这么多纸,何不也作些画呢?见过一些画家是将墨大泼大涂的,于是也泼,也涂,怪畅美的。刚画毕,恰好来了一位搞美术理论的先生,瞧我一嘴唇墨,问我干什么了?我说作画了。小时候在寺庙里看过画匠骑在木架上画檐头,时不时将笔在口里蘸唾沫,多半我作画时也这么不自觉地模仿了。就擦着嘴说,"小娃的屁股画家的嘴",当画家就要敢不卫生呀!先生说要看画,看,一拳却把我击倒了,大叫你小子是鬼狐附体!我可怜地说:"我可从没受过训练,压根不懂技法。"意思是别以高标准来要求我。先生倒严肃起来,讲了许多使我也吃惊的好话,我瞧他不是在戏弄我,我来劲了,我是个见不得鼓动的人,一时得意叫道:那我就画呀！就画起来了！

我真是有无知无畏的秉性。

说老实的，我可不想做个画家，纯乎一种取乐的方式，没想后来更有了一层好处。我家来客过多，尤其晚上，常是小屋坐那么三位四位，宏谈滔滔，我很烦，又不能黑了脸赶人家，作起画就可以既不失礼又可平心，你若要走，说一句"啊，你慢走"，阿弥陀佛，你不走就待着看我作画，我反正要两不误的。

初冬到现在画下了三十余幅，也是有生以来三十余幅作品。画一幅，觉得还满意就编号，编了号的画是决意不送人的。不知这兴趣还有多久，也不知还要画出多少幅，我想天要我画多少就画多少，我才不受硬要画的累呢。

贾平凹 1991 年 1 月 24 日午

一、《唐僧取经》

画唐僧是一只很凶的虎，虎背上驮着一尊睡佛，这可能要遭佛门人骂，但我佛慈悲，佛是不会怪罪的。读《西游记》，我理解的唐僧是一分为四的，也就是说四而合一，孙悟空、猪八戒、沙和尚只是作为唐僧的另三个侧面。取经行走了那么多地方，遇到了那么多魔怪，应该说，唐僧是凶猛者。由此想到，凶的东西，则可开辟一个新的世界，而美好的东西如佛，则只能在开辟了新的世界后来平和与安详这个新的世界。

此画作于深夜,屋里还待着三个来访人,画完后见其中一人亲自又要沏一壶新茶来喝,我说:"为不浪费茶,再喝一杯你们走吧,今日我困了!"又打了一个哈欠。第一次平静了脸赶客,觉得自己也有了虎气。人一走,满身清静,叼颗烟欣赏我画,欣赏半小时,我也成佛了。

二、《武松杀嫂》

要我说,武松是这样杀的嫂:

潘金莲,淫荡妇,你既是嫁给了武家,恁狠心就同奸夫害我哥哥?!武大无能却有武二,我岂能饶了你这贱人!今日你睁眼看看,这把钢刀白的要进去,红的要出来,割你的头祭我哥哥,我还要戳了你的胸腹掏出心来,瞧瞧天下的女人心是怎么个黑法?

她怎么不声不吭并没吓软?贱雌儿竟换上了娇艳鲜服,别戴着颤巍巍一朵玫瑰,仄靠了被子在床上仰展了。哎呀,她眼像流星一般闪着光,发如乌云,凝聚床头,那粉红薄纱衫儿不系领扣,且鼓凸了奶子乍猛得老高。以前她是嫂嫂,不能久看,如今刀口之下,她果真美艳绝伦,天底下有这样的佳人,真是上帝和魔鬼的杰作了!天啊,她这是临死亡之前集中要展现一次美吗?

啊,这么美的尤物,我怎么就要杀了她呢?她是害死我哥哥,哥哥实在是与她不般配,一朵花插在牛粪上,她是委屈了。武松若不是武二,武二若没有个太矮的哥哥,我也会是同情这女人的,也会是不满意这门婚姻的,可武大毕竟是我的哥哥,一个奶头吊过的同胞,我哪能不维护亲生的兄长呢?哼,杀人者偿命,你就是九天玄女,是观音菩萨,武松若不杀你,武松算什么英雄?!

她笑了,无声而笑,不是冷笑,也不是苦笑,笑而摄魂,这女人,怎么我要杀她,她还以为这又是同那一个雪天她与我接风的酒桌上一样吧?这女人是对自己有过感情的,扪心而想,我何尝没有爱过她呢?现在我真的要杀了她吗?如果那一天我接受了她的爱,我也被爱所冲动,那我会怎么样呢?今日要杀的除了她难道没有我吗?正因为我武松是英雄,才避免了一场千古谴责的罪恶,可正是我成了英雄,才将她推到了西门庆的贼手吗?!

武松呀武松,你这是想到什么地方去了,现在哥哥的灵前,灵堂阴气凝重,哥哥的屈死的灵魂在呼唤着你来申冤,你怎能就要饶了狠毒角色?是的,你个潘金莲,就是不爱我的哥哥,你可以再嫁他人,嫁谁都可以,却偏偏是同那个泼皮西门庆?同了西门庆也还可,竟合谋害了哥哥性命,我武松放过了你,别人又会怎样议论我呀!一顶绿帽子戴给了哥哥,也戴给了景阳冈的英雄。或许更有人说武松不杀嫂,是嫂曾经爱过武松,我一场英雄会在人们眼中是个什么形象呢?

杀吧,杀吧,潘金莲,武松真格要杀你了!

刀怎么提不起来,这般重呀?那么一刃,一代美色就灭绝了吗?世上少了潘金莲,多少人为之丧气了,我武松是不是心太硬了?哥哥,哥哥,我该怎么办呢,我已杀了西门庆,咱就放了这个尤种吧?

咳,咳,这是个景阳冈的老虎就好了。

罢了,罢了,由她去吧。可是可是,我不杀她,她能老老实实在武家守节吗?她一定又要另嫁他门,或许又会与别的不三不四的恶徒勾搭,那这么鲜活的小兽与其他人猎去,就不如我武松杀了她。杀了她,看着殷红的血怎样染红白瓷般的胸脯,看着她睁开了杏眼在咽气前的痉挛,岂不是更使人刺激吗?我不能成全她爱我,却可以让她死在所爱的人的刀下,不是于她也于我都是一场最合适的解脱办法吗?好了,好了,潘金莲,那我就这么杀你了!

于是,武松就把潘金莲杀了。

三、《贵妃赏蝶》

杨贵妃已经被文人墨客描述得太多了,我也爱这个女人。因为爱着她,就不忍心读记她死于马嵬坡的故事,相信着东渡了日本的传说,以致对胖胖的东西都有感情,甚至一次大街上碰见行刑前的游行车上押着一个天生丽质的女子就伤悲了几日。可是,我怎么也没想到,当我画出了贵妃的上半身,正待画她的下半身,口中叼着的烟头掉下来,一时拂不去,竟将宣纸烧出难看的洞来。妈的,我骂我,索性拿打火机要焚了这张宣纸,以宣纸充冥钱送给她了。看着宣纸燃到仅剩下杨贵妃的上半身的多半时,我瞧见火光中的贵妃似乎要活起来,一派富贵中的深沉的忧愁,忙就趴过去,用身子压灭了火。这就是我的贵妃。

女人的作用就是给世上贡献美的,我总这样认为的,女人的悲剧也就是太美了。杨玉环正是如此才成了唐代的国母,国母正如此也才勒死在马嵬。如今我画贵妃原来要让她处优地赏蝶,天意竟还让她残缺。残缺的美更美,我永远也忘不了我的这幅画。

四、《石鲁》

生活在西安,又要作画,总就想到那个石鲁。石鲁的艺术在石鲁疯了以后更进入大的境界,这使我独坐了常寻思:在那样个文艺差不多有着僵壳的时期,石鲁的成功在于他有了异于别人的思维吗?!我很羡慕有这种思维,但我不愿以疯来建构,更恐惧思维"疯"的产生背景。眼下气功兴时,我求拜过许多气功师,要给我开慧眼,看鬼,看神,看别人看不到的世界情形,以来突破我的写作。可悲惨的是气功师都拒绝了,这倒令我怀疑了这些气功师,他们或者胡说,或者他们的功法太浅。

于是我又想,或许石鲁并没有疯,因为他感应自然、体验生命的思维与当时社会不同,众人看他才疯了,疯的其实是认为他疯了的人。

五、《景阳冈之后》

时下,到处都在崇尚男子汉气派,文学艺术作品里凡是要歌颂的人物,胸口都要贴上一些胸毛。但在中国古典文学艺术中,男人的形象可分两类,一是白脸,包括那个刘备、贾宝玉和所有戏曲的小生,一是黑脸。白脸的皆阴柔虚涵,予以张扬,黑脸的则往往刚烈,视为鲁莽之徒。

这个晚上不知怎么就想起了为武松作画。

武松在景阳冈上敢打虎,面对嫂嫂能杀淫,如果武松在今日,胸毛是够茂密了,或许会演出更惊天泣地的业绩来的。但古时的标准为他定了性,梁山泊的头把二把交椅轮不到他,只能是个将领而已,所以上了梁山,他的贡献就十分之小了。

但武松当然还是英雄,我就要画出个英雄来。画毕,有一远路朋友来,却以为武松模样窝囊了:戴了颈枷,瑟瑟作抖,虽然以你的名章按在额上作罪犯烙印而构思奇妙。我说,英雄也是血肉长的,对死谁个不恐惧,面临失败和委屈谁个不沮丧,愈是这样活下去,才是英雄!我们的现代意识里,以为男子汉一味阳刚,让他不爱生命,如归一般地死,那么,鼓励一个人连自己的生命都不爱,他还能爱别的什么吗?再者,不画英雄万众欢呼,画一个英雄落难,使我们懂得人生的艰辛了就更爱英雄,而不是以为英雄是轻而易举的风光的事体而许多人去做荒诞的梦。

六、《鬼才李贺》

我喜欢那个李贺,却不明白怎么世人就称他是鬼才,有了非凡的才能只能归之于鬼的作用吗?细读他的诗,除了大写阴阳之事外,他的思维是与一般人异同的。记得数年前见到大作家汪曾祺先生,他说李贺是黑纸上写白字,先生的话使我顿开茅塞。今日为李贺造像,当然是一团黑气涌涌而来,他是没地位之人,家境贫寒,潜心了艺术可能人缘不会好,过早地就驼了背,眉眼就画在黑团之中吧,那只寻诗所骑的毛驴却是极瘦极瘦的了。年轻时爱读蒲松龄的狐狸精,盼不得夜深人静有个女子破窗而入,今画李贺,我还是不怕鬼,爱鬼则更希望能得些李贺的鬼气以匡正我的思维定式。

七、《百年孤独》

读了马尔克斯的书,就永远记住了"百年孤独"四个字。但我没有以此而冲动着作画。九一年元月六日,得知台湾作家三毛自杀消息,心中无限痛惜。世人对三毛之死的原因猜测纷纷,我认为她死于天才的孤独。大凡世界上进入了大境界的人都是孤独的。夜幕降临,寒星闪烁,立于高楼凉台仰天怆悲,返回画案作下此画。树是枯桩形,人是老井状,一个不以红花繁叶热闹炫世,一个风吹不走,日晒不干的深茂虚涵。用不着再在画面上行文题字了,用不着的。

佛　　事

五月二十九日天下大雨,有客从台湾来,自称姓陈,是三毛的朋友。一听说三毛,陌生客顿做亲近人;先生却立在那里只是说,我送三毛的遗物到敦煌去,经过西安一定要来看看你。

看看我? 我望着先生,眼睛便有些涩了。先生既然是三毛的朋友,带了三毛的遗物去敦煌,冥冥之中,三毛的幽灵一定也是到了;我与先生素不相识,也无书信联系,这么大的雨,他从我的单位打问到我住的医院,偏偏我又从医院回来,他又冒雨寻来了。如此耐烦辛苦,活该是三毛的神使鬼差呢。

三毛,三毛,我轻声地叫起来了,"快让我瞧瞧!"等不及先生把一包东西放在桌上,我说,我要见三毛。

先生从一个大塑料包里往外掏,掏出一顶太阳帽来,说这是三毛生前一直戴着的;掏出一条发带,红色的,极有弹性,再是掏出一件水手裙了。先生的声调沉下来,介绍这种裙子在台湾一般有些年纪的妇女是不大敢穿的,四十多岁的人了,敢穿的恐怕只有三毛了。三毛性坦真,最不愿约束。报上发表的一张照片,是她在成都的街头,赤了脚坐在一家木板门面前,样子顽皮如小狗。三毛穿了这件水手裙走着,走着的是个性,走着潇洒。先生还在掏着,是一件棉织衫,三条棉织裤,全是白色的,上边似乎还残留着几点什么斑痕。"我没有带她的袜子。"先生说,三毛是以长筒丝袜悬颈的,袜子对于我们都太刺激了。最后掏出来的是一色三毛十多年来一直喜欢用的西班牙产的餐纸,一瓶在沙漠上护肤的香水,一包美国香烟,淡味型的,硬纸盒里仅剩五支,明显地已经霉了。

从头到脚的穿戴,吃的用的小品,完整的一个三毛,出现在面前了。我久久地目视着,一句话也说不出来。我能说什么呢,物在人去,生命已不可复得。她的归宿是她选择的。她的选择应该是对的,潇洒而美丽,虽然对于读者是一种遗憾和痛惜。

我走向了窗前,推开窗扇,檐前垂下的扯也扯不断那样的粗而白的雨。我喃喃起来,我并不自觉我说了些什么,是一句三毛你好,是一句阿弥陀佛?在场的我的妻子给我倒了一杯水,说我的脸色很是可怕了。

元月十六的清晨,三毛将最后的一封信,于亡日后第十二天寄给了我,信上写着五月份她是要来西安的。那时候,看过信的人都感到遗憾,三毛果然不食言,她真的在五月的最后的日子来到了!我虽然见到的不是她的真人,但以她的性格,和我的性格,这种心灵的交流,是最好的会见方式。

先生说,他居住的地方与三毛家很近。他常常去她那儿聊天,三毛在生前曾对他说过,死后她希望一半葬在台北,一半就留到浙江乡下的油菜田边,但至她去年十月到过了西北,主意改变,希望能葬在敦煌前的鸣沙山上,她说她把地点方位都选好了。

鸣沙山,三毛真会为她选地方。那里我是去过的,多么神奇的山,全然净沙堆成,千人万人旅游登临,白天里山是矮小了。夜里四面的风又将山吹高吹大,那沙的流动呈一层薄雾,美丽如佛的灵光,且五音齐鸣,仙乐动听。更是那山的脚下,有清澄幽静月牙湖,没源头,也没水口,千万年来日不能晒干,风也吹不走,相传在那里出过天马。鸣沙山,月牙湖,连同莫高窟构成了艺术最奇艳的风光。三毛要把自己的一半永远安住在那里,她懂得美的,她懂得佛。

一生跑遍了世界,最后觉得最依恋的还是祖国的西北。鸣沙山可以重温到撒哈拉的故事,月牙湖可以浸润温柔的夜,喜欢音乐和绘画正好宜于在莫高窟。谁的一生活得如此美丽,死后又能选中这般地方浪漫?她是中国的作家,她的作品激动过海峡两岸无数的读者,她终于将自己的魂灵一半留在有日月潭的台北,一半遗给有月牙湖的西北。月亮从东到西,从西到东,清纯之光照着一个美丽的灵魂。美丽的灵魂使从东到西从西到东的读者永远记着了一个叫三毛的作家。

陈先生打开了厚厚的三本相册,都是三毛生前的照片,有一张拍摄的是三毛的灵堂,一张是三毛周日的场面。先生几乎是噙着泪水详细给我讲了三毛最后走了的事情。他说,在三毛死后,她的母亲在医院整理遗物,发现病床枕边还放着我的一本书。老太太感谢为三毛住院和后事帮了大忙的一位医生。那本书就送作纪念了。但是,陈先生却也带来了他送我的一件礼物,这就是三毛最后赠送给他的著作《滚滚红尘》。"我再送给你吧!"陈先生说,我浑身都在颤抖了,这何尝不又是三毛冥中的旨意呢?永久的纪念品,够我一生来珍存了。

我询问陈先生去敦煌以后怎样活动。陈先生说原准备到了鸣沙山，就在三毛选中的方位处修个衣冠冢，树一块碑子，但后来又想，立碑子太惊动地方，势必以后又会成为个旅游点，这不符合三毛的性格。她是真情诚实的人，不喜欢一切的虚张，所以就想在那里焚化遗物，这样更能安妥她的灵魂的。

这想法是对的，三毛还需要一块什么碑子吗？月牙湖的月亮就是她的碑子。鸣沙山就是她的碑子，她来来往往永驻于读者的心里，长留在中国的文学史上，人世间有如此的大美，这就够了。

我深深地感谢着三毛的这位朋友，却遗憾我自己身体有病，不能同陈先生一块去敦煌。我送陈先生到大门口，满天雨水的淋打中祝他一路顺利到敦煌。陈先生和我握别，脸上突然闪动了一个微笑。我立即觉得这微笑应该是三毛的，三毛式的微笑，她微笑着告别了。雨哗哗地下着，满地都是水泡，陈先生的身影消失在窄窄的长长的小巷的那头。这时候，灰蒙蒙的天上有了声音，是隐隐的雷，我知道三毛的灵魂在启行了，脱离了躯体的灵魂是更自由的。它在台北，它在敦煌，它随着月亮的周返转往两地，它会是做了月里的嫦娥，仙人之眼夜夜注视着她的祖国。它又会是在那莫高窟里做一个佛的，一个不生不死无生无死的佛。

1991 年 6 月 1 日于病房

给你一根竹棍

世上的书有各种类型,回忆录却是我们常接触到且十分喜欢读的一种,它有史的庄严,人生的经验来得亲切。世界上几乎所有的伟人,名人必要做的一项最后工作,就是写回忆录,而更多的老人将写回忆录使晚境愉悦和多彩,可以说,它是作家之内的事,又是作家之外的事,大而化之,是所有人的事业。

遗憾的是现有的教科书,并没有关于回忆录的写作教材,书省君的这本书的出版,姑且不论优与劣,得体与否,但补白的意义,确实令我们深表敬意。

如同世上一切写作一样,回忆录是不需要有什么框式的,书省君之所以写成《回忆录写作纵横》而不是《回忆录写法》,它只是告诉你每一部作品本身都在向你说明作品该怎么写的道理,只是向你提供一种借鉴和启发。"这本书只能是一根竹棍",书省君对我如是说。是的,一根竹棍扶持腿力不济的老人攀上人生最后的顶巅,到达了是可以扔掉的,但是当我们在到达了顶巅后扔掉了竹棍,我们也就深深地懂得了竹棍的价值了。

书省君是我的大学同学,十数年来,他以学业的优异一直留在母校从事写作教学,凡是写作范围内的事体他无一不涉猎和实践过,这本书耗费了他许多心血,长时间的求实而又充满激情的工作,得以使全书如此平易、通俗、自然、亲切,它的出版必会得到社会的欢迎。所以,在出版之际,愿以同学同志的身份与书省君共享收获后的欢欣。

(此文是为《回忆录写作纵横》一书写的序)

三 目 石

一日在家独坐,诗人××来说我孤寂。我不孤寂,静定乃能思游。诗人含笑,陪我对坐;遂说身体,说儿女,说今日天气,不免无聊起来。诗人叫苦:善动者他,喜静者我,两人血型不同。他说送你一块石头我走啦,就走了。

这石头不大,白色,可以托在掌上。但石上有三只目形。是圆睁的目,或者是睁而不能闭的目,如鸡与鱼。之所以称目,是有七层金线圈,中间更为金黄圆心,很有些像午夜的猫眼,组合一个品状。我平日收集石头,皆以丑为美,全没这般精妙的物件,好喜欢了,就这么坐下来两目对着三目,也可说三目对着两目,竟嗒然遗忘身与石。

我想,这石头一定生成极早,是什么生命的化石。古时候天地混沌,生命的诞生都是三只眼的,所以古人的认知都是真感的,质朴而准确,所以那时没理性,有神话,不存在潜层意识的词。现在的生命都是两只眼,一只眼隐退为意识潜下来,一切都不质朴了。

三目石此时得之于我,肯定有什么缘分所在,是如何意思呢,昭示我什么呢?理性的东西太多,科学的分类过细,现代人已经活得十分地琐碎。满世界的专家如毛,专家又自视高深,其实专家不就是懂得一门的认知,而这门在大自然中是怎样渺小如针尖的门呢?!

　　三只眼比两只眼多一只眼,看到的是更多的具象,是整体,是气韵,苍茫而神秘的世界里,生命就与神同一了。两只眼比三只眼少一只眼,一定是在抽象,穷尽物理,可能得出结论生命就能制神了。谁是谁非,我不能把握。却思量戏曲上的程式,没有程式的时候不成戏曲,但现在演员做程式有几个还知道程式的来源吗?没有成语的时候,语言芜杂,而中学生喜欢用成语作文,谁又不生厌"学生腔"呢?我要捧角儿,我一定要告诫他(她)某程式产生的背景和内涵,我指导我的女儿作文,我要求她把成语还原着写。现在我们太多的形而上,欲望着要认识世界,世界却与我们陌生了。

　　又想,人的悲哀太是不知道了吗?

　　这个夜里不成寐,黎明里恍惚有梦,梦里全不是我看三目石的思想,竟石的三目在看我,有许多文字出现。惊醒来记,失之大半,勉强记得:人肯定不再衍化独目,意识却可能被认为无数目如千眼佛,但或千眼顿开,但或一目了然,既是眼,请看眼为圆圈中有精点,圈中一点,形上也形下,看山是山,看水是水,又看山不是山,又看水不是水,再看山还是山,再看水还是水。你看么。

　　是吗是吗,我是还得再看,三目石永远不会丢弃了的,××。

1991年9月12日早草